D1461323

La Prière des défunts

James Grippando

La Prière des défunts

Traduit de l'anglais (États-Unis)
par Simon Baril

le
cherche
midi

Titre original : *When Darkness Falls*
© James Grippano, 2007

© le cherche midi, 2008, pour la traduction française
23, rue du Cherche-Midi 75006 Paris
Vous pouvez consulter notre catalogue général et l'annonce
de nos prochaines parutions sur notre site Internet :
www.cherche-midi.com

À mon père, James Vincent Grippando.

Il ne suffit pas de le voir pour le croire. Pour le croire... il faut y croire.

1

Le sergent Vincent Paulo ne voyait pas l'homme qui avait grimpé tout en haut du William Powell Bridge. En fait, Paulo ne voyait même pas ce foutu pont. Mais il entendit le désespoir dans la voix de l'homme, et sut que ce type-là était prêt à sauter. Après sept années passées en tant que négociateur de crises à la police de Miami, on sait certaines choses d'instinct, même quand on est aveugle.

Surtout quand on est aveugle.

– Falcon, lança-t-il pour la énième fois, sa voix amplifiée par le mégaphone. C'est Vincent Paulo qui vous parle. Nous allons trouver une solution, d'accord ?

L'homme était juché sur un lampadaire – il n'aurait pas pu s'approcher plus près des nuages – et il contemplait la ville depuis son perchoir. La vue de Miami devait être spectaculaire, là-haut. Paulo, lui, ne pouvait qu'imaginer l'eau bleu vert de la baie, les tours résidentielles qui s'alignaient face à la mer comme autant de dominos prêts à s'effondrer au cours d'une colossale réaction en chaîne. Des bateaux de croisière s'éloignaient peut-être lentement vers le large, lâchant des traînées de fumée blanche dans un ciel si bleu qu'aucun nuage n'oserait le troubler. La circulation routière, lui avait-on dit, était embouteillée sur des kilomètres dans chaque direction, à l'ouest, vers la ville, et à l'est, vers l'île de Key Biscayne. Il y avait des voitures de patrouille, un fourgon de la Swat – l'équipe d'intervention spéciale –, des escouades de policiers, des bateaux de la police dans la baie et une ribambelle de camionnettes des médias et de reporters qui assaillaient le pont. Paulo entendait le bruissement d'hélices de multiples hélicoptères : les journalistes locaux retransmettaient l'épisode en direct et en intégralité sur tous les téléviseurs du sud de la Floride.

Tout ça à cause d'un des sans-abri de la ville de Miami. Il se faisait appeler Falcon, et ce nom lui allait à la perfection. Il se tenait à califourchon sur le lampadaire, ses jambes enroulées autour des barreaux de métal de sorte que ses bras étaient libres. On aurait dit une imitation à taille humaine d'un vieux calicot de voiture, sans le vernis chromé : le menton en l'air, le torse bombé, le corps penché au-dessus de l'eau, les bras déployés comme les ailes d'un oiseau. Comme un faucon. Paulo avait une policière en tenue à ses côtés pour lui décrire la situation, mais sa présence était superflue. Ce n'était pas la première fois qu'on lui demandait d'intervenir pour empêcher un sans-abri de la ville d'en finir. Ce n'était pas la première fois non plus qu'il avait affaire à Pui. Au cours des dix-huit derniers mois, Falcon avait en deux occasions grimpé au sommet d'un pont pour prendre une telle pose de faucon. À chaque fois, Paulo l'avait persuadé de redescendre. Mais, aujourd'hui, les choses étaient différentes.

C'était la première mission de Vince depuis qu'il avait perdu la vue.

Et, pour la première fois, il était convaincu que l'homme allait vraiment sauter.

– Falcon, descendez pour que nous puissions parler. Ce sera mieux pour tout le monde.

– Finies les conneries. Je veux parler à la fille du maire. Vous avez un quart d'heure pour l'amener, sinon je me plante tête la première sur le vieux pont.

Le William Powell Bridge est comme une grande arche qui surplombe la baie de Biscayne. Les cyclistes l'appellent « la montagne de Miami », même si, en matière de suicides, il ne rivalise pas avec le Golden Gate à San Francisco ou le George Washington à New York. Son point le plus haut ne se situe qu'à vingt-quatre mètres au-dessus du niveau moyen de la mer. Même si on y ajoutait les dix mètres de hauteur du lampadaire, il n'était pas certain qu'un plongeon dans la baie serait fatal à Falcon. Néanmoins, la chaussée du vieux pont est parallèle au nouveau pont, et on l'utilise encore comme jetée de pêche. Un saut de l'ange de plus de trente mètres s'achevant contre du béton armé ne serait pas joli à voir – surtout en direct à la télé.

– On prend la relève quand vous voulez, Paulo.

La voix venait de derrière l'épaule gauche de Vince, et il la reconnut comme appartenant à Juan Chavez, le coordinateur de la Swat.

Vince coupa son mégaphone :

– Allons parler au préfet.

Aucun obstacle n'encombrait le chemin qui menait à la fourgonnette de police, et Vince l'avait mémorisé. Sa longue canne blanche ne lui servait pas à grand-chose. Lui et Chavez entrèrent dans le fourgon par la porte latérale et ils s'assirent l'un en face de l'autre à l'arrière, dans les fauteuils. Un policier resté dehors referma la porte tandis que Chavez composait le numéro du quartier général sur un téléphone crypté. Le préfet de police de Miami décrocha. Elle suivait le déroulement de la crise à la télévision, et ses premiers mots ne témoignèrent pas à Vince la confiance dont il avait besoin :

– Cela fait plus de deux heures que ça dure, Paulo. Je n'ai pas l'impression de voir beaucoup de progrès.

– L'hiver dernier, il m'a fallu deux fois plus de temps pour le convaincre de descendre du pont routier de Golden Glades.

– D'accord, dit le préfet. Alors disons que ma question est : est-ce que vous vous sentez vraiment à même de poursuivre ?

– Vous voulez dire : maintenant que je suis aveugle ?

– Comprenez-moi bien, je suis contente que vous ayez décidé de rester avec nous dans la police et d'enseigner à l'académie. J'ai fait appel à vous aujourd'hui parce que vous avez l'habitude de ce type, mais je m'en voudrais de vous mettre dans une situation que vous ne pensez pas être capable de gérer.

– Ne vous inquiétez pas pour ça, madame le préfet.

– Parfait. Mais le temps presse. Vous savez comme moi qu'à Miami les boîtes à gants ne renferment que rarement des gants. Si ce crétin ne descend pas rapidement, un de ces automobilistes bloqués sur la route va sortir son revolver pour le chasser de son nid.

– Alors on y va, on bouge, dit Chavez.

– Vous ne pensez pas qu'un fusil à lunette calibre 308, c'est un rien exagéré pour un sans-abri perché sur un lampadaire ? demanda Vince.

– Il ne s'agit pas de l'abattre. Je veux juste que notre équipe soit un peu plus visible. Notre patience a des limites, il faut qu'on lui fasse passer le message.

– S'il pense que les gars de la Swat sont sur le point de monter, il sautera.

– Cela a fonctionné la dernière fois.

– Aujourd'hui, c'est différent.

– Qu'est-ce qui vous fait dire ça ?

– Je n'en sais rien. Je le sens.

– Dois-je comprendre qu'en perdant la vue vous avez développé un sixième sens ?

Vince crispa ses paupières. Derrière des lunettes noires, on pouvait dissimuler beaucoup de peine.

– Allez vous faire foutre, Chavez.

– Ça suffit, messieurs, intervint le préfet.

– Je ne plaisantais pas, dit Chavez. Ce n'est pas la première fois que nous avons à gérer un sans-abri qui menace d'en finir. Neuf fois sur dix, ils veulent simplement qu'on leur prête un peu d'attention. J'aimerais savoir pourquoi Paulo pense que, ce coup-ci, c'est du sérieux.

– Cette question me semble légitime, appuya le préfet.

– Pour commencer, dit Vince, c'est la troisième fois que Falcon grimpe sur un pont, mais la première qu'il nous adresse une demande spécifique. Spécifique et pas complètement irrationnelle. Il n'exige pas que nous empêchions les extraterrestres à tête de bulle de savon d'aspirer ses pensées. Tout aussi important, il a fixé un ultimatum – court : un quart d'heure. Ajoutez à cela la tension nerveuse perceptible dans sa voix, et vous avez un homme acculé.

– Attendez une minute, dit Chavez. Parce qu'il donne l'impression d'avoir à peu près toute sa tête, vous pensez que le danger est accru ?

– D'une certaine façon, oui. Falcon ne descendra du lampadaire que s'il renonce à son exigence de parler à la fille du maire. Parce que ses pensées restent rationnelles, il est très probable qu'il ressentira une humiliation accablante quand il devra faire face à son échec télévisé. Si nous envoyons la Swat là-haut avant qu'il ne soit prêt à accepter ça... autant le pousser directement dans le vide.

– Et si on y allait à la lance à eau ? demanda le préfet. Ou avec un fusil hypodermique ?

– Là encore, il faut penser à la télévision, dit Vince. Faites-le tomber de ce lampadaire, trente avocats lui auront glissé leur carte de visite dans la poche avant qu'il soit arrivé en bas.

Un silence s'installa, le temps que chacun considère le problème.

– J'imagine qu'on pourrait lui promettre de lui donner ce qu'il veut, finit par dire le préfet.

– Vous suggérez qu'on le laisse parler à la fille du maire ? demanda Vince.

– Non, j'ai dit qu'on pourrait le lui *promettre*. C'est son unique demande, n'est-ce pas ?

– Mauvaise stratégie, refusa Vince. Un négociateur doit toujours être en mesure de tenir ses promesses. Ou au moins en avoir l'intention sincère.

– Pour une fois, je suis d'accord avec Paulo, dit Chavez. Mais je pense...

Vince attendait qu'il termine, mais Chavez semblait avoir perdu le fil de ses pensées.

— Vous pensez quoi ? demanda Vince.

— Je pense que peu importe ce qu'on pense vous et moi. La fille du maire est là.

— Quoi ?

— Je la vois en ce moment même qui arrive.

Vince entendit alors les pas qui s'approchaient de la fourgonnette. La porte latérale s'ouvrit, et il sentit sa présence.

— Salut, Vince, dit-elle.

Alicia Mendoza, une belle jeune femme de vingt-sept ans, n'était pas uniquement la fille du maire, elle était flic, raison pour laquelle elle avait pu franchir sans problème les barrières de police. Le son de sa voix avait fait à Vince l'effet d'un coup de poing en plein ventre. Instinctivement, sa mémoire chercha à retrouver les détails du visage – les yeux sombres en forme d'amande, les lèvres charnues, la peau parfaite au teint olive –, mais il stoppa là ses pensées.

— Qu'est-ce que tu fais ici, Alicia ? demanda-t-il.

— J'ai entendu dire que Falcon voulait me parler. Alors je suis venue.

Vince n'avait aucun problème d'ouïe, pourtant son cerveau n'arrivait pas à décoder les mots de la jeune femme. Cette voix douce et familière ne suscitait chez lui que l'émotion la plus vive. Plusieurs mois s'étaient écoulés depuis la dernière fois qu'il l'avait entendue, peu après qu'il fut devenu un héros. Après que les médecins eurent ôté les pansements. Après l'horrible prise de conscience : il n'admirerait plus jamais son sourire, ne regarderait plus jamais dans ses yeux tandis que leurs deux cœurs battaient l'un contre l'autre, n'observerait plus jamais son expression quand elle était heureuse, ou bien triste, ou simplement quand elle s'ennuyait. Les dernières paroles qu'il avait entendu Alicia prononcer étaient : « Tu as tort, Vince, tu as tellement tort... », le jour même où il lui avait déclaré qu'il serait mieux qu'ils ne se voient plus – et ce jeu de mots involontaire les avait fait pleurer tous les deux.

—Je veux aider, dit-elle en effleurant délicatement le poignet de Vince.

Alors va-t'en, pensa-t-il. *Je vais mieux maintenant, beaucoup mieux. Si tu veux vraiment me rendre service, Alicia, s'il te plaît – va-t'en.*

2

Jack Swyteck, avocat spécialisé dans les affaires criminelles, ne se cherchait pas de nouveau client à Miami, en tout
cas pas parmi les sans-abri de la ville. Certes, par le passé, un
grand nombre de ses clients avaient résidé dans un quartier
dont même l'agent immobilier le plus hâbleur aurait eu du
mal à vanter les mérites – le couloir de la mort. Tout juste
sorti de la fac de droit, Jack avait rejoint les rangs du Freedom
Institute, un groupe hétéroclite d'idéalistes prêts à défendre
« les pires de tous », un euphémisme poli pour qualifier un tas
de fils de putes vraiment terrifiants tous plus coupables les uns
que les autres. L'un d'entre eux avait été jugé innocent – et
cela avait suffi à motiver Jack. Il avait travaillé quatre ans pour
cet institut. Près de dix années s'étaient écoulées depuis le
dernier procès où il avait pris la défense d'un condamné à mort
et cela faisait tout aussi longtemps qu'il n'avait pas défendu
quelqu'un comme Falcon.

– Alors c'est quoi votre vrai nom ? demanda Jack.

Son client était assis de l'autre côté de la table, dans la
tenue orange que portent obligatoirement les détenus. Un
éclairage au néon au-dessus de leurs têtes projetait un voile
jaune blafard sur le visage buriné de l'homme. Une touffe
poivre et sel, clairsemée et malgré tout emmêlée, lui tenait
lieu de chevelure. Sa barbe hirsute était presque uniformé-
ment grise. Une plaie ouverte suppurait au dos de sa main

gauche, et il en avait deux autres, plus larges, sur le front, juste au-dessus de son épais sourcil droit. Ses yeux ressemblaient à de petites flaques noires, peu profondes. Jack songeait à ces photos de Saddam Hussein, prises après qu'on l'avait fait ramper hors de son trou.

– Je m'appelle Falcon, marmonna l'homme.

– Falcon quoi ?

L'homme frotta son nez avec sa paume. Un nez large, charnu.

– Falcon, c'est tout.

– C'est-à-dire ? Comme Cher ou Madonna ?

– Non. Comme Falcon, tête de con.

Jack nota « Falcon Tête-de-con » sur sa feuille. Il connaissait le vrai nom de l'homme, bien sûr, qui se trouvait dans le dossier qu'on lui avait remis : Pablo Garcia. Il essayait simplement de lancer la conversation avec son nouveau client.

Jack avait beau s'occuper principalement d'affaires criminelles, il était ouvert à tout ce qui piquait sa curiosité. La même logique voulant qu'il refuse les affaires qui ne l'enthousiasmaient pas, il en résultait que son occupation professionnelle lui apportait beaucoup de satisfaction mais pas nécessairement beaucoup d'argent. Sa motivation n'avait jamais été principalement financière, ce qui était précisément la raison pour laquelle Neil Goderich, son ancien patron au Freedom Institute, lui avait envoyé l'affaire Falcon. Neil était désormais responsable du bureau des avocats commis d'office du comté de Miami-Dade. Falcon refusait catégoriquement d'être représenté par un commis d'office – quelqu'un qui était à la solde du gouvernement faisait nécessairement partie de « la conspiration » –, mais il ne pouvait pas se passer des services d'un avocat. La retransmission télévisée spectaculaire des événements du pont, s'ajoutant à l'apparente fascination de Falcon pour la fille du maire, garantissait que cette histoire ne serait pas oubliée de sitôt. Quand Falcon essaya d'écraser son poing sur le visage du premier commis d'office auquel on avait confié l'affaire, Neil fit appel à Jack. Falcon n'était pas mécontent, ne serait-ce que parce qu'il pourrait être amusant de rendre la vie difficile au fils de l'ex-gouverneur de la Floride. Jack lui aussi était plutôt heureux, au début. Chaque année, il tenait à défendre gratuitement deux ou trois accusés démunis, et il se disait que son vieux camarade Neil ne lui réserverait pas de mauvaise surprise.

Cependant, Jack commençait à avoir des doutes.

– Quel âge avez-vous, Falcon ?

– C'est marqué dans le dossier.

– Je n'en doute pas. Mais faites-moi plaisir, d'accord ?

– J'ai l'air d'avoir quel âge ?

Jack scruta son visage.

– Cent cinquante-sept ans. À dix ans près...

– J'en ai cinquante-deux.

– Ça reste quand même un peu vieux pour avoir des vues sur la fille du maire, non ?

– J'ai demandé un avocat, pas un mariole.

– On vous en donne pour votre argent.

Parfois, blaguer un peu avec ces types les décontractait, ou permettait au moins à Jack de préserver sa propre santé mentale. Falcon restait de marbre. *Cela doit faire des décennies que ce gars-là n'a pas souri.*

– Vous êtes hispanique, n'est-ce pas ?

– Et alors ?

– Quelles sont vos origines précises ?

– En quoi ça vous concerne ?

Jack regarda dans le dossier.

– Ça dit ici que vous avez obtenu la nationalité américaine en 1982. Né à Cuba. Ma mère venait de Cuba.

– Ouais. Une chic fille, mais c'est pas moi votre papa.

Jack laissa passer cette remarque.

– Comment êtes-vous arrivé ici ?

– À bord d'un radeau qui prenait l'eau... et avec un peu de chance, heureusement. Et vous ?

—Juste de la chance : je suis né ici. Et aujourd'hui, où est-ce que vous vivez ?

—À Miami.

—Où à Miami ?

—J'ai mon petit chez-moi au bord du fleuve. Juste avant le pont de la douzième avenue.

—Une maison ou un appartement ?

—Une voiture.

—Vous vivez dans une voiture ?

—Ouais. Enfin, ce qu'il en reste. On me l'a pillée une bonne centaine de fois. Elle n'a plus de moteur. Ni de pneus. Mais au moins j'ai un toit.

—À qui appartient le terrain ?

—J'en sais rien. Un vieux Portoricain du nom de Danny passe de temps en temps. C'est possible que ce soit lui, le proprio. En tout cas il me laisse tranquille, et réciproquement. Vous voyez ce que je veux dire ?

—Oui. Ça fonctionnait comme ça entre mon père et moi quand j'étais au lycée. Est-ce que je peux vous demander depuis combien de temps vous êtes à la rue ?

—Je suis pas à la rue. Je vous l'ai dit, j'habite dans ma bagnole.

—OK. Vous y habitez depuis combien de temps, dans cette bagnole ?

—Ça doit faire quelques années. Quand j'ai emménagé, Clinton était encore président.

—Et avant, qu'est-ce que vous faisiez ?

—J'étais ambassadeur en France. En quoi ça peut bien vous intéresser ?

Jack posa son bloc-notes sur la table.

—Dites-moi une chose, Falcon. Comment ça se fait que, ayant passé toutes ces années à dormir dans une voiture, vous ne rencontriez de problèmes qu'à partir du moment où vous escaladez un pont et menacez de vous jeter dans le vide ?

—Je suis un type malin. Je sais me tenir à carreau.

– Vous avez déjà eu des contacts avec des bénévoles du réseau de santé Citrus, ou avec des gens des services psychiatriques de l'hôpital Jackson ?

– Il y a une femme, Shirley, qui passait me voir de temps en temps. À chaque fois, elle voulait que je l'accompagne à l'hôpital pour qu'elle puisse me filer des médicaments.

– Et vous l'avez suivie ?

– Non.

– Shirley vous a parlé de ce qu'elle diagnostiquait chez vous ?

– D'après elle, je donnais des signes de paranoïa. Mais elle me trouvait « bien équipé ».

– Qu'est-ce que vous avez répondu à ça ?

– J'ai remercié cette dame. Ça fait jamais plaisir d'apprendre qu'on est fou, par contre tant mieux si elle me trouve bien monté.

Encore un commentaire que Jack préféra laisser passer.

– La police ne vous a jamais emmené de force dans un centre d'aide pour y passer quelques heures, voire un jour ou deux ? Il ne vous est jamais rien arrivé de ce genre ?

– Vous voulez savoir si j'ai déjà été victime de la loi Baker ?

Jack ne s'étonna pas de voir que Falcon connaissait la terminologie légale. Pas de doute, il était « bien équipé » – psychologiquement parlant.

– Oui, c'est bien ça que je vous demande.

– Si j'étais cinglé, on m'aurait mis dans l'aile A.

L'aile A de la prison du comté de Miami-Dade était réservée aux patients en psychiatrie.

– Personne n'a dit que vous étiez cinglé.

– C'est vous, les cinglés. Vous qui vous baladez en faisant semblant de ne pas voir les gens comme moi.

Jack ne le contredit pas. Mais il nota quand même « anasognosie potentielle » sur sa feuille – un terme médical qu'il avait rencontré en défendant des condamnés à mort, désignant une personne incapable de prendre conscience de la pathologie dont elle souffrait.

– Nous en reparlerons plus tard, dit Jack. Pour l'instant, laissez-moi vous expliquer ce qui va se passer aujourd'hui. Vous êtes inculpé d'un tas de choses : blocage d'un pont, blocage d'une autoroute, atteinte à la tranquillité générale, attentat à la pudeur...

– Fallait que je pisse.

– Il aurait mieux valu descendre du lampadaire avant de vous soulager. Au moins, vous le saurez pour la prochaine fois. Je reprends la liste : résistance aux forces de l'ordre, voie de fait sur un agent de police...

– Vous vous foutez de moi ? Paulo m'avait dit que si je descendais, je pourrais parler à la fille du maire. Dès que j'ai posé les pieds par terre, trois gars de la Swat se sont jetés sur moi. Évidemment que j'ai résisté.

– Je me contente de vous lire les chefs d'inculpation. Ce n'est pas moi qui vous ai mis en examen.

– C'est quoi, ce pays de merde ? Un type veut se jeter du haut d'un pont, en quoi ça devrait être illégal ?

– Il faut croire que si c'était légal, tout le monde le ferait. Un peu comme le mariage gay.

– S'ils me poursuivent comme ça, c'est uniquement parce que j'ai demandé à parler à la fille du maire.

– Puisque vous abordez le sujet : qu'est-ce que vous aviez à lui dire, au juste, à cette jeune femme ?

– Ça ne regarde qu'elle et moi.

– Laissez-moi tout de suite vous corriger, mon ami. À partir du moment où je suis votre avocat, que les choses soient claires : il n'y a rien – absolument rien – entre vous et Alicia Mendoza.

Un tout petit sourire apparut sur les lèvres de Falcon. Un sourire plein de suffisance comme Jack en avait souvent vu, mais seulement dans le couloir de la mort.

– Vous vous trompez, dit Falcon. Vous avez tout faux. Je sais qu'elle veut me parler. Elle en a très, très envie.

– Qu'est-ce qui vous fait dire ça ?

—Je l'ai vue qui se tenait près de la fourgonnette de la police. C'était Alicia, aucun doute là-dessus. Je lui avais demandé de venir, et elle est venue. C'est eux qui ne voulaient pas qu'elle cause avec moi.

—Probablement parce qu'ils ne souhaitaient rien faire qui puisse encourager votre obsession.

—Je ne cherche pas à la harceler, se récria Falcon. Je voulais juste lui parler.

—Monsieur le maire ne fait sans doute pas bien la distinction. La plupart des gens ne la feraient pas non plus.

—Alors pourquoi ils ne m'inculpent pas pour harcèlement ?

—Vous ne l'avez contactée qu'une seule fois ; tenter de prouver qu'il y avait harcèlement compliquerait inutilement les choses. Vous avez donné au gouvernement un moyen beaucoup plus simple de vous mettre derrière les barreaux un très long moment : on appelle ça la détention de drogue. Ça aussi, ça figure sur la liste, et c'est un crime, mon ami.

—J'avais pas de crack sur moi.

—Si, dans la poche de votre veste.

—C'est pas moi qui l'ai mis là.

—Racontez ça à quelqu'un d'autre. On n'a qu'une chose à faire, ce matin : plaider non coupable, sans se soucier d'expliquer quoi que ce soit. Le juge m'entendra brièvement au sujet de la caution. J'avancerai tel ou tel argument. Le procureur en avancera tel ou tel autre. Et quand on aura fini, le juge s'arrêtera de compter les carreaux au plafond et fixera la caution à dix mille dollars, ce qui est un montant normal pour une affaire de détention de drogue comme celle-ci.

—Ils les veulent pour quand ?

—Quoi ?

—Les dix mille dollars.

La question fit sourire Jack.

—Dès que vous les avez, ils vous laissent sortir. Sinon, on peut vous trouver un garant. Il ne vous faudrait alors réunir que dix pour cent de la somme, c'est-à-dire mille dollars, qu'on ne vous rembourserait pas. Et vous auriez à fournir un gage suffisant pour le reste. Enfin, tout ça, ça reste bien sûr théorique, car il est évident que vous n'avez même pas dix cents dans votre poche, et donc...

— Vous en faites pas. J'ai les dix plaques.

— Pardon ?

— J'ai pas besoin d'aller voir un garant. Je peux payer les dix mille dollars de ma poche.

— Vous n'avez même pas de quoi me payer moi, le railla Jack.

— Je vais vous payer, et je vais payer la caution.

— Vous vivez dans une bagnole abandonnée. Comment allez-vous trouver une telle somme ?

Falcon tendit le bras de l'autre côté de la table et posa sa main à plat sur le bloc-notes de Jack. Ses ongles avaient été déformés et décolorés par un genre de champignon, et du pus s'échappait de la plaie au dos de sa main. Pour la première fois, cependant, Jack détecta une étincelle – un signe de vie – dans ses yeux froids et sombres.

— Notez bien. Je vais vous dire exactement où la trouver.

3

JACK ATTERRIT À NASSAU juste après neuf heures du matin. Il détestait les petits avions, mais survoler le Gulf Stream pendant quarante-cinq minutes avec la compagnie Zack's Seaplanes ne revenait vraiment pas cher. C'était même gratuit, grâce à Theo Knight.

Theo était pour ainsi dire « l'assistant » de Jack. Chaque fois que Jack avait besoin de quelque chose, Theo le lui trouvait, même si Jack savait qu'il ne valait mieux pas lui demander comment il s'était débrouillé. Leur amitié n'était pas la belle histoire qu'on aurait pu imaginer : le fils d'un ancien gouverneur, diplômé d'une université prestigieuse, se lie avec un Noir de Liberty City qui a abandonné le lycée. Mais ils s'entendaient plutôt bien pour deux types qui s'étaient rencontrés dans un couloir de la mort – Jack l'avocat et Theo le détenu. La persévérance de Jack avait permis de retarder le rendez-vous de Theo avec la chaise électrique suffisamment longtemps pour que les tests ADN deviennent à la mode et prouvent son innocence. Ce n'était pas prévu au départ, mais il faisait maintenant partie de la nouvelle vie de Theo : parfois en tant que complice de ses aventures, et d'autres fois en tant que spectateur envieux et ébahi de son ami qui rattrapait avec avidité le temps perdu.

Cette fois-ci, c'était au tour de Theo d'accompagner Jack : destination la banque de Falcon.

– *Greater Bahamian Bank & Trust Company,* lut Theo sur la façade de l'immeuble. J'espère bien qu'ils ont des salles de jeu là-dedans.

Jack avait appelé la banque à l'avance, qui lui avait confirmé qu'elle louait effectivement un coffre à Pablo Garcia. Il leur avait ensuite faxé la procuration signée, qui l'autoriserait à accéder au coffre. La signature de son client était bel et bien identique à l'exemplaire que conservait la banque. Jack ne croyait toujours pas que l'argent s'y trouverait, mais le trajet en avion ne lui coûtait rien, et un jour sans gains au casino valait mieux qu'une journée productive au bureau, surtout si Theo lançait les dés. Ce dernier ne gagnait pas systématiquement mais, par contre, aux jeux de dés, il ne perdait jamais. Là non plus, Jack n'osait pas lui demander comment il se débrouillait.

Bay Street était l'artère où se concentrait la haute finance aux Bahamas, et la Greater Bahamian Bank & Trust Company représentait l'une des centaines d'institutions étrangères qui prospéraient grâce aux protections juridiques et à la discrétion qu'un pays comme les Bahamas offrait aux agences offshore. Bien qu'il y ait de nombreuses enseignes connues – Royal Bank of Canada, Barclay's, Bank of Nova Scotia, etc. –, certaines de ces pseudo-banques ressemblaient davantage à des cabinets médicaux : un simple bureau au milieu d'un centre commercial en bord de rue, qui pourrait tout aussi bien afficher une pancarte du style BANQUE JOE DES CARAÏBES. La Greater Bahamian se situait quelque part entre ces extrêmes, occupant le rez-de-chaussée d'un immeuble de deux étages. L'entrée principale de la banque était simple et nette, une association de chrome, de verre et de moquette. Deux gardes armés patrouillaient dans le hall, munis chacun d'un 9 mm glissé dans un étui en cuir noir. Un troisième garde surveillait la porte. Theo le salua d'un sympathique : « Comment va, mon frère ? » Si Jack en avait fait autant, il aurait eu l'air du chanteur de country Garth Brooks s'essayant au rap. Mais Theo était un homme imposant, avec ses muscles de deuxième ligne de football américain et sa taille de basketteur professionnel. Il ressemblait à un croisement entre The Rock et un Samuel L. Jackson plus jeune, gonflé aux stéroïdes. Au premier regard, on se doutait qu'il avait passé du temps en prison. Cette image de dur à cuire lui était utile. Très peu de gens se mettaient en travers de son chemin. Le reste de la planète – y compris les gardes armés – se contentait de s'écarter et de lui sourire, espérant que, dans la bouche de Theo, « Comment va, mon frère ? » signifiait : « T'inquiète, mon pote, j'ai pas le temps de m'arrêter pour te refaire le portrait. » En certaines occasions, Jack avait besoin d'un ami doté d'une telle puissance de feu. Et, en règle générale, il trouvait son amitié avec Theo divertissante, un peu comme s'il avait souscrit un abonnement à vie à la télé câblée et à la radio satellite lui donnant droit à plein de chaînes très marrantes.

– Hé, j'ai failli oublier de te dire, fit Theo tandis qu'il traversait le hall. Katrina a une amie avec qui elle voudrait te brancher.

Katrina était la petite amie intermittente de Theo, une Latina à l'accent russe, une fille sexy qui ne manquait pas de caractère et qui avait un jour envoyé Jack sur le trottoir d'un incroyable crochet du gauche. Sans exagération.

– Les rencontres arrangées, ce n'est vraiment pas mon truc.

– Katrina dit que c'est une bombe.

– Une femme dira toujours que son amie est une bombe.

– Non. Elle dira souvent que son amie est jolie, et en général tu peux te barrer en trombe. Par contre, si jamais elle dit que son amie est une bombe, fais-moi confiance, vieux, ça veut dire que c'est une bombe.

– On touche presque à la poésie, dit Jack.

– Ben ouais, il y avait de la rime là-dedans, non ?

– Un peu comme Eminem, en moins trash.

On approchait du milieu de la matinée, et une demi-douzaine de clients, pas plus, se trouvaient à l'intérieur de l'établissement. À gauche, dans la zone réservée aux particuliers, une petite quinzaine de conseillers bancaires étaient à leur bureau, occupés au téléphone. Comptant des clients aux quatre coins de la terre, la Greater Bahamian Bank & Trust Company transcendait les fuseaux horaires.

– C'est curieux qu'un SDF fasse des affaires dans un endroit pareil, dit Theo.

– Tout dépend de quel genre d'affaires on parle.

L'audience au tribunal s'était déroulée exactement comme Jack l'avait prévu. Falcon plaida non coupable, et le juge fixa le montant de la caution à dix mille dollars. Avant de quitter la prison, Jack récupéra les effets personnels du prévenu. Il s'agissait d'un collier de perles en métal que Falcon portait autour du cou depuis des années. Une petite clé était attachée au collier. Jack l'avait dans sa poche tandis qu'il se dirigeait vers le panneau indiquant la salle des coffres.

Les coffres se trouvaient dans une aile sans fenêtres de la section réservée aux clients individuels. Jack laissa son nom à la réceptionniste et alla s'asseoir sur le canapé. L'homme bien habillé assis à côté de lui lisait les cours de la Bourse. Une femme assez âgée parlait au téléphone en portugais. Le diamant de trois carats qu'elle portait au doigt envoyait des lasers de lumière chaque fois qu'elle remuait la main. Jack essaya d'imaginer un individu comme Falcon s'amenant dans cette salle d'attente pour l'empester. Ça ne tenait pas debout.

– Monsieur Swyteck ? demanda une femme qui se tenait dans l'embrasure de la porte.

Jack se leva et elle se présenta : Mlle Friedman, vice-présidente. À croire que les employés de banque sont systématiquement vice-présidents. Jack et Theo la suivirent dans un petit bureau derrière le comptoir de la réception.

Jack lui présenta l'original de la procuration ainsi que son passeport. Mlle Friedman examina les deux documents. Puis elle s'excusa, expliquant qu'elle devait aller vérifier à nouveau la signature, et s'absenta de la pièce. Assis, Jack attendait en silence. Theo prit une revue sur une étagère et se mit à la feuilleter. Il n'avait pas l'habitude de lire, à part le menu au restaurant, et il semblait amèrement déçu de découvrir que le dernier numéro du mensuel *Bahamian Banker* ne comportait que très peu de photographies. Jack tâcha de trouver un sujet de conversation quelconque avant que son ami ne mette le bureau sens dessus dessous dans l'espoir de dénicher un exemplaire de *Sports Illustrated*.

— Et pourquoi est-ce qu'elle veut me rencontrer moi ? demanda-t-il.

— Qui ça ? Qui veut te rencontrer ?

— L'amie de Katrina. La bombe dont tu parlais.

Theo sourit.

— Ah, alors tu es quand même intéressé.

— Non. Seulement curieux. Qu'est-ce qui fait dire à Katrina que cette fille et moi irions bien ensemble ?

— Il paraît qu'elle aime les types qui ont le sens de l'humour.

— Évidemment. Toutes les femmes adorent les hommes qui ont le sens de l'humour. Sauf qu'en général c'est l'humour de Jude Law, de Will Smith ou de George Clooney qu'elles apprécient. Il faut croire que ces gars-là sont vraiment hilarants.

L'employée de banque réapparut.

— Messieurs, si vous voulez bien me suivre...

Ils la suivirent jusqu'au bout du couloir et s'arrêtèrent pour un contrôle de sécurité. Un autre garde armé était posté devant la porte.

— Comment va, mon frère ? demanda Theo.

Cette fois-ci, le garde ne dit rien et ne fit aucun sourire. On arrivait dans le sanctuaire de la banque, là où on ne rigolait plus, là où la sécurité était à la hauteur de Theo Knight.

Le garde ouvrit la porte en verre afin de leur permettre d'entrer. Mlle Friedman était juste derrière eux. La porte se referma, et le garde la verrouilla à nouveau. Les coffres couvraient les murs du sol au plafond. Partout où Jack regardait, il faisait face à une nouvelle porte blindée. Les coffres les plus gros se trouvaient en bas, les plus petits vers le haut. Mlle Friedman mena Jack devant le 266, un des plus imposants. Elle inséra sa clé dans une des deux serrures et la tourna.

– Votre clé va dans l'autre serrure, dit-elle. Je vous laisse seuls. Si vous avez besoin de moi, voyez avec le garde. Il y a une pièce à l'arrière avec une table et des chaises. Vous pouvez transporter le tiroir et l'ouvrir là-bas, si vous le désirez. Nous ne laisserons personne entrer ici avant que vous en ayez fini.

Jack la remercia, et elle lui sourit avant de quitter la pièce. Son œil resta fixé sur la serrure tandis qu'il fouillait dans sa poche pour en sortir la clé.

– Si tu devais parier, Theo... Tu crois qu'il y a vraiment dix mille dollars dans ce coffre ?

– Il y a encore cinq minutes, j'aurais juré que non. Mais qui sait ? Pour l'instant, tout ce que ce type t'a raconté s'est confirmé.

Il inséra la clé, la tourna dans le sens des aiguilles d'une montre et entendit les mécanismes s'enclencher avec un bruit sec. Lentement, il retira la boîte de son compartiment. Il ne s'attendait pas à ce que le tiroir soit si long : environ soixante centimètres de profondeur. Et il était lourd. Jack le posa sur le banc derrière lui.

– Et la réponse est... fit-il à la manière d'un présentateur de jeu télévisé tandis qu'il tournait le loquet et ôtait le couvercle.

Jack se tut brusquement.

Andrew Jackson les fixait de ses yeux, dont il possédait un nombre incalculable de paires. Des piles de billets neufs de vingt dollars étaient soigneusement rangées les unes à côté des autres. Jack sortit une première liasse. Il y en avait d'autres en dessous. Le coffre débordait littéralement de billets de banque.

– Il doit y avoir deux cent mille dollars là-dedans, dit Jack.

– Au moins, approuva Theo. Ce qui paraît très, très étrange.

– Pourquoi un type s'emmerderait à vivre dans une voiture abandonnée quand il a autant de fric à la banque ?

—Peut-être pour la même raison qu'il a envie de se jeter du haut d'un pont. Ou alors peut-être que la vie de clodo lui plaît vraiment.

Jack posa sa main sur l'argent. Il réfléchissait.

—Ou bien les deux, dit-il.

4

QUAND VINCENT PAULO ÉTAIT PETIT, il avait peur du noir.
Il partageait une chambre avec son grand frère. Danny occupait
le lit du bas, car il n'avait jamais de mal à s'endormir. Vince
celui du haut, c'était la stratégie de sa mère. Elle savait que,
même s'il était terrifié, le petit Vince n'oserait pas descendre
de son lit au milieu de la nuit. Il ne prendrait pas le risque de
réveiller son grand frère et de se prendre un coup de poing
dans le nez. Vince restait ainsi éveillé pendant ce qui lui
semblait être des heures et des heures, la couverture mainte-
nue au-dessus de sa tête, s'efforçant de ne pas faire le moindre
mouvement. « Tu n'as qu'à fermer les yeux et laisser le sommeil venir », lui conseillait sa mère. Mais il n'y arrivait pas.
La chambre, au moins, avait une veilleuse. S'il fermait les
yeux, l'obscurité deviendrait totale, et c'était dans cet univers
noir et désert que rôdaient les monstres.

Quelle ironie, se disait-il, *de vivre désormais dans cet univers – à cause d'un monstre justement.*

Vince essayait de ne pas penser au jour où il avait perdu la
vue, ou du moins de ne pas s'y attarder. Ce qu'on apprenait
par la suite, même au sujet des détails, pouvait vous bouffer la
vie. *Si seulement je m'étais souvenu qu'ils avaient mis un
radar au carrefour d'Elm Street. Si seulement j'avais vendu
ces actions le mois dernier.* Mais étaient-ils nombreux, ceux
qui se répétaient : « Si seulement je n'avais pas ouvert cette

porte, je verrais encore » ? Et parmi ceux-là, combien arrivaient à vivre avec les conséquences de ce moment – à vivre vraiment, à vivre ce qu'on appelle une vie heureuse ? Vince essayait d'être une de ces personnes-là. Il refusait de se laisser prendre en pitié, de se laisser étouffer par des gens pleins de bonnes intentions. Il refusait de se trouver une nouvelle carrière. Il refusait de s'arrêter de vivre. Bien sûr, il y aurait des ajustements à faire, et de véritables transformations. Enseigner à l'académie de police, ce n'était pas comme être en service actif, mais c'était quand même remplir une mission importante. Cela valait beaucoup mieux que d'accepter une pension d'invalidité et de sombrer dans l'oubli. Avec un peu de chance, d'autres situations se présenteraient, similaires à celle de Falcon sur le pont, où Vince pourrait jouer un rôle au cours d'une prise d'otage réelle. Mais même si cela ne se produisait pas, il continuerait à vivre, à vivre heureux. Émotionnellement, son état était sain, mais il lui avait fallu de nombreux mois pour parvenir à ce stade.

Et il avait suffi du son de la voix d'Alicia pour le ramener à la case départ.

– Je vais y aller, dit son oncle. Il y a encore quelque chose que je peux faire pour toi ?

Chaque soir, Oncle Ricky passait prendre Vince à la sortie du boulot, le conduisait chez lui et l'aidait à préparer le dîner – en général, des steaks grillés et de la crème glacée. Richard Boies, c'était l'oncle rêvé, un peu comme un second père doublé d'un meilleur ami. Les services qu'il rendait à sa famille lui étaient dictés par son cœur, et non par un quelconque sentiment d'obligation ; son côté malicieux et son sens de l'humour percutant ne manquaient jamais de remonter le moral de Vince. Il n'avait qu'à penser à cette grande silhouette longiligne, à cette flamboyante chevelure rousse, à ce regard bleu étincelant et à cette peau que le soleil de Miami faisait rougeoyer, pour retrouver le sourire. Ils ne pouvaient plus partager ensemble la passion d'Oncle Ricky pour la photographie, mais ils écoutaient de la musique, ils se racontaient des histoires, ils jouaient aux cartes ou aux dominos jusqu'à ce que vienne l'heure d'aller se coucher. Oncle Ricky était un dieu aux dominos. Vince se rattrapait au poker. Il lui restait encore beaucoup de progrès à faire pour maîtriser le braille, mais ses doigts savaient reconnaître un full.

– C'est bon, merci, dit Vince.

– Vraiment ? demanda Oncle Ricky. Tu n'as besoin de rien ? Un verre d'eau ? La télécommande ? Un ticket de loterie gagnant ?

– Allez, tire-toi, dit-il avec le sourire.

– Faut que j'y aille aussi, ajouta son frère.

Danny avait une femme et trois gamins, mais il se débrouillait quand même pour rendre visite à Vince les soirs de poker. Oncle Ricky s'assurait qu'il ne triche pas.

– Il paraît que la température va méchamment chuter cette nuit, reprit l'oncle. Tu veux que je te descende une couverture supplémentaire du haut de ton placard ?

– J'y arriverai, dit Vince. Mais je te remercie.

Vince avait pour objectif d'arriver à en faire chaque jour un peu plus tout seul. Chaque matin à six heures, une aide à domicile venait lui réapprendre à faire sa toilette, à s'habiller, à ranger son placard de façon à ne pas sortir vêtu d'un pantalon noir et de mocassins marron – elle lui montrait un tas de petites choses qui lui permettraient de finir par être à nouveau totalement indépendant. Quant à Oncle Ricky, il était de retour dès sept heures pour l'emmener au boulot.

Son oncle lui donna une tape sur l'épaule et se dirigea vers la porte d'entrée. Danny, qui suivait, lança :

– Poker texan la semaine prochaine ?

– Je vous attends de pied ferme, dit Vince.

La porte s'ouvrit, puis se referma. Paulo resta dans son fauteuil, à l'écoute des bruits de pas qui s'estompaient sur le trottoir. Oncle Ricky partit en premier. Son frère, lui, traînait. C'était le même scénario chaque semaine. Danny restait dehors, seul ; il cherchait les mots justes pour s'adresser à Vince, regrettait de ne pas posséder l'aisance qu'Oncle Ricky gardait même dans les situations difficiles. Vince savait au fond de lui que Danny voulait ouvrir la porte, revenir dans la pièce et mener cette conversation qu'ils avaient évitée. Il voulait tenir son rôle de grand frère. Mais il n'y arrivait pas. Alors il laissait tomber et rentrait chez lui sans avoir rien dit.

Le moteur démarra, et Vince écouta la voiture s'éloigner. Son frère parti, il replongeait dans son enfance. À l'époque, ils restaient allongés sur leurs lits superposés, la nuit, et ils papotaient. Oh, de toutes ces choses dont des frères peuvent se parler tout en fixant des yeux l'obscurité. Puis Danny s'endormait, et il se retrouvait livré à la solitude. Et à la terreur.

Oublie ces bêtises, se dit Vince.

Ses peurs enfantines n'avaient pas empêché Vince de devenir un homme courageux, bien fait, sûr de lui. Il était entré dans la police directement après avoir servi dans les marines durant la première guerre du Golfe. Avant de s'engager, il avait obtenu un diplôme de psychologie à l'université de Floride, où il avait également brillé au sein de l'équipe de natation. Avec son mètre quatre-vingt-dix et ses quatre-vingt-dix kilos de muscle, Vince était une pub ambulante pour les slips de bain. Mais il détestait ces hamacs à banane, et il ne les portait qu'en compétition. Ce qu'il aimait, c'était le travail d'investigation : il adorait être flic. Son diplôme de psychologie et son sang-froid l'avaient naturellement orienté vers la gestion de crise. Au bout de cinq années en tant que négociateur, il avait acquis la réputation d'une personne qui ne craint pas de prendre des risques ou de s'écarter de la logique conventionnelle de ses confrères. Ses détracteurs avaient annoncé que son style peu orthodoxe finirait par lui valoir des ennuis, et ils ne s'étaient pas trompés. Certains d'entre eux étaient allés jusqu'à prédire qu'il lui coûterait la vie.

Même ceux-là n'avaient pas songé qu'il pourrait un jour en perdre la vue.

Le téléphone sonna. Il se leva et, avec l'aide de sa canne, alla décrocher dans la cuisine. La voix à l'autre bout de la ligne était hésitante – tout en étant familière :

– Vince. Bonsoir. C'est moi. Alicia.

Ce coup de téléphone ne le surprenait pas. « Professionnelle » était le terme qui convenait pour décrire son attitude vis-à-vis de son ancienne petite amie durant la crise sur le pont. Il ne ressentait aucune animosité envers elle, et il ne lui en avait manifesté aucune. Il se sentait simplement plus à l'aise pour avancer dans sa nouvelle vie sans Alicia, sans le souvenir constant de l'avenir radieux qu'il avait perdu. Vince ne voulait pas que quiconque reste auprès de lui seulement par pitié. Quoi qu'elle ait pu en dire, une femme aussi active, aventureuse et belle qu'elle finirait forcément par laisser tomber son petit ami aveugle. Il souffrirait encore plus si elle devait le quitter. Il le lui avait répété à de nombreuses reprises. Peut-être qu'il aurait dû le lui expliquer encore une fois.

– Quoi de neuf ? demanda-t-il.

– Rien. Je voulais juste te dire que tu as fait un super boulot hier, avec ce type qui voulait sauter.

– Merci. Il n'y a pas de quoi en être particulièrement fier.

– Ne sois pas si dur avec toi-même. Tu devrais songer à ne plus te contenter d'enseigner à l'académie. Je le pense vraiment.

– C'est gentil de me dire ça. Mais, honnêtement, vu la manière dont les choses se sont passées sur ce pont, on a eu de la chance que tout le monde s'en sorte sain et sauf.

– Dans ce boulot, la chance est toujours un facteur important.

– Encore faut-il qu'elle soit avec vous.

– C'était le cas cette fois-ci, dit Alicia.

Mais pas la fois précédente, inutile de le préciser.

Un silence gêné s'installa, et Vince sentit qu'Alicia avait quelque chose de plus à lui dire. Mais il voulait rester sur le terrain professionnel :

– Nous n'aurions jamais dû lui promettre de le laisser te parler. Il est toujours dangereux d'alimenter l'obsession d'un malade, et se faire prendre en plein mensonge peut avoir des conséquences désastreuses.

– J'étais prête à discuter avec lui, si tu pensais que c'était une bonne stratégie. Ce n'est pas moi qui ai voulu qu'on lui mente.

– Je sais, dit Vince. C'est le choix du préfet. Elle voulait des résultats, qu'est-ce que je peux répondre à ça ? Tant que cela ne te met pas dans une situation délicate.

– Je suis parfaitement à l'aise avec la situation.

– C'est bien. À mon avis, Falcon ne sortira pas de prison avant longtemps. Comme a dit son avocat, que le juge fixe le montant de la caution à dix mille dollars ou à dix millions, cela ne changera rien.

– Apparemment, Swyteck s'est ravisé. J'ai eu un coup de fil du commissariat juste après dîner. Falcon a payé sa caution.

– Tu plaisantes ? Comment est-ce qu'il a fait ?

– Je n'en sais rien, dit-elle. Mais oublions Falcon. Je suis contente d'avoir pu aider. C'est ce que j'espérais en me rendant sur place.

Il fallait lire entre les lignes : Alicia voulait lui signifier qu'elle n'avait pas fait le déplacement seulement pour le voir.

– Je comprends, dit Vince.

– Non, peut-être que je me suis mal exprimée. Je veux dire que, si je voulais te parler, je n'aurais pas besoin de débarquer sur un pont en plein milieu de la tentative de suicide d'un SDF. Je décrocherais mon téléphone et je dirais : « Salut, Vince, je veux te parler. »

– Je sais bien.

Alicia marqua une pause, et il sentit venir le changement de ton.

– Salut, Vince, je veux te parler.

Et à nouveau le silence. La gorge de Vince se contracta ; ses émotions le serraient comme un étau. Il prit une profonde inspiration, puis laissa échapper l'air.

– Ce n'est pas si facile, Alicia.

– C'est quand même beaucoup plus facile que de faire semblant d'être de parfaits inconnus.

– Ne rejouons pas cette scène, d'accord ?

– Tu as raison. Passons à autre chose. Il y a un festival de jazz à South Beach ce week-end. Dans certaines boîtes, les concerts commenceront dès vendredi soir. Tu aimes encore plus le jazz que moi. Ça te tente ?

– Je ne pense pas que...

– Ne pense pas. Allons-y.

Il hésita suffisamment longtemps pour qu'elle ne lui laisse aucune chance.

– Parfait, dit-elle. Je passe te prendre vers neuf heures.

S'il avait dit non, il aurait laissé ses peurs parler pour lui : la peur de détruire ce qu'il y avait autrefois entre eux, la peur de découvrir qu'il n'y avait pas d'avenir pour eux, et la peur encore plus grande de devoir accepter qu'il ne pourrait jamais partager la vie d'une femme voyante.

– Ça marche, dit-il. À demain soir, alors.

Elle lui dit rapidement au revoir et raccrocha. À l'évidence, elle avait voulu mettre fin à la communication avant qu'il ait pu changer d'avis. Mais, pour cela, il n'y avait aucun risque. Vince était un homme de parole. S'il avait dit qu'il viendrait, il ne se décommanderait pas. Il ne revenait jamais sur ses décisions.

Sauf quand il s'était agi de la porte. La porte criblée de balles, au bout du couloir sombre – la porte qu'il n'aurait jamais dû ouvrir.

Sa main trouva l'horloge électronique posée sur le plan de travail dans la cuisine. Il appuya sur le bouton « haut-parleur ».

– Vingt-deux heures, cinquante-deux minutes, dit la voix électronique.

L'heure d'aller se coucher.

Vince fit trois pas vers la droite et ouvrit un tiroir juste en dessous du four à micro-ondes. Son médicament était emballé dans un sachet en aluminium, rangé dans le troisième casier en partant de la gauche. Le docteur lui avait prescrit du Mirtazapine trente milligrammes, sous forme de comprimés à prendre chaque soir avant de se coucher. Un antidépresseur, qui ne semblait pas le rendre plus heureux, mais qui au moins le mettait immédiatement KO.

Il déchira le sachet et glissa le comprimé sous sa langue. Le goût de citron amer lui procurait une sensation de quiétude, et même de sécurité. Huit heures de sommeil garanties. Huit heures merveilleuses durant lesquelles il verrait.

Dans ses rêves – même dans les pires de ses cauchemars –, Vincent Paulo n'était jamais aveugle.

5

ALICIA NE SENTIT PAS L'AIR FROID de la nuit avant d'avoir éteint son téléphone portable.

Le bar était rempli et bruyant, ce qui l'avait forcée à sortir sur le trottoir pour passer son coup de fil à Vince. Miracle Mile était un boulevard dédié au shopping de luxe, en plein centre-ville de Coral Gables. À cette époque de l'année, ce boulevard présentait un visage éclectique, mélange de palmiers et de décorations de Noël – des éclairages colorés partout, des vitrines givrées avec de la neige artificielle, des rênes en carton et des sucres d'orge en forme de cannes accrochés aux lampadaires. Le jeudi soir, le bar du restaurant Houston's attirait une foule de jeunes gens de moins de trente ans, et la file d'attente pour entrer commençait à l'angle du bâtiment et se prolongeait jusqu'au service de voiturier. Les célibataires dans la file s'observaient avec beaucoup d'intérêt. Le temps donnait particulièrement envie d'avoir quelqu'un contre qui se serrer. Alicia était la seule personne dans la rue à ne pas porter de manteau. Elle avait l'impression d'être une de ces filles venues du New Jersey qu'on voyait chaque année à la télé, ces filles qui tenaient à tout prix à parader dans leur bikini neuf et à rentrer chez elles toutes bronzées bien qu'il ne fasse pas plus de cinq degrés et que le vent soit glacial.

Alicia ne cherchait pas à faire de rencontres. Les jeudis soir, elle sortait avec ses vieilles copines, c'était l'occasion de voir un peu de monde en dehors de son travail – de résister pour que sa vie ne se résume pas seulement à être un flic qui traîne avec des flics. Quand elle entra à l'intérieur, tous les garçons s'écartèrent et la déshabillèrent des yeux. Plusieurs femmes la regardèrent de travers, s'imaginant qu'elle se servait de ses très jolies formes pour passer avant tout le monde. Étonnant comme les différents regards qu'on se lance jouent un grand rôle dans l'interaction sociale. Cette petite observation lui était venue à l'esprit sans raison particulière. Sauf qu'en général il y avait une raison à tout. Elle pensait à Vince, et l'idée douloureuse qu'il ne pourrait plus jamais observer ce qui se passait à l'autre bout de la pièce où il se tenait était à l'origine de cette remarque. Alicia ressentit brusquement de la colère envers elle-même. Vince l'écarterait de sa vie une fois pour toute s'il savait qu'elle s'apitoyait sur son sort.

Le bar lui parut encore plus bruyant, encore plus bondé tandis qu'elle essayait de se frayer un chemin jusqu'à la table de ses amies. L'effet des « deux margaritas pour le prix d'une » commençait à s'estomper, et elle regrettait déjà d'avoir appelé Vince sur un coup de tête. Ce n'était pas son genre de se laisser guider par l'alcool, même si au bout du compte cela s'était bien passé.

Quand elle atteignit enfin sa table, le serveur était déjà en train d'emporter les verres vides et ses cinq amies de régler l'addition.

– Tu dois seize dollars vingt-cinq, dit Rebecca sans lever les yeux de sa calculette de poche.

Rebecca était amie avec Alicia depuis la fac, et elle n'avait pas changé. Au restaurant ou au bar, les notes étaient divisées au cent près.

Alicia voulut prendre son sac à main au dos de sa chaise, mais il ne s'y trouvait pas. Elle regarda par terre, tout autour et sous la table.

– Eh, les filles, l'une d'entre vous ne se serait pas trompée de sac, par hasard ?

Les autres haussèrent les épaules et se regardèrent. Non, pas moi, et toi ?

– Et merde, dit Alicia. Quelqu'un m'a volé mon sac.

– Tu es sûre ?

– Oui. J'ai sorti mon portable pour appeler Vince, et j'ai laissé mon sac accroché au dos de ma chaise.

Le dossier en question était désormais calé contre les fesses d'un type. Leur table était encerclée – quasiment étouffée – par une foule qui se tenait exclusivement debout. Quelqu'un aurait pu aisément passer derrière la chaise et repartir avec le sac sans qu'aucune des amies d'Alicia s'en rende compte.

– Je vais régler ta part, dit Rebecca. Va voir au bar, peut-être que quelqu'un l'a déposé.

– OK, dit Alicia

Mais elle savait qu'elle avait plus de chances de trouver son sac dans la benne à ordures dehors, sans sa carte de crédit, bien sûr, dont un enfoiré s'était déjà servi pour acheter une télé à écran plasma de cent cinquante centimètres. Il y avait une marée humaine entre Alicia et le bar. Elle dut avancer en crabe en se frottant contre plus d'une vingtaine d'inconnus avant d'atteindre le comptoir.

– Est-ce que quelqu'un vous a rapporté un sac ? questionna-t-elle.

– Quel genre ? demanda la barmaid.

– Noir, à bandoulière. De marque Kate Spade.

La barmaid sortit ledit sac de derrière le bar au moment où Rebecca rejoignait Alicia.

– Ouf ! dit Rebecca. Il était où ?

– Une serveuse l'a trouvé dans les toilettes des dames, dit la barmaid.

– Ce n'est pas moi qui l'ai laissé là-bas, protesta Alicia.

– Peut-être que c'était une de tes margaritas, plaisanta Rebecca. Vérifie qu'il ne manque rien dedans.

Alicia ouvrit son sac, mais le restaurant était trop sombre pour qu'elle puisse y voir quelque chose. Elle sortit avec

Rebecca et la fraîcheur nocturne les saisit immédiatement. La température chutait de minute en minute, mais l'adrénaline réchauffait Alicia tandis qu'elle passait au crible le contenu de son sac. À son plus grand soulagement, elle trouva son portefeuille, avec ses cartes de crédit et l'intégralité de son argent liquide.

Rebecca tira un billet de vingt dollars :

— Pour les verres. Maintenant je te dois trois dollars soixante-quinze.

Alicia s'écarta avant que son amie ne réclame autre chose. Elle vérifia la poche latérale et la poche à fermeture Éclair à l'intérieur.

— Je ne trouve plus mon rouge à lèvres.

— Beurk, fit Rebecca. Excuse-moi, ma grande, mais qui songerait à piquer ça ?

Alicia ressentit une espèce d'écœurement. Elle imagina un pervers en train d'écrire ses initiales sur ses testicules avec son bâton de *Vieux Rose n° 3*. Quelle idée ! Mais voilà comment le cerveau d'un flic fonctionnait.

— Je ne vois qu'un seul coupable possible, dit Alicia.

— Tu veux parler de ce type sur le pont, celui qui voulait te parler ? Je croyais qu'il était en taule.

— Le commissariat m'a appelée juste après que j'ai terminé mon service pour me dire qu'on l'avait relâché. Je ne sais pas comment, mais il a payé sa caution.

— Un clodo aurait du mal à rentrer chez Houston's sans qu'on le remarque...

— Ils lui ont peut-être fait faire un brin de toilette avant de le laisser sortir de prison.

— Suffisamment pour qu'il puisse entrer dans les toilettes des dames ? Je te rappelle que c'est là qu'on a trouvé ton sac.

— Oui, c'est vrai.

— Cela dit, ça ne peut quand même être que lui, non ? Qui d'autre jouerait les voleurs de rouge à lèvres ?

Le regard d'Alicia erra à nouveau du côté du restaurant. Les grandes baies vitrées reflétaient la foule compacte, à l'intérieur, qui semblait doubler de volume.

–Je n'en sais rien, dit-elle.

6

La nuit où Falcon retrouva les rues de Miami fut la plus froide de l'année.

Le soleil était couché depuis longtemps quand son avocat déposa les dix mille dollars de caution. Swyteck souhaitait avoir une conversation longue et sincère avec son client avant qu'on le relâche. Falcon, lui, n'avait qu'une hâte : sortir. Sans surprise, Swyteck lui fit un baratin digne d'une assistante sociale, manifestant une grande sollicitude pour son semblable dont la vie manquait de dignité – Prenez-vous un appartement, Falcon. Achetez-vous des vêtements chauds, démarrez une vraie vie – faites quelque chose, bon sang ! avec tout ce fric que vous amassez dans un coffre à la banque. Comme si un avocat pouvait vraiment s'intéresser au sort d'un clodo. Falcon n'était pas si idiot que ça. Il ne comptait pas attendre tranquillement que Swyteck finisse par poser la question évidente, celle qui lui brûlait les lèvres. C'était normal qu'un avocat digne de ce nom se demande d'où venait une telle somme. Même si ces types-là acceptaient volontiers l'argent sale. Simplement les avocats savaient prendre leurs précautions avant de palper leurs pots-de-vin. Palper, palper, palper !

– Touche pas, Swyteck ! se dit-il à haute voix, une fois seul. C'est pas pour toi !

Sous le clair de lune, le fleuve ressemblait à un ruban d'encre noire. Le calme régnait au bord de l'eau, on n'entendait que le ronronnement des voitures franchissant le pont à bascule. Le frottement des pneus sur le métal paraissait toujours plus fort quand l'air était froid et sec. Falcon ne savait pas bien pourquoi, et il s'en fichait. Il avait envie de pisser. Il s'arrêta sous le pont, ouvrit sa braguette et attendit. Rien. Le bruit de la circulation le dérangeait. Les véhicules défilaient les uns après les autres à la vitesse de la lumière, telles des décharges de pistolet laser. Cela nuisait à sa concentration. Son petit ruisseau ne coulait plus aussi facilement qu'avant. Pour vider sa vessie, il lui fallait sérénité et détermination. Il grinça des dents et poussa. Un jaillissement, puis quelques gouttes. Un autre jaillissement, quelques gouttes. Dire qu'à une époque, uriner était un divertissement. Qu'était-il donc arrivé au champion pisseur qui pouvait autrefois arroser un banc entier à trois mètres de distance ? Falcon n'avait pas vraiment terminé, mais il faisait beaucoup trop froid pour laisser éternellement pendre son engin dans la nuit. Surtout quand on était bien équipé, hein, Swyteck ?

Il remit tout en place, s'apprêtant à entamer la dernière étape de son chemin. Maintenant qu'il apercevait le coude du fleuve, il savait qu'il était presque chez lui. Il adorait vivre au bord de l'eau. En fait, rien de tel, par une nuit comme celle-ci, qu'un bain dans un fleuve à vingt-trois degrés. Dans cette ville, même les pauvres avaient droit à la piscine chauffée. Sauf que Falcon n'était pas pauvre. Et oui ! Les riches sont différents de vous et moi.

– Ah ça, je suis un mec différent, moi ! se lança-t-il.

L'air vif et frais rendait presque son souffle vaporeux. Il faisait de plus en plus froid. Bizarre, on était à Miami, pas à Rochester. Swyteck lui avait proposé de le déposer dans un centre d'hébergement, mais Falcon comptait rentrer chez lui. Il ne s'agissait que d'une bagnole abandonnée, certes, mais elle était équipée de tout le confort moderne. Une télé, un appareil stéréo, un grille-pain – et tout cela fonctionnerait, à n'en pas douter, s'il avait l'électricité. Il serait même devenu propriétaire d'un lave-vaisselle, pour peu qu'il ait réussi à soulever cette saloperie. Les gens jetaient vraiment tout et n'importe quoi. Dans les poubelles, on trouvait principalement des trucs qui n'avaient rien à y faire, des trucs que les gens avaient marre de voir chez eux. La plupart du temps, ces objets n'étaient ni cassés, ni usés, ni même sales. Mais les gens voulaient du neuf, un point c'est tout. Ils changeaient de tondeuse à gazon, de radio, de mixeur, de Bushman. Surtout de Bushman. Ouais, tu m'as bien entendu. À la poubelle, Bushman ! TU N'ES QU'UNE SALOPERIE D'ORDURE PUANTE !

– Qui tu traites d'ordure, mec ?

Falcon se retourna. Il était encore sous le pont. Son ami Bushman, étendu au sol, lui jetait un regard noir. Ce cinglé de Jamaïquain était encore en train d'aspirer les pensées du cerveau de Falcon. À moins que Falcon n'ait parlé trop fort, sans s'en rendre compte.

– Désolé, mon pote, lui dit-il. Je m'énervais tout seul.

Grommelant, Bushman se redressa en position assise. Il serrait une vieille couverture en lambeaux autour de ses épaules. Il possédait les dreadlocks les plus longues et les plus épaisses qu'on puisse voir hors du *bush* australien, d'où le surnom que lui avait donné Falcon. D'habitude, ces dreadlocks pendaient, sales et noueuses, aussi touffues que la toison d'un yak. Mais, ce soir, elles étaient enroulées autour de sa tête de façon à former une sorte de turban, maintenu en place par une vieille passoire en métal qui lui tenait assez joliment lieu de casque. Son jean était dégueulasse, comme d'habitude, mais son sweat-shirt paraissait propre et en bon état.

– Il est nouveau, ton sweat ? demanda Falcon.

– Des gens du centre d'hébergement sont passés il y a une heure environ. Dommage pour toi, mec, on a eu droit à des cadeaux.

Bushman leva les mains en l'air pour montrer la paire de chaussettes qu'il utilisait comme gants.

—Ils ont emmené du monde au centre ?

—Ah non, ça, aucun d'entre nous.

Juste devant eux, à peine visible dans le clair de lune, un tas de cartons se mit à remuer. Il s'agissait de Hum-Kate. Chaque fois que quelqu'un lui demandait son nom, elle répondait : « Hum, Kate. » Elle avait l'air d'avoir doublé de volume. C'était une astuce que Falcon lui avait apprise : bourrer ses vêtements avec des vieux journaux les nuits où il faisait froid. Il existait d'autres manières de se garder de l'hiver, mais en général on les trouvait seulement sous forme de bouteille.

—Hé, Falcon est de retour, dit-elle.

Encore des cartons qui s'agitaient. Le dessous du vieux pont était un véritable camping. Il y avait une demi-douzaine de sans-abri en plus de Bushman et de Hum-Kate. Son chez-lui avait beau lui manquer, Falcon se dit qu'il ferait aussi bien de rester ici ce soir. Jusqu'à ce qu'il voie Johnny Voleur. Il ne le vit pas vraiment – il aperçut des yeux qui luisaient dans l'obscurité. C'est le bruit de sa toux qui lui permit d'identifier Johnny. Il avait une de ces toux profondes, à vous en déchirer les poumons, qui faisait mal rien qu'à l'entendre. Même s'il niait être séropositif, ce n'était un secret pour personne. Ses premiers temps dans la rue, on le surnommait Johnny Beau-Gosse. Il n'était plus si joli que ça. Désormais, on l'appelait Johnny Voleur, car il fauchait la drogue des autres.

—T'aurais un peu de hasch, Falcon ?

—J'ai rien pour toi, Johnny.

—Allez, mon vieux. T'es une célébrité, maintenant. Une star, une vraie, et les stars ont toujours de quoi fumer.

—Je suis pas célèbre.

—Mais si, mais si, dit-il avant de se mettre à tousser. T'étais à la télé. Je t'ai vu. J'étais aux urgences de l'hôpital Jackson. J'ai crié à tout le monde : C'est mon pote, Falcon !

Falcon ne sentait plus le froid de la nuit. Le sang bouillait dans ses veines.

—Je suis pas ton pote, Johnny.

Bushman se leva et s'approcha de lui :

—Calme, mec. Te soucie pas de Johnny.

—Comment ça, t'es pas mon pote ? demanda Johnny.

—J'ai pas de potes, dit Falcon.

Bushman parut sincèrement vexé :

—Eh, mec, c'est pas vrai ce que tu racontes là, hein ?

—Bushman a raison, dit Johnny . C'est pas vrai du tout. Moi, toi, et tous les gens qui ont maté la télé le savent. T'as *une* amie, une copine.

—Ferme ta sale gueule, Johnny.

—C'est vrai. D'ailleurs c'est pour ça qu'ils t'ont foutu en taule. Tu voulais parler à ta petite copine.

—C'est pas ma...

—Falcon a une petite copine, Falcon a...

Avant même que ces railleries ne deviennent une véritable rengaine, Falcon se jeta à la gorge de Johnny et le plaqua au sol. Johnny était étendu sur le dos, Falcon agenouillé sur sa poitrine. Pris de folie furieuse, il l'étranglait de toutes ses forces.

—Arrête ! hurla Bushman.

Falcon ne desserrait pas les mains. Le visage de Johnny bleuissait. Il tentait de griffer son assaillant, mais celui-ci ne lâchait pas prise. Ses yeux semblaient sur le point d'être expulsés de son crâne.

—Lâche-le ! cria Bushman.

Mais Falcon n'avait pas besoin qu'on lui dise quoi faire. Il savait exactement ce que méritait Johnny . Il connaissait la dose de souffrance que pouvait endurer un être humain. Il serra encore un peu plus fort, atteignant la limite, et relâcha.

Johnny roula sur le flanc et avala une douloureuse bouffée d'air. Falcon le regardait sans prononcer la moindre parole, sans montrer la moindre émotion. Johnny toussait, s'efforçant de reprendre son souffle. Bushman s'approcha de lui, soucieux :

– Johnny, tu veux de l'eau ?

– Non ! cria Falcon. Il doit pas boire tout de suite. Sinon il mourra. Pas d'eau !

Bushman prit un air perplexe.

– De quoi tu parles, mec ?

Falcon ne trouvait pas de réponse. Ses pensées se dispersaient et il n'arrivait pas à les rattraper. Il tourna son regard vers Bushman, puis vers Johnny. Personne ne disait rien, mais Falcon sentit qu'il n'était plus le bienvenu.

– Je rentre chez moi.

Il enjamba Johnny et reprit sa marche le long du chemin qui bordait le fleuve.

Petit à petit, sa colère s'estompait et il ressentait à nouveau le froid. Ses pensées se fixèrent sur son logis. Cette nuit, il dormirait dans le coffre, il n'y avait pas à tortiller. C'était le meilleur endroit par des températures pareilles ; il serait parfaitement protégé des éléments. Rien que d'y penser, une vague de chaleur se répandit jusqu'à ses doigts de pied. Autant oublier ces paumés sous le pont, avec leurs bouts de carton. Quel besoin il avait d'écouter leurs insultes, de supporter leur connerie ?

Arrivé à quelques mètres de chez lui, il s'arrêta net. Un feu brûlait tout près de son toit. Pas de grosses flammes – seulement un petit feu de camp. Un inconnu était assis sur une caisse en plastique, du genre qui servait à transporter le lait. Il réchauffait ses mains au-dessus des flammes. Non, *elle* réchauffait ses mains. C'était une femme qui venait rendre visite à Falcon. Elle se leva doucement quand elle l'aperçut, mais pas pour le saluer. Elle le fixa, et il lui rendit son regard. Dans ce quartier, son apparence à elle était bien plus étrange que celle de Falcon. Elle n'était pas vêtue comme une SDF. Son manteau lui allait parfaitement, et il était encore pourvu de tous ses jolis boutons de cuivre. Il n'y avait pas de trous dans ses gants en cuir, on ne voyait le bout d'aucun de ses doigts. Ses chaussures étaient neuves et cirées. Sa tête était couverte par un foulard blanc propre, qu'on aurait presque pris pour une couche-culotte. Une dame d'un certain âge, bien habillée, coiffée d'une Pampers.

Falcon fit la moitié d'un pas en avant, puis se figea.

— Qui êtes-vous ?

Elle ne répondit pas.

— Je vous ai posé une question.

Silence. Il essaya un autre angle d'approche :

— Qu'est-ce que vous voulez ?

Elle n'ouvrait toujours pas la bouche. Elle se mit simplement à marcher autour du feu de camp, en cercle et en silence. Les mains de Falcon tremblaient. Il serra les poings. Il mordit très fort sa lèvre inférieure, la colère montait en lui, impossible à contenir.

— Allez-vous-en ! Laissez-moi ! LAISSEZ-MOI EN PAIX !

Il cria, cria et cria tant qu'il put, aussi fort qu'il put, jusqu'à ce qu'il n'ait plus de voix. Alors il inspira une immense bouffée d'air si glaciale qu'il crut qu'elle allait lui brûler les poumons. Il voulait s'enfuir en courant, mais il n'aurait nulle part où se cacher.

Car il savait en fait qui était cette femme, cette Mère des Disparus.

Et il savait exactement ce qu'elle voulait.

7

À MINUIT PASSÉ, ALICIA attendait encore devant le restaurant Houston's que le voiturier lui amène son véhicule. Voilà un bon moyen de diminuer le nombre de conducteurs en état d'ivresse sur les routes : faire patienter les clients des bars jusqu'à l'aube avant de leur rendre leur voiture. La prochaine fois, elle ne manquerait pas de venir avec sa Lotus jaune ou sa Ferrari rouge et de choisir l'option « parking privilégié » pour qu'on gare sa voiture contre le trottoir devant l'entrée.

Son téléphone portable sonna à l'intérieur de son sac, qui lui-même se trouvait dans un sachet plastique que lui avait donné le restaurant. Elle comptait apporter tout cela au labo le lendemain matin, afin qu'ils relèvent d'éventuelles empreintes digitales confirmant que Falcon était bel et bien le chapardeur de rouge à lèvres. Elle laissa sa messagerie prendre l'appel, mais le téléphone se remit immédiatement à sonner. Le psychopathe au bout du fil ? Entourant sa main d'un mouchoir en papier, Alicia sortit précautionneusement le portable et répondit. C'était son père. Il voulait savoir où elle se trouvait, et elle le lui dit.

— Ma chérie, ta mère et moi pensons que tu devrais dormir à la maison ce soir.

— C'est ce que je compte faire, je rentre chez moi.

— Non, je voulais dire ici, chez nous.

Elle avait vingt-sept ans, et ses parents considéraient encore leur maison comme son domicile principal. C'était le prix à payer – et Alicia l'acceptait de bon cœur – quand on était la fille unique d'un père latino.

– *Papi*, il est tard et je travaille demain matin. Je passerai ce week-end.

– On s'inquiète pour toi, c'est tout.

À certains moments de sa vie, elle aurait été prête à jurer que ses parents savaient tout à son sujet – y compris si le garçon avec qui elle sortait l'appelait au téléphone le matin pour lui dire bonjour ou s'il n'avait qu'à se retourner dans le lit. Mais était-il possible qu'ils soient au courant pour son sac ?

– Pourquoi vous vous inquiétez ?

– Tu sais bien. L'autre malade – Falcon – a payé sa caution.

– À croire que c'est la principale nouvelle de la soirée.

– Ne prends pas ça à la légère, Alicia. Le procureur m'avait assuré que fixer le montant de la caution à dix mille dollars revenait à jeter la clé de la cellule de ce type. De toute évidence, il s'est fourré le doigt dans l'œil. Falcon a beau n'être qu'un vagabond, il faut se méfier de lui.

Elle était tout à fait d'accord, mais elle ne souhaitait pas inquiéter encore plus ses parents en leur racontant cette histoire de sac à main.

– Écoute, je ne peux pas venir chez vous ce soir. Mais je te promets que la première chose que je fais demain, c'est demander au préfet et au procureur s'ils ne peuvent pas mettre en place une injonction interdisant à Falcon de s'approcher de moi.

– D'accord. C'est une bonne idée. Mais fais attention en rentrant chez toi ce soir.

– Je suis flic, je te signale.

– Tu es avant tout ma fille. On t'aime, c'est pour ça qu'on se fait du souci.

– Moi aussi je vous aime. Je vous appelle demain.

Le voiturier arriva avec la voiture d'Alicia au moment où celle-ci raccrochait. Il lui fallut ensuite un quart d'heure pour se rendre chez elle. Elle conduisit dans un silence total, sans allumer la radio. Le rouge à lèvres volé occupait suffisamment ses pensées pour qu'elle ne se soucie plus de savoir si elle avait eu tort d'appeler Vince – temporairement, du moins. Car les coups de fil passés à un ancien amant, surtout depuis un bar, ne se mettaient en général pas à rejouer dans votre tête avant trois heures du matin.

Alicia vivait seule dans une maison mitoyenne à Coconut Grove, un quartier de Miami situé très au sud du centre-ville. Alicia était une des huit braves officiers de police de la ville chargés de patrouiller dans le secteur. Bien avant que les promoteurs immobiliers ne s'en emparent, Coconut Grove était une enclave boisée et bohème, un paradis pour les hippies et ceux qui aimaient les arbres. Ce charme avait en partie survécu aux bulldozers et aux boulets de démolition. Les terrasses des cafés de Main Street étaient toujours aussi bondées, et trouver son chemin à travers les rues résidentielles étroites et sinueuses, sous la couverture de feuilles vertes, exotiques, demeurait un rite d'initiation incontournable pour les nouveaux arrivants à Miami. Mais pour Alicia et ses collègues, Coconut Grove était avant tout un univers où cohabitaient les extrêmes. Un lieu où certaines des propriétés les plus chères de Floride voisinaient avec le ghetto, où la luxueuse demeure du maire n'était qu'à quelques pas de la « douteuse » maison mitoyenne de sa fille. Si vous aviez de mauvaises habitudes, Coconut Grove ne vous laissait jamais en rade : les gangs trouvaient de quoi détruire et voler, les docteurs et les avocats qui s'aventuraient dans la nuit se procuraient facilement du crystal meth, et les très respectables conseillers municipaux qui avaient besoin d'une pipe n'avaient qu'à débourser vingt dollars. Mais malgré tout, l'endroit gardait quand même un peu de son charme de l'époque – pas forcément facile à définir –, et elle ne pouvait pas imaginer vivre ailleurs à Miami.

– Je hais ce quartier, grommela-t-elle.

Tenter de se garer la mettait toujours de mauvaise humeur. Évidemment, un connard avait pris l'espace réservée devant sa maison, et elle devait faire le tour du parking visiteurs. Elle trouva une place près de la benne à ordures – ainsi donc, demain matin, sa voiture serait couverte de traces du passage des ratons laveurs. Elle coupa le contact, mais le moteur de sa Honda continua de tourner. Le véhicule hoqueta deux fois, le châssis trembla, et enfin le moteur s'arrêta. Jamais auparavant elle n'avait eu une voiture dont le moteur aimait tant se faire remarquer. Chaque fois qu'elle coupait le contact, le moteur en faisait des tonnes. D'où le nom qu'Alicia avait donné à sa Honda : Elton.

Elle sortit et ferma la portière. Elle suivit le trottoir en forme de S au cœur d'un véritable labyrinthe d'arbres rince-bouteilles et de haies d'hibiscus. Un coup de vent agita les feuilles au-dessus de sa tête – encore ce terrible froid qui envoyait une rafale d'air tout droit venu de l'Arctique. Alicia marchait rapidement, les bras croisés sur la poitrine pour se réchauffer. Soudain elle s'arrêta. Elle avait l'impression d'avoir entendu des bruits de pas derrière elle, mais elle ne voyait personne. Devant elle, le trottoir se prolongeait à travers un bosquet de gros ficus. Au fil des années, les vieilles racines tordues avaient fissuré et déformé certaines plaques de ciment. Le passage devenait tout d'un coup plus sombre, car l'éclairage de cette dernière partie de l'allée était masqué par des branches tentaculaires et leurs feuilles épaisses, cireuses.

Alicia entendit à nouveau des pas. Elle se pressa, et le bruit des talons derrière elle sembla aussi s'accélérer. Elle se mit à marcher sur l'herbe. Le bruit derrière elle s'évanouit, comme si la personne l'imitait. Elle remonta sur le trottoir pour les derniers mètres de l'allée. Ses talons claquèrent à nouveau sur le béton et, quelques secondes plus tard, des pas se firent à nouveau entendre derrière elle. Elle se retourna et lança :

– Qui est là ?

Personne en vue. Pas de réponse. Mais, sous l'ombre des arbres, elle sentait une présence humaine. *Si seulement j'avais mon flingue,* pensa-t-elle. Elle ne l'emportait jamais quand elle sortait boire quelques verres.

Elle se tourna vers sa maison, et son cœur bondit dans sa poitrine. Un homme était debout sur les marches. Elle s'apprêtait à lui envoyer un coup de pied de karatéka dans la figure quand il lui dit :

– C'est moi, Felipe.

Elle se sentit immédiatement soulagée – même si elle avait toujours envie de l'assassiner.

– Ne me suis plus jamais comme ça, c'est compris ? Qu'est-ce que tu fais ici ?

– À ton avis ?

Felipe était un des gardes du corps de son père. Il mesurait près de deux mètres et possédait la carrure idéale pour figurer dans le calendrier des pompiers. Il avait un joli teint trop mat pour être olive, une belle coupe de cheveux en brosse, malgré la tonsure en forme de croissant au sommet de son crâne. Cette cicatrice avait la taille exacte d'un cul de bouteille de bière – on imaginait qu'elle était la conséquence d'une rixe qui avait mal tourné un soir dans un bar. Il avait toujours un léger début de barbe, du moins en chaque occasion où Alicia croisait son chemin. Ils s'étaient rencontrés pour la première fois lors de la fête qui avait suivi la première élection de son père à la mairie. Felipe était un beau mec, il fallait l'avouer. Quand il lui avait déclaré que c'était son corps à elle qu'il voulait avant tout garder, elle l'avait excusé en se disant qu'il était sûrement saoul et qu'il ne devait pas être en service. Elle comprit cependant assez vite qu'il était juste sobre et con, comme tant d'autres, avec toutefois une qualité qui le sauvait : il aimait le maire comme un père, et n'aurait pas hésité à prendre une balle à sa place. Une telle loyauté méritait qu'on lui pardonne de se livrer de temps à autre à des tentatives de drague débiles et somme toute inoffensives.

– C'est mon père qui t'a envoyé ? demanda Alicia.

– Bien sûr. Il voulait s'assurer que tu rentres chez toi sans problème.

—Ça ne m'étonne pas. Mais comme tu vois, ce n'était pas vraiment nécessaire. Je suis désolée que tu aies dû venir jusqu'ici si tard.

Alicia monta les marches. Il la suivit. Elle s'arrêta devant la porte :

—Tu peux rentrer chez toi, Felipe.

Il avait une petite expression suffisante, comme s'il était content de lui taper sur les nerfs.

—Ton père a insisté pour que je te précède à l'intérieur et que je vérifie les lieux. Je dois regarder si personne n'est caché dans le placard, ce genre de choses...

—Je suis flic, bon sang.

—Hé, je me contente de faire ce qu'on me dit.

Elle s'était juré qu'elle ne vivrait jamais une scène pareille – Felipe et elle devant la porte de chez elle, Felipe le Conquérant lui adressant le sourire macho de celui à qui on ne refusera pas l'entrée. Mais il était beaucoup trop tard, hélas, pour appeler son père et se plaindre. Elle tourna la clé dans la serrure et s'écarta du passage.

—Fais vite, s'il te plaît.

Felipe lui fit un insupportable petit clin d'œil, franchit le seuil et alluma la lumière.

—C'est joli, ici, dit-il d'un ton satisfait.

Comme s'il s'attendait à ce qu'elle mette de la musique et lui offre un verre.

La maison d'Alicia était mignonne – une façon agréable de dire qu'elle n'était pas bien grande. La cuisine et le salon se trouvaient au rez-de-chaussée. Il n'y avait pas de salle à manger à proprement parler, seulement un coin repas qui faisait partie du salon, et qui était relié à la cuisine par une petite ouverture servant de passe-plats au-dessus de l'évier. Alicia suivit Felipe qui se dirigeait vers la porte-fenêtre coulissante. Il abaissa le loquet et sortit vérifier le patio. Il était tard, elle était fatiguée et elle commençait déjà à perdre patience. Mais quelque chose attira son regard. Son ordinateur portable était installé dans un petit espace de travail juste à côté de la cuisine. Elle avait l'Internet haut débit, ainsi l'ordinateur était connecté en permanence, et elle remarqua que plusieurs nouveaux e-mails remplissaient sa boîte de réception.

– Ici c'est bon. Où est la chambre ? demanda Felipe en revenant du patio.

– À l'étage.

Elle n'avait pas l'intention d'y monter avec lui, et son expression ne laissait planer aucun doute à ce sujet.

– Attends-moi là une minute, dit Felipe.

Alicia se concentra sur ses e-mails. Parmi le quota habituel de courriers publicitaires, un message d'un expéditeur inconnu retint son attention. Dans la case « Objet », il était écrit : À PROPOS DE VOTRE SAC. Elle cliqua sur cet e-mail avec la souris, et son cœur s'arrêta de battre pendant une seconde. L'auteur du mail était identifié par un méli-mélo de chiffres et de lettres, au lieu d'un véritable nom. Elle lut le message, puis le relut. Il était court, précis et carrément effrayant :

« *Je m'excuse. Ne vous inquiétez pas, je vous en prie. Bientôt, vous comprendrez que c'est uniquement par amour que je vous recherche.* »

Felipe était de retour.

– C'est bon là-haut aussi. Est-ce que...

Il s'arrêta en plein milieu de sa phrase.

– Est-ce que ça va ? reprit-il.

– Oui.

Elle réussit à sourire maladroitement, s'efforçant de garder l'air calme tandis qu'elle lui ouvrait la porte d'entrée.

– Je vais dire à ton père que tout est en ordre.

Elle était sur le point de lui souhaiter une bonne nuit, mais il l'interrompit :

– Tu es sûre que ça va ?

−Oui, absolument.

−Tu as l'air d'avoir vu un fantôme.

−Absolument pas. Pas de fantômes. Tout va bien.
Rien dont je souhaite te parler, en tout cas.

−Bonne nuit, Felipe.

−Bonne nuit.

Elle ferma la porte et tourna le verrou. Ses pensées tourbillonnaient dans sa tête. Il ne s'agissait plus d'un clochard demandant exceptionnellement à parler à la fille du maire. Le rouge à lèvres volé, l'e-mail – c'était du harcèlement.

Alicia s'assura encore une fois que le verrou était bien en place, puis elle monta à l'étage. Chercher son pistolet dans son placard.

8

LE LENDEMAIN MATIN, le laboratoire de la police de Miami-Dade trouva sur le poudrier d'Alicia une empreinte digitale qui ne lui appartenait pas. Une preuve scientifique que Falcon avait bel et bien dérobé son sac aurait rendu les choses assez simples. Cependant rien n'était simple.

L'empreinte ne correspondait pas à celles de Falcon.

— Étrange, fit Alicia. Si ce n'est ni la mienne, ni celle de Falcon, alors à qui est cette empreinte ?

— Personne qui soit répertorié dans nos bases de données, lui répondit-on.

Elle voulait leur demander de regarder encore, mais elle savait que ces gens-là accomplissaient leur travail minutieusement. L'analyse d'une empreinte ne se résumait pas à appuyer sur un bouton et à attendre de voir ce qui s'affichait à l'écran, comme dans les séries télé. Le laboratoire de la police de Miami-Dade avait vérifié et revérifié. S'ils disaient que cette empreinte n'était pas répertoriée, elle n'était pas répertoriée.

Vers dix heures, Alicia rendit visite aux binoclards de génie de la section audiovisuelle. Elle avait confié son ordinateur portable à Guy Schwartz, un as de l'informatique, qui s'était occupé de remonter à l'origine de l'e-mail concernant son sac.

— Ce message a été envoyé depuis un magasin, le Red Bird Copy Center, dit Schwartz. Il se trouve dans le grand centre commercial qui fait l'angle de Red Road et Bird Road. Facile de s'y rendre, mais c'est ensuite que ça se complique.

– C'est-à-dire ?

– Le Red Bird Copy Center est un de ces endroits qui louent des ordinateurs à l'heure, comme un café Internet sans les expressos. Les gens entrent et sortent, envoient des e-mails à qui ils veulent. Ce n'est pas en examinant ton portable que je vais identifier l'expéditeur de ce mail. Ta seule chance, c'est que l'employé du magasin puisse te dire qui a loué l'ordinateur en question. À moins que tu arrives à relever une empreinte sur le clavier ou sur la souris.

– J'y fonce.

Vingt minutes plus tard, Alicia et l'inspecteur Alan Barber pénétraient dans le Red Bird Copy Center. Alicia était « directement concernée par cette affaire » – un drôle d'euphémisme pour dire qu'elle en était « la victime », mais voilà comment on tournait les choses dans ce métier –, elle dut donc supplier pour qu'on l'autorise à accompagner l'inspecteur Barber et son équipe de policiers scientifiques. Le pire cauchemar du procureur aurait été qu'Alicia ait à témoigner au procès en tant que victime et en tant qu'agent chargé de l'enquête. On lui avait permis de se rendre sur place pour observer. Un point c'est tout. Ce n'était pas négociable. Alicia était d'accord.

L'inspecteur Barber avait vingt ans d'expérience dans la police ; encore six mois, et son ton de voix serait aussi parfaitement monocorde que celui de l'inspecteur Joe Friday dans la série télé *Dragnet*. La météo à Miami justifiait rarement le port du trench-coat, alors une journée fraîche comme celle-ci, c'était un peu mardi gras pour Barber. Il se tenait devant le comptoir, près de la caisse, les mains enfoncées dans les poches de son manteau, la peau épaisse de son front plissée de sorte qu'on aurait dit une réplique anatomique de l'Escalier espagnol à Rome. Une photographie couleur sur papier glacé – la photo d'identité judiciaire de Falcon – était posée sur le verre. Appuyé sur un seul coude, l'employé chargé de l'accueil la veille se penchait au-dessus de l'image et la scrutait. Il s'agissait de la technique traditionnelle de Barber. Ne jamais demander à un témoin de décrire quelqu'un à froid. Placer la photo devant lui, qu'elle lui rafraîchisse un peu la mémoire.

– Vous l'avez déjà vu, ce type ? demanda Barber.

Le jeune homme gratta le dragon tatoué qui couvrait le côté gauche de son crâne rasé, de l'oreille jusqu'au sommet de sa tête.

– Non. Nan.

Ce n'était pas la réponse qu'attendaient Alicia et l'inspecteur.

– Vous êtes sûr ? insista Barber.

– Mec, je me souviendrais d'un loser pareil.

Barber ne broncha pas. Alicia résista à l'envie d'intervenir avec ses propres questions. Elle n'avait pas imaginé que rester sur la touche avec un bâillon virtuel serait aussi difficile.

L'auteur du mail avait utilisé l'ordinateur situé au poste de travail numéro trois. Les agents de la police scientifique procédaient de leur façon habituelle, méthodique, poudrant les surfaces pour faire ressortir les empreintes digitales et recherchant d'autres résidus physiologiques susceptibles d'identifier l'auteur de l'e-mail.

– Vous vous souvenez qui utilisait cet ordinateur hier soir ? demanda Barber.

– Vers quelle heure ?

Barber ne semblait plus savoir où il avait mis sa copie de l'e-mail. Alicia vint à sa rescousse :

– L'e-mail a été envoyé depuis votre ordinateur numéro trois à vingt-deux heures vingt-deux.

Barber lui lança un regard qui semblait dire : « Bouche cousue, on s'était bien mis d'accord. »

– Vingt-deux heures vingt-deux, répéta l'inspecteur.

– Je me souviens pas exactement. Mais je pense que c'était une femme.

– Une femme ?

– Ouais. Plutôt vieille.

Barber poussa à nouveau la photo vers l'employé.

— Vous êtes sûr que ce n'était pas ce type-là ?

— Non, ça m'étonnerait.

Barber paraissait irrité.

— Pouvez-vous me décrire les trois derniers clients que vous avez vus hier soir ?

— Bien sûr. Il y avait une femme... euh, non, deux femmes, et le dernier client était un homme. Je crois. Un homme ou une femme.

— Voilà qui limite bien les possibilités... dit Barber.

Alicia attendait qu'il poursuive, mais le téléphone de l'inspecteur vibra et il sembla soudain préoccupé davantage par le SMS qu'il venait de recevoir.

— Est-ce que vos clients signent un registre, ou quelque chose dans le genre ? demanda Alicia à l'employé.

— Non, ils paient ce qu'ils ont consommé en temps et puis ils s'en vont.

— La femme qui a occupé le poste numéro trois, est-ce qu'elle aurait par hasard payé par carte de crédit ? Il ne reste aucune trace écrite de son passage ?

— Non. Nan. On n'accepte pas de carte de crédit en dessous de vingt dollars. Je crois pas avoir eu plus d'un paiement par carte de toute la soirée.

Barber était toujours occupé à lire son SMS, alors Alicia en profita pour aller de l'avant :

— Vous avez une caméra de surveillance dans le magasin ? Peut-être qu'on pourrait vérifier si on ne voit pas cette femme sur l'enregistrement ?

— Non. Nous respectons l'intimité électronique de nos clients.

Traduction : Et vous, ça vous plairait qu'on vous filme en train de regarder des sites pornos ?

On entendit tout d'un coup les doigts de Barber tapoter sur le comptoir en verre :

— Vous avez d'autres questions, agent Mendoza ?

Alicia recula. Elle n'essayait pas de lui voler la vedette, simplement elle se rendait compte que cette affaire n'intéressait pas beaucoup Barber. C'était un excellent inspecteur, chargé d'enquêter sur de nombreux homicides qui demandaient toute son attention. On lui avait confié cette affaire de harcèlement uniquement parce qu'elle était la fille du maire. Alicia n'aimait pas cette situation, elle non plus, mais s'il ne posait pas les questions nécessaires, elle s'en chargerait. Même si elle était peut-être allée un peu trop loin.

– Allez-y, inspecteur. Excusez-moi.

Barber se tourna vers l'employé :

– Pourriez-vous nous décrire cette dame d'un certain âge, mon garçon ? Celle qui vous a loué le poste numéro trois ?

L'employé grimaça, comme si fouiller sa mémoire à la recherche de ce qui s'était passé il y a tout au plus quatorze heures le faisait souffrir.

– Pas vraiment. Hispano-Américaine, peut-être. Plutôt petite. Une cliente comme les autres, en fait. On en a tellement.

Barber posa quelques questions supplémentaires ; aucune ne portait à conséquence. À la fin, il donna sa carte à l'employé en lui demandant d'appeler au cas où quelque chose lui reviendrait à l'esprit.

– J'espère vous avoir été utile, dit ce dernier.

– Vous l'avez été, merci, répondit Alicia.

Barber fit le point avec les policiers scientifiques, qui en avaient encore pour une heure de travail au poste numéro trois, mais qui se débrouillaient seuls. Il fit signe à Alicia et ils sortirent sur le trottoir.

– Vous croyez que ce garçon essaie de couvrir quelqu'un ? demanda Alicia.

– Non, dit-il. Je ne crois pas qu'il prête beaucoup attention aux allées et venues des clients. Il s'en fiche.

– Vous ne pensez quand même pas que c'est une vieille dame qui m'a volé mon sac et qui m'a ensuite envoyé l'e-mail ?

—Pour le mail, ç'aurait pu être une femme. Pour le sac, je n'en sais rien.

—Vous voulez dire que deux personnes différentes ont peut-être pris part là-dedans ?

—Écoutez, Alicia. Vous posez beaucoup de questions, et dans ce métier c'est une bonne chose. Mais, vous voyez, ce qu'il faut, c'est poser les questions aux gens qui sont susceptibles de connaître les réponses. Comment voulez-vous que je sache combien de personnes sont mêlées à cette affaire, bon sang ?

Barber se dirigea vers sa voiture. Alicia le suivit, tout en réfléchissant aux propos de l'employé.

—Ça n'a pas de sens. Quelqu'un vole mon rouge à lèvres, et ensuite une petite vieille m'envoie un e-mail pour me dire que c'est uniquement par amour qu'elle me recherche.

—Les souvenirs de ce gamin sont peut-être embrouillés.

—Et s'il ne se trompe pas ? Si c'est bel et bien une femme qui m'a écrit ?

—Des choses plus étranges sont déjà arrivées, ma chère.

Alicia s'assit côté passager et referma la portière. Barber démarra, fit une marche arrière pour s'extraire de la place de parking. À travers la vitre, Alicia gardait les yeux fixés sur le Red Bird Copy Center.

—Pas à moi, dit-elle tandis qu'ils s'éloignaient.

Mon cher.

9

RAUL MENDOZA, LE MAIRE, n'aimait pas ce qu'il venait d'entendre de la bouche de Jack Swyteck.

– C'est de ma fille dont nous sommes en train de parler, répliqua-t-il dans son téléphone.

– Je vous comprends, n'en doutez pas, répondit Swyteck. Mais j'aurais la même approche du problème s'il s'agissait d'un membre de ma propre famille.

Le maire s'enfonça dans le grand fauteuil en cuir de son bureau à l'hôtel de ville de Miami. Felipe, son garde du corps, son assistant en qui il avait entière confiance, était assis dans le fauteuil qui se trouvait de l'autre côté du bureau en teck vieilli. Tout le mobilier était en teck, une décoration sur un thème nautique qui, si l'on y ajoutait la vue sur la marina depuis son bureau situé dans un angle, ne servait qu'à lui rappeler qu'il n'avait désormais plus jamais l'occasion de hisser les voiles. En fait, il n'avait plus de temps à consacrer à autre chose qu'à sa fonction de maire. Mais quand il était question de sa fille, c'était différent.

Pour Alicia, Mendoza avait toujours trouvé le temps, des matchs de foot quand elle était gamine – il n'en ratait aucun – au jour de la remise des diplômes à l'académie de police. Il aimait sa femme, ils étaient toujours ensemble, toujours heureux après vingt-neuf ans de vie commune. Cependant, même marié, l'idée de mourir pour quelqu'un d'autre lui avait semblé un peu irréelle, s'apparentant plutôt à une métaphore mélodramatique pour exprimer la force de ses sentiments qu'à un véritable engagement. Tout cela changea avec l'arrivée d'Alicia. Quand, bébé, elle tombait malade, il suppliait Dieu de le laisser souffrir à sa place. Quand elle pleurait, c'était plus qu'il ne pouvait endurer. Si un SDF pervers la harcelait – alors Dieu sait ce que Raul Mendoza serait prêt à faire. Peu importe que la fin de son mandat approche et que la bataille électorale s'annonce rude. Peu importe qu'il faille récolter des fonds des mois à l'avance, qu'il faille se déplacer ici ou là pour serrer des mains et encaisser des chèques. Il s'efforçait de se montrer diplomate avec l'avocat de Falcon, mais la sécurité de sa fille était en jeu, et discuter avec quelqu'un qui refusait de regarder la réalité en face, avec les yeux d'un père, l'exaspérait profondément.

— Je sais qu'il n'est pas très orthodoxe que le père de la victime appelle l'avocat de la défense, mais je vous prie de m'écouter.

— C'est arrivé dans d'autres affaires, dit Jack. Des affaires plus graves.

— Alors vous comprendrez combien j'ai été déçu quand le procureur m'a appelé pour me dire que vous refusiez de revoir les conditions de mise en liberté de Falcon.

— Ne prenez pas cela personnellement, dit Jack. La loi requiert que l'accusation apporte de nouveaux éléments au juge, quelque chose qui démontre que mon client pourrait s'enfuir ou être une menace pour la communauté.

— Votre client continue de harceler ma fille. Que vous faut-il de plus ?

— Si le procureur avait des preuves à cet égard, nous serions au tribunal cet après-midi même.

Swyteck avait tapé en plein dans le mille. L'avocat de la défense n'avait aucun moyen d'être au courant des nombreuses faiblesses du dossier de l'accusation, surtout à ce stade-là, mais le procureur les avait détaillées avec précision au maire. Sans que personne ne remarque quoi que ce soit, un clochard se serait introduit dans un bar chic de Coral Gables, aurait volé un sac à main et l'aurait laissé dans les toilettes des dames ? L'employé chargé de l'accueil au magasin avait dit que c'était une femme, et non un homme, qui avait utilisé l'ordinateur d'où l'e-mail à Alicia avait été envoyé. On n'avait trouvé les empreintes de Falcon nulle part ; la seule empreinte inconnue qui avait été prélevée, sur le poudrier d'Alicia, ne correspondait pas.

– Vous ne manquez pas de sagacité, monsieur Swyteck.

– Je me contente de faire mon travail sérieusement.

– Et cela implique, j'imagine, que vous vous efforciez de ne pas vous tromper dans vos jugements.

– Sans doute.

– Alors pourquoi ne pas accepter une ordonnance interdisant à votre client d'approcher à moins de cinq cents mètres de ma fille ?

Silence à l'autre bout de la ligne. Il avait le sentiment que Swyteck voulait dire oui. Était-ce possible – un avocat doté d'une conscience ? Non. Si la fibre morale de Swyteck se réveillait momentanément, ce n'était dû qu'au pouvoir de persuasion du maire. *Décidément, je sais y faire.*

– Désolé, mais je ne peux pas.

Le maire sentit son ego se dégonfler brusquement.

– Pourquoi ça ?

– Ce n'est pas dans l'intérêt de mon client.

– Vous voulez que je vous propose un échange ? Une contrepartie vous intéresserait, c'est ça ?

– Monsieur le maire, cette conversation me met très mal à l'aise.

– Je ne plaisante pas. Vous voulez quelque chose, dites-le moi.

À nouveau, il sentit que Swyteck luttait avec sa conscience.

– Ne prenez pas cela mal, dit l'avocat. Je n'ose pas imaginer ce qui peut se passer dans la tête d'un parent quand la sûreté de son enfant est en jeu, même lorsque celle-ci est adulte. Mais nous devons éviter de genre de conversations. Elles ne feront que renforcer la perception du public selon laquelle les poursuites contre mon client n'ont aucune base légale et sont seulement motivées par les émotions ressenties par le maire.

Mendoza rongeait sa lèvre inférieure. Heureusement que Swyteck ne se trouvait pas dans son bureau en ce moment même. Il l'aurait cogné.

– Ce commentaire me va droit au cœur, siffla le maire. J'aurais dû m'y attendre, de la part de quelqu'un qui s'adonne au blanchiment d'argent sale.

– Pardon ?

– Les dix mille dollars de caution que votre client a déposés. Ce n'est un secret pour personne que vous les avez rapportés clandestinement des Bahamas.

– Je n'ai rien fait clandestinement, répondit Jack. C'est d'ailleurs pour cela qu'aucun secret n'entoure le paiement de la caution. Mon client avait accès à une certaine somme d'argent dans un coffre d'une banque aux Bahamas. J'y ai ouvert un compte d'épargne à son nom à hauteur de dix mille dollars. Cet argent a été transféré électroniquement – les formulaires requis ont été remplis et les agents fédéraux ont été tenus au courant de bout en bout. Fin de l'histoire.

– Non, l'histoire ne s'arrête pas là. Grâce à vous, on n'en aura pas fini avant que ce taré s'en prenne à ma fille. On verra alors si vous faites encore le malin.

Il raccrocha au nez de Swyteck, sans chercher à masquer à son garde du corps le sentiment de dégoût qui l'envahissait. Il se leva et s'approcha de la fenêtre. Même la vue des voiliers et de l'étendue bleu vert de la baie n'arrivait pas à l'apaiser.

– Vous voulez que je lui parle, à ce Swyteck ? proposa Felipe.

– Ne sois pas stupide, répondit-il sans quitter la baie des yeux.

– Vous voulez que j'aille rendre une petite visite à Falcon ?

Un petit sourire forcé aux lèvres, le maire se tourna vers lui tout en réfléchissant à cette idée. Felipe lui rendit son sourire. Rapidement, les deux hommes se retrouvèrent au bord de l'hilarité, même si Felipe ne comprenait pas vraiment pourquoi.

– Qu'est-ce qui vous amuse tant que ça, patron ?

– Je n'en reviens pas, comme tu peux être idiot.

Le sourire de Felipe s'effaça.

– Qu'est-ce que vous voulez dire ?

Le maire n'avait plus l'air de s'amuser.

– Dans la grande tradition américaine des conversations à huis clos qui n'ont jamais eu lieu, laisse-moi te poser deux questions. Premièrement : est-ce que tu ne sais pas exactement ce qui doit être fait ? Et deuxièmement : pourquoi poses-tu la question au *maire* avant de t'en charger ?

10

JACK SWYTECK AIMAIT PENSER QUE SES CLIENTS pouvaient toujours compter sur lui, mais il refusait de faire des visites à domicile. Il s'était fixé cette règle qui, comme la plupart des règles, croulait sous les exceptions. Il rendait visite à ses clients qui étaient en prison, qui n'avaient pas de voiture ou qui, apparemment, *vivaient* dans une voiture.

– T'es sûr qu'on t'a bien indiqué le chemin ? demanda Theo.

Il suivait Jack le long d'un sentier parallèle au fleuve. Soixante-dix mètres au-dessus de leur tête, un train de banlieue serpentait sur la voie ferrée. Un remorqueur descendait paresseusement le fleuve en direction de la baie, laissant derrière lui un sillage tumultueux qui allait se briser contre une vieille péniche rouillée, à moitié immergée.

– En suis-je sûr ? demanda Jack. Ce chemin m'a été indiqué de son plein gré par un dangereux SDF atteint de paranoïa qui a récemment menacé de se jeter du haut d'un pont si la fille du maire refusait de lui parler. De quel droit douterais-je de lui ?

Theo considéra la situation avant de demander à Jack :

– Tu parles le globalais ?

– Le quoi ?

– Le globalais, la langue universelle des clochards. C'est un peu leur espéranto.

– C'est quoi, ce truc ?

–T'as jamais entendu parler de l'espéranto ? Ç'a été inventé par un Polonais, mais ça ressemble plus à de l'espagnol ou à de l'italien. C'est une deuxième langue pour tout le monde, comme le globalais. Tu prends les mots « anglais » et « global » – qui veut dire universel ou « gros nibards », ça dépend du contexte – et tu obtiens « globalais ». C'est probablement la langue que causait Falcon quand il t'a indiqué le chemin.

Jack ne savait pas trop quoi répondre. Theo avait cet étrange don qui consistait à s'exprimer de façon complètement confuse et en même temps très claire.

Ils continuaient d'avancer. Plus tôt ce matin-là, Jack avait reçu un coup de fil surprise du procureur qui n'avait duré que quelques minutes. Il se rendit compte presque immédiatement que le procureur bluffait. Si l'État avait de quoi prouver que Falcon continuait de harceler la fille du maire, le procureur se serait présenté devant le juge avant même que l'huissier ait eu le temps de l'annoncer. Jack n'accepterait pas une injonction contraignant son client. Que le maire l'ait appelé en personne rendait sa position encore plus difficile à tenir, mais son métier exigeait qu'il laisse les émotions de côté et agisse dans le meilleur intérêt de son client. Néanmoins, il écoutait toujours sa conscience. Si son client persistait à enfreindre la loi – si Falcon refusait de laisser Alicia Mendoza tranquille – alors il aurait à se trouver un nouvel avocat. Jack avait défendu de nombreux clients coupables d'horribles forfaits. Pour exercer la profession d'avocat spécialisé dans les affaires criminelles, il fallait accepter cette réalité. Par contre, rien ne vous obligeait à assurer la protection légale d'une personne qui semblait se rapprocher petit à petit d'un acte irréparable.

Ce qui était précisément son problème avec Falcon.

–On arrive bientôt ? demanda Theo.

Jack ignora sa question. La Miami River était longue de neuf kilomètres ; elle descendait vers le sud-est, de l'aéroport jusqu'au centre-ville de Miami, où elle se jetait dans la baie de

Biscayne. Au cours des siècles, ses flots couleur thé avaient charrié jusqu'à l'océan tout et n'importe quoi, du sucre brut aux eaux usées. À n'importe quelle heure de la journée, vous pouviez y voir un yacht de trente mètres en route vers les Antilles avancer côte à côte avec un vieux transconteneur prêt à sombrer sous le poids de la cocaïne. Ce fleuve n'était pas là que pour le décor : plus de quatre milliards de dollars de marchandises légales y transitaient chaque année, et une promenade le long de ses rives offrait un véritable diaporama de l'histoire de la Floride. On voyait des vestiges de l'époque des Indiens Tequesta, des entrepôts et des chantiers navals construits par la compagnie de chemins de fer Florida East Coast Railroad, un vieux fort datant de la guerre civile, des marinas, des jardins publics, des demeures classées monuments historiques, des mangliers, des immeubles délabrés et même quelques bons restaurants.

Theo émit un grognement afin d'attirer l'attention de Jack.

– Hé, Swyteck, je t'ai demandé si on arrivait bientôt.

– On y est presque.

Jack savait qu'ils se rapprochaient, car ils venaient de passer près du restaurant Big Fish, un des repères que Falcon avait donnés. Situé juste au bord du fleuve, il s'agissait en fait d'un des endroits où Jack aimait bien déjeuner. Celui-ci n'avait rien de chic, mais on pouvait y déguster tranquillement du dauphin frais, du thon ou un *ceviche* de crevettes tout en admirant le fleuve. Big Fish appartenait à ce vieux Miami, et les marins qui vivaient sur leurs péniches à l'ouest du fleuve y côtoyaient les banquiers et les avocats des grands immeubles de bureaux. Jack et Theo contournèrent le restaurant, passant devant les bennes à ordures et s'approchant de la marina qui se trouvait à côté. L'odeur des vapeurs de diesel mêlée aux déchets de poissons donnait à Jack envie de vomir. Il se dit que Falcon avait dû y sélectionner son repas à de nombreuses reprises, farfouillant dans les poubelles à la recherche de restes de frites ou de beignets.

Ils passèrent sous un pont et émergèrent là où le fleuve commençait à virer vers le nord-ouest. Un vent frais les fouettait en plein visage. Bien que le soleil brillât, le sud de la Floride demeurait sous l'emprise d'un front froid anormal et persistant. Tous les quinze pas, Jack entendait Theo expirer profondément dans l'espoir à chaque fois déçu d'apercevoir la vapeur de son souffle. À Miami, le froid restait un concept relatif.

– Ça doit être ça, dit Jack.

Il pointait le doigt vers une voiture abandonnée qui se trouvait à six ou sept mètres de la rive, près d'un vieil entrepôt – exactement tel que Falcon l'avait décrit.

Instinctivement, ils ralentirent avant de franchir les vingt derniers mètres, avançant avec prudence. La voiture n'était plus qu'une coquille métallique vide. Il n'y avait ni vitres ni pare-brise. Disparus aussi le volant, la banquette avant... Restait la banquette arrière, mais elle avait été complètement lacérée et le rembourrage sortait en de multiples endroits.

Aucune trace de Falcon.

– Ça me fait penser à ta Mustang la dernière fois qu'on l'a vue, dit Theo.

Il parlait de la fierté de Jack, son bijou, un cabriolet Ford Mustang 1966 avec des jantes type rallye, un volant en bois, un intérieur sport en cuir. Son premier achat important après la fac de droit. Une œuvre d'art, rien de moins, jusqu'à ce que des dealers de drogue en colère décident de la faire flamber.

– Tu es cruel, Theo.

– Excuse-moi, vieux.

Ils approchèrent. Theo contourna le véhicule et s'arrêta juste devant la calandre :

– Blague à part, cette bagnole est bel et bien une Ford.

– Tu crois ?

– J'en suis sûr. Un modèle de la fin des années soixante-dix, je dirais. Une Ford Falcon.

– Une Falcon ?

—Ouais. C'est drôle, hein ?

—Moi qui croyais qu'il avait choisi ce nom parce qu'il rêvait de s'envoler du haut d'un pont, dit Jack. Mais non, c'était juste une façon de rendre hommage à son chez-lui.

Il fit lentement le tour de la voiture pour l'inspecter. Le capot, décoloré par le soleil, était couvert de crottes de rat. Des cafards avaient fait leur nid dans l'ombre des passages de roue. L'intérieur était jonché de Tupperware sales, de boîtes de café vides. On pouvait voir aussi un vieil imperméable et une bâche en plastique déchirée.

—Imagine-toi vivre ici, dit Jack.

—C'est mille fois mieux que le couloir de la mort.

Comme d'habitude, Jack aurait eu du mal à contredire le point de vue du grand Theo.

—Alors on fait quoi maintenant ? demanda Theo. On s'assoit et on attend ?

—Ce n'est pas comme si je pouvais appeler mon client sur son portable et lui fixer un rendez-vous.

—Laisse-lui une pièce de vingt-cinq cents et un mot lui demandant de te téléphoner.

Jack y réfléchit.

—Attendons quelques minutes. Il m'a dit que si j'avais besoin de le contacter, l'après-midi était le deuxième meilleur moment pour le trouver chez lui.

—Et le meilleur moment tout court ? C'est quand ?

—Après minuit. Mais je n'ai aucune intention de traîner dans les parages en pleine nuit, même si tu es là pour me défendre.

Theo se grattait la tête et cherchait un endroit où s'installer. Il approcha de l'arrière de la voiture, laissa son postérieur choir sur le coffre. Il y eut un bruit bizarre, comme si le coffre était mal fermé, la serrure mal enclenchée. Jack remarqua alors les gouttes marron sur le pare-chocs.

—Qu'est-ce que j'ai encore fait ? demanda Theo.

Jack n'était pas sûr de la nature exacte du problème, mais il en avait quand même une idée.

—Ne pose pas tes mains sur ce coffre, Theo. Lève-toi doucement.

On comprenait au ton de Jack qu'il ne plaisantait pas. Theo se laissa glisser jusqu'à ce que ses pieds touchent terre, puis il se redressa. Soulagés de son poids, les vieux ressorts grincèrent, et le coffre s'ouvrit de lui-même.

Alors ils découvrirent le corps – ou du moins ce qu'il en restait : une masse mutilée au fond du coffre. Ils sursautèrent quand un rat de la taille d'un petit chien s'échappa, abandonnant son festin.

—Putain de Dieu, fit Theo.

Du sang, partout. Énormément de sang.

—Putain de Dieu, dit Jack à voix basse.

11

Derrière le ruban jaune, Jack observait la police scientifique qui s'occupait du corps dans le coffre. Prise de photos,
recherche d'empreintes, prélèvement d'échantillons : les policiers offraient le spectacle d'une mécanique bien huilée. Jack
serait sans doute resté même si l'inspecteur Barber ne le lui
avait pas demandé, mais le soleil allait bientôt se coucher et
Theo semblait en avoir assez vu :

– T'as pas des clients encore en vie que tu pourrais être en
train de surfacturer ?

– Arrête, tu veux ?, dit Jack. N'as-tu donc aucun respect
pour les morts ?

– C'est bizarre.

– Qu'est-ce qui est bizarre ?

– De commencer une phrase par « n'as-tu ». Des études
sérieuses ont montré que seuls les gens qui ont un gros truc
coincé dans le cul utilisent des formulations pareilles.

Theo, fidèle à lui-même. Même modestement, il cherchait
toujours à rendre le monde meilleur.

Jack fit un signe à l'inspecteur, qui parlait à un des
gars de la police scientifique près du véhicule abandonné.
Barber prit le temps de terminer sa conversation, puis s'approcha du ruban et des barrières qui délimitaient la scène de
crime.

– Désolé de devoir vous faire patienter, dit Barber.

– Désolé ? fit Theo qui avait les mains enfoncées dans les poches de son pantalon. On est debout à attendre depuis plus d'une heure, mon pote. Et on se gèle les couilles.

Jack se demanda si cette partie-là du corps était vraiment plus sensible au froid que les autres – le genre de questions qu'il valait mieux mettre de côté, on y répondait plus facilement après quelques bières.

– Theo, ça te dit de retourner voir au restaurant devant lequel on est passés, tu pourrais peut-être nous rapporter des cafés ?

– Comme si ça allait suffire pour nous réchauffer.

Theo souffla en l'air. Il essayait encore d'obtenir un nuage de vapeur – et cette fois-ci il réussit, tout juste. Cela le rendit aussi heureux qu'un gamin qui voit la neige tomber pour la première fois.

– T'as vu ça ? On est à Miami, officiellement c'est même pas encore l'hiver, et t'as vu la vapeur qui s'est échappée de ma bouche ?

Jack était tenté de faire une remarque sur les conneries qui elles aussi s'échappaient de la bouche de Theo, mais il s'abstint.

– Theo, ce café, ce serait une bonne idée, non ?

Theo finit par comprendre où Jack voulait en venir. Quand son ami se fut éloigné, Jack s'adressa à Barber :

– Écoutez, inspecteur, vous pouvez compter sur mon aide. Mais ne pourriez-vous pas me téléphoner plus tard ce soir, à moins que vous souhaitiez me poser certaines questions tout de suite ?

L'inspecteur Barber tourna son regard vers le véhicule abandonné. L'équipe du médecin légiste s'apprêtait à enlever le corps sur une civière.

– Il n'y a qu'une chose que j'aimerais savoir, dit-il en fixant à nouveau Jack dans les yeux. Où est votre client ?

Cette question aurait pu paraître stupide, si l'expression de Barber n'avait pas été aussi sérieuse.

– Vous êtes en train de me dire que ce n'est pas Falcon dans le coffre de cette voiture ?

L'inspecteur Barber secoua la tête.

– Je n'ai rien voulu toucher, dit Jack. On n'a pas bougé le corps. Il était enroulé dans des couvertures, je me suis dit que c'était à cause du froid. On n'a pas vraiment bien regardé. Je pensais que cela allait de soi que...

– Ne vous en voulez pas trop, dit l'inspecteur. Vu les coups sur le visage de la victime, vous ne pouviez guère que jouer aux devinettes, avant notre arrivée.

– Vous êtes sûr que ce n'est pas lui ?

– Oui, à moins qu'il ait changé de sexe depuis la dernière fois que vous l'avez vu.

Une vague de panique submergea Jack.

– Ce n'est pas...

– Alicia Mendoza ? Non. S'il s'agissait de la fille du maire, nous serions déjà envahis par des équipes de télévision venues de tous les comtés à la ronde. La victime est une femme nettement plus âgée : elle a au moins cinquante ans, peut-être plus de soixante. À mon avis, c'est une autre SDF. Falcon l'a trouvée en train de squatter son nid, il a perdu les pédales et il s'est déchaîné contre elle.

– Vous avez l'arme du crime ?

– Nous pensons qu'il s'agit du tuyau de plomb qu'on a retrouvé près de la voiture. Il y a des traces de sang et des cheveux dessus. Il faut quelque chose d'au moins aussi lourd pour faire des dégâts pareils. Votre ami lui a défoncé la gueule, littéralement.

– Ce n'est pas mon ami.

– Oui, c'est vrai, dit Barber en souriant. Ce n'est que votre client.

Il se mit à rire.

– Qu'est-ce qu'il y a de si drôle ?

– Pardonnez-moi, maître. Mais le flic blasé que je suis prend un malin plaisir à voir un avocat appeler la police pour signaler un meurtre commis par son propre client, dit Barber en riant de plus belle. Désolé, je ne peux vraiment pas m'en empêcher.

Jack imaginait déjà les plaisanteries à ses dépens qui s'échangeraient dans les couloirs de la cour d'assises de Miami-Dade. Dans un cas comme ça, il n'y avait qu'une réplique possible :

– Comment savez-vous que mon client est coupable ?

L'inspecteur cessa de rire.

– Il me semble que nous pouvons supposer sans grand danger que...

Jack leva la main pour l'arrêter net.

– Une supposition erronée par scène de crime, s'il vous plaît.

– Voyons, Swyteck, dans deux heures, nous aurons suffisamment de preuves scientifiques contre votre client pour remplir un labo entier.

– Mais vous n'aurez peut-être toujours pas mon client.

– Nous le trouverons.

Jack se pencha vers Barber et le regarda droit dans les yeux.

– À ce moment-là, pensez à lui rappeler qu'il faut qu'il me téléphone de toute urgence.

Soudain, quelqu'un se mit à crier à tue-tête au bord de l'eau. Ils se tournèrent en direction du tapage. On entendait un mélange de mots et de hurlements, qui cassait les oreilles et semblait incompréhensible.

– Voilà un ami de la victime, on dirait. Excusez-moi, Swyteck.

L'inspecteur se dirigea vers le fleuve. Jack ne bougea pas, mais il observa la scène suffisamment longtemps pour s'assurer que la personne qui criait n'était pas son client. Il s'éloigna ensuite du ruban de police pour regagner le sentier, où il comptait croiser Theo.

– Hé, mec. T'es l'avocat de Falcon ?

Jack se retourna quand il entendit la voix à l'accent jamaï-quain. L'homme qui l'interpellait portait un jean bleu et une vieille veste de chasse au motif camouflage tachée de graisse noire. Ses bottes étaient dans un état plus triste encore, et elles correspondaient à deux pieds gauches. Ses dreadlocks emmêlées étaient repliées sur son crâne, entassées tant bien que mal sous un bonnet en laine. Cela n'aurait probablement pas eu l'air si étrange sans le papier aluminium qui entourait le tout.

– Qui êtes-vous ?

– On m'appelle Bushman.

– Vous connaissez Falcon ?

L'homme jetait des regards à droite et à gauche. Gesticulant avec ses deux mains, il sommait Jack de ne pas parler trop fort. Qui que soit ce type, il semblait être encore plus paranoïaque que Falcon.

– Falcon et moi, on est amis, dit-il avant de s'interrompre.

Il semblait pressé d'en dire plus à Jack, mais il était tout aussi évident qu'il voulait s'éloigner de la foule. Il remua la tête, un mouvement si rapide qu'on l'aurait pris pour un spasme involontaire, mais l'homme indiquait simplement à Jack de le suivre en direction du pont. Ils marchèrent jusqu'à ce que le Jamaïquain semble rassuré par la distance qu'il y avait entre eux et la scène de crime.

– Savez-vous où se trouve Falcon ? demanda Jack.

– Il fuit.

– Qu'est-ce qu'il fuit ?

Le Jamaïquain jeta un regard en arrière, vers les policiers, mais ne répondit pas.

– C'est Falcon qui a tué cette femme ? demanda Jack.

Bushman grimaça et tapa du pied, comme s'il venait de mordre dans un bonbon acidulé de la taille d'un melon.

– Chhhuuut ! fit-il le doigt sur les lèvres.

– Je suis son avocat, murmura Jack d'une voix rauque. Vous pouvez me dire ce qui le fait fuir.

– Il fuit parce qu'il a peur, mec.

– Peur de la police ?

Bushman émit un grognement si amer qu'on aurait dit un bruit de crachat.

−Il a pas peur de la police. Il a peur d'elle.

−Qui ça, elle ?

Bushman ne répondit rien. Jack songea que le Jamaïquain connaissait la réponse, mais qu'il n'était simplement pas prêt à la lui révéler. C'est alors qu'il remarqua le collier autour du cou de Bushman, qui était identique à celui porté par Falcon − celui d'où pendait la clé du coffre à la banque.

−C'est un drôle de collier que vous portez. Vous l'avez trouvé où ?

−Falcon me l'a donné.

−Il vous l'a donné ou bien...

Jack retint ses mots ; il ne voulait pas qu'un ton trop accusateur coupe court à la conversation.

−... ou bien vous le lui avez emprunté ?

−J'ai rien emprunté, mec. Il me l'a donné. Pour me protéger.

−Vous protéger de quoi ?

Le regard du Jamaïquain se dirigea à nouveau vers le lieu du crime.

−C'est ça que j'essaie de te dire, mec. Falcon dit qu'on a tous besoin de se protéger. De se protéger d'*elle*, mec.

−La femme qu'on a retrouvée morte ? Qui est-elle ?

Bushman s'approcha de Jack et plaça ses mains autour de sa bouche pour murmurer :

−Elle, c'est la Mère.

−La mère de qui ?

−D'eux.

−C'est qui, eux ?

La voix de Bushman se fit si douce que Jack put à peine l'entendre :

−Les Disparus, mec.

−Cette femme est la mère des Disparus ? demanda Jack, confus.

Les yeux du Jamaïquain s'emplirent de terreur, comme s'il pouvait à peine croire que Jack avait prononcé ces mots tout haut.

—Qu'est-ce que ça veut dire, la mère des Disparus ? demanda Jack.

Le Jamaïquain recula, horrifié. Il serra son collier dans son poing et le colla contre sa poitrine.

—Non ! Je te le donnerai pas ! Trouve-toi ta propre protection ! Celui-là, il est à moi !

Jack cherchait des paroles pour le calmer, mais elles n'arrivaient pas assez vite. Le Jamaïquain se retourna et s'enfuit à toutes jambes vers le pont, gesticulant d'un bras, gardant l'autre contre son corps. Il courut jusqu'à ce qu'il disparaisse quelque part dans le crépuscule au-delà de la marina.

C'était un homme visiblement tourmenté, la conversation avait été très bizarre et, alors que le jour se mourait, Jack resta immobile à en méditer l'élément le plus étrange, mais le plus indéniable.

Le Jamaïquain aurait préféré tuer Jack plutôt que d'abandonner le cadeau que lui avait fait Falcon, son talisman – le collier aux perles de métal.

12

Vers vingt et une heures, Alicia retrouva l'inspecteur Barber au centre de médecine légale Joseph H. Davis, un complexe de trois bâtiments situé à la croisée du campus de médecine de l'université de Miami et de l'hôpital Jackson. Le centre de cancérologie, l'institut d'ophtalmologie et le pôle de recherche sur la moelle épinière étaient tous excellents mais, à Miami, les vivants pouvaient envier les morts. Le centre Davis était ce qui se faisait de mieux dans le genre, il possédait des installations dernier cri et employait certains des meilleurs experts en médecine légale du monde.

Le corps retrouvé dans la voiture de Falcon avait placé la police de Miami en état d'alerte maximale. Un SDF paumé obsédé par la fille du maire était une chose. Un tueur sadique, une autre. Les enquêteurs n'écartaient aucune piste, ainsi il ne paraissait pas inutile qu'Alicia jette un œil à la victime avant que l'autopsie la rende parfaitement méconnaissable. L'analyse des empreintes digitales n'ayant rien donné, l'identité de la femme restait inconnue. L'état du visage ne permettait aucune supposition, mais peut-être qu'Alicia reconnaîtrait un autre élément de sa personne. S'il y avait un lien entre elle et la victime, la police tenait à le savoir dès le début.

Un médecin légiste assistant escorta Alicia et l'inspecteur Barber jusqu'à la salle d'examen numéro trois. On connaissait bien Barber au centre Davis ; cela faisait des années qu'il enquêtait sur des homicides. Alicia, elle, était une nouvelle venue.

– Avez-vous déjà assisté à une autopsie ? demanda le médecin.

– Une fois, dit Alicia. Durant ma formation.

– Bien. Mais si vous commencez à vous sentir mal, dites-le-moi.

Les portes pneumatiques s'ouvrirent, et ils reçurent en plein visage l'équivalent artificiel d'une bouffée d'air du pôle Nord, expulsée par le système de ventilation au plafond. Alicia crut qu'elle venait de découvrir l'épicentre du front froid qui assaillait Miami depuis quelques jours. Des éclairages brillants réfléchissaient leur lumière sur les murs blancs stériles et sur le sol carrelé impeccablement astiqué. Le cadavre, livide, reposait sur la table en acier inoxydable au centre de la salle, étendu sur le dos.

Le médecin légiste connaissait l'inspecteur, et il se présenta à Alicia : Dr Petrak. Puis il ajouta quelque chose avec un accent d'Europe de l'Est si prononcé qu'Alicia ne le comprit pas.

– Il dit que nous arrivons pile au bon moment, traduisit l'inspecteur Barber.

Au premier regard, Alicia aurait supposé qu'ils arrivaient beaucoup trop tard. L'autopsie avait commencé depuis un bon moment. Deux incisions profondes avaient été pratiquées latéralement d'épaule à épaule ; elles traversaient la poitrine et se rejoignaient au niveau du sternum. Une incision très longue, encore plus profonde descendait du sternum au pubis, formant la queue d'un « Y » que découpent habituellement les médecins légistes. Le foie, la rate, les reins et les intestins étaient étalés soigneusement près des côtes sur la table de dissection. Le cadavre n'était littéralement plus qu'une coquille d'être humain, et rien que sa vue donna une légère nausée à Alicia. Ou bien était-ce l'odeur douceâtre des produits stérilisants qui commençait à la gêner ?

– Ça va ? demanda le docteur Petrak.

– Oui, répondit Alicia.

Le docteur examinait la pommette cassée de la joue droite de la victime. Il travaillait sous un spot qui diffusait une lumière blanche intense. Sa concentration était telle que ses sourcils touffus s'étaient rapprochés pour ne former qu'une longue chenille grise qui semblait lui traverser le front. Il posa ses pinces pour prendre un cliché numérique.

Alicia parcourut du regard le corps sans vie. Sans vie, c'était le cas de le dire. Qui qu'ait pu être cette femme, la vie, sous une forme ou une autre, l'avait abandonnée depuis long-temps. Le bord de ses ongles était irrégulier, plusieurs d'entre eux avaient été rongés jusqu'au sang. Ses doigts de pied étaient déformés, sans doute parce qu'elle n'avait pas porté de chaussures à sa taille. Les callosités sur ses genoux étaient épaisses et jaunies. Tout cela laissait présumer une existence quotidienne passée sur les trottoirs de Miami, les yeux levés vers les passants, la main tendue. Il n'était pas sûr qu'on puisse jamais retrouver sa véritable identité. Alicia ressentit de la pitié pour cette femme, et de la honte vis-à-vis d'elle-même. Les gens n'éprouvaient de la compassion qu'une fois qu'il était trop tard pour aider, semblait-il.

– Intéressant, dit le docteur Petrak. Trrrrès intéressant.

Alicia pensa soudain à un épisode de *Laugh-In*, une série de la fin des années soixante qui était rediffusée sur le câble. Le docteur Petrak parlait comme le comédien avec la cigarette et les lunettes à monture métallique, celui qui s'habillait en soldat allemand de la Seconde Guerre mondiale. *Z'était quoi zon nom ?*

– Qu'est-ce qui est très intéressant ? demanda l'inspecteur Barber.

Arte Johnson. Voilà comment s'appelait l'acteur. Alicia ne cherchait pas à fuir la réalité de la situation, mais de petites échappées mentales lui permettaient de ne pas se focaliser sur l'odeur et de laisser le sang remonter jusqu'à sa tête.

– Agent Mendoza, qu'est-ce qui vous vient à l'esprit quand vous voyez une femme avec une pomme d'Adam ? demanda le docteur.

Alicia eut tout d'un coup l'impression d'être surprise en pleine rêverie, comme dans un cours de science au collège.

— Une femme avec une pomme d'Adam ?

Elle avait formulé sa question comme une réponse, et cela fonctionna :

— *Exactement*, dit le docteur Petrak. Ce n'est pas possible, si ?

— À moins que cette femme ait autrefois été un homme, dit l'inspecteur Barber.

Le docteur Petrak leva les yeux. Son expression était impassible.

— Restons raisonnables, d'accord, inspecteur ?

Il se pencha à nouveau sur son travail et ouvrit précautionneusement la bouche de la victime avec un instrument qui ressemblait à une longue sonde.

— Ce que cette bosse nous dit, c'est qu'il y a quelque chose de logé dans la gorge de cette dame.

Alicia s'approcha légèrement. Le docteur Petrak avait raison : cela devenait réellement intéressant.

— Bien sûr, il faut dire que la radiographie m'a bien aidé dans mon diagnostic.

Le docteur éclaira d'un mince rayon de lumière l'intérieur de la bouche grande ouverte de la victime. Il n'y avait plus de dents de devant, mais on pouvait difficilement dire si c'était à cause des coups ou simplement dû au manque d'hygiène au fil des années. Les molaires brisées, néanmoins, étaient clairement l'œuvre du même tuyau en plomb qui avait démoli sa pommette. Le docteur Petrak sondait avec son forceps, sa main aussi sûre que celle d'un chirurgien cardiologue. La bosse dans la gorge de la femme était due principalement aux molaires qui manquaient, mais Petrak semblait être à la recherche de quelque chose d'autre. Finalement, d'un geste vif du poignet, il réussit à déloger ce qu'il voulait. Il sortit délicatement l'objet et le plaça sur un plateau.

— Qu'est-ce que c'est ? demanda Alicia.

Petrak souleva le plateau pour qu'ils puissent mieux voir.

– À quoi cela vous fait-il penser ? demanda-t-il.

Alicia observa l'objet un moment.

– À une perle de métal, dit-elle. Comme sur ces colliers que les filles BCBG portaient il y a quelque temps. Vous y ajoutiez autant de perles que vous vouliez.

– Sauf que celle-ci est en plomb, pas en or, dit Petrak. J'en ai trouvé six autres pareilles dans l'estomac de la victime.

– Vous voulez dire qu'elle les a avalées ? demanda Barber.

– Apparemment, oui, dit Petrak.

– Pourquoi est-ce qu'elle aurait fait ça ? demanda Alicia.

– Vous êtes aussi bien placée que moi pour répondre à cette question. Pensez en termes très simples. Pour bien faire mon travail, je dois constamment me rappeler de ne pas ignorer l'évidence. Donc : elle les a avalées parce que...

Alicia regrettait de ne pas arriver à voir où le docteur voulait en venir.

– Pensez à ce qu'il y a de plus fondamental chez l'être humain, dit-il. Pourquoi faisons-nous ce que nous faisons ?

– Parce que nous le voulons ? proposa Alicia.

– Très bien, dit Petrak. Ou alors ?

Alicia considéra les autres possibilités.

– Parce que quelqu'un nous y contraint ?

– Excellent, approuva Petrak.

– Mais pourquoi quelqu'un l'aurait forcée à avaler des perles en métal ? demanda-t-elle.

– Ah ! dit le docteur alors qu'il éteignait le spot. Ce n'est pas de mon ressort. Mais du vôtre.

13

Falcon était en fuite. Ou « en vol » – c'était peut-être une expression plus juste.

Un pied devant l'autre. C'était son mantra. Il fallait avancer, toujours. La nuit était fraîche, mais il ne s'en rendait pas compte. En fait, il transpirait abondamment sous ses multiples épaisseurs de vêtements. Il portait sur lui tout ce qu'il possédait : deux tee-shirts, un sweat-shirt, un coupe-vent et un manteau d'hiver. Il ne s'agissait pas seulement de se garder du froid. Falcon s'était transformé en véritable valise ambulante, chargé à bloc, en route vers un coin plus hospitalier du monde non civilisé. Il savait qu'il ne reverrait jamais sa voiture. Retourner près du fleuve était hors de question. Rester sur place ? Il ne pouvait pas se permettre un tel luxe. Il fallait qu'il aille toujours plus loin, jusqu'à ce que ses jambes ne le portent plus et qu'il ne puisse plus avancer. Que disait le dicton – ce n'est pas parce que vous êtes paranoïaque qu'ils ne sont pas après vous ? Il était peut-être temps de quitter Miami. Voire même le pays. Mais comment ?

Le fric. Dans son coffre aux Bahamas, il y avait largement de quoi voyager là où il voudrait. C'est vrai qu'il s'était juré de ne jamais y toucher. À plusieurs reprises au cours de ces derniers mois, il avait même essayé de le rendre à son vrai propriétaire. Le fait que Swyteck ait pu retirer dix mille dollars pour la caution, cependant, laissait entendre que l'offre de

Falcon avait été refusée et que l'argent n'avait pas bougé. À moins que Swyteck l'ait volé. Il n'aurait pas osé, si ? Ha ! Qui résisterait à pareille tentation ? Il pouvait commettre le vol en parfaite impunité.

Où est mon fric, Swyteck ?

Quel fric ?

Les billets dans le coffre à la banque.

Je n'ai pas vu de billets dans ce coffre.

J'avais deux cent mille dollars là-dedans !

Ben voyons. Raconte ça aux flics, tu veux.

– Enfoiré de merde ! T'as volé mon fric, Swyteck !

Falcon traversait le parking d'un restaurant ouvert toute la nuit ; il remarqua une femme qui se dirigeait vers sa voiture. L'expression sur son visage lui fit comprendre que la petite tirade qu'il venait d'adresser à son avocat, il l'avait prononcée à haute voix. La femme sortit rapidement ses clés – probablement sa bombe lacrymogène aussi – et se précipita derrière son volant.

Faut pas que je continue à traîner dehors, se dit-il. Il me faut une planque où ils me trouveront pas.

Il suivit une allée qui le mena derrière un autre restaurant et un bar bruyant. La benne à ordures lui sembla être un bon endroit pour vider sa vessie pleine à craquer, mais quelqu'un avait apparemment eu la même idée quelques minutes plus tôt.

– Putain de sa mère, dit-il en s'écartant de la flaque.

Il continua d'avancer dans l'allée obscure et se remit soudain à penser à *elle*. Il n'osait pas prononcer son nom, même dans sa tête. Même avec toutes ses épaisseurs de vêtements, il se sentait nu sans son collier de perles métalliques. Il était sans la moindre protection. Une partie de lui comprenait qu'il n'en avait plus besoin : c'en était fini d'elle. Mais l'autre – la partie qui parlait le plus fort, et qui lui parlait *maintenant* – lui disait qu'elle ne le laisserait jamais tranquille, qu'il n'aurait jamais suffisamment de protection.

À chaque pas, l'allée s'assombrissait. Falcon marchait entre les façades arrière nues des bâtiments – un bar, une pharmacie, une laverie automatique. Quelques dizaines de mètres plus loin, les lumières d'Eighth Street étoilaient la nuit ; on aurait dit qu'une locomotive s'approchait. De chaque côté de lui, les murs étaient construits en parpaings blanc et beige. Toutes les portes, toutes les fenêtres étaient protégées par des barreaux noirs. S'il plissait les yeux, Falcon distinguait presque des mains agrippant ces barres de fer, des mains sans visage – et peut-être des visages sans nom, liés inextricablement aux cellules de prison secrètes qui emplissaient son passé. Ces souvenirs, il les affrontait chaque jour. Mais toutes ces portes et ces fenêtres barrées autour de lui le transportaient très loin dans le temps, dans un lieu où les démons erraient en liberté. Il y a vingt-cinq ans... Un quart de siècle, c'était une éternité, ou c'était hier. Ça ne dépendait que d'une chose : la Mère des Disparus le suivait-elle de près ?

– Détenu numéro trois zéro neuf, annonça le garde en espagnol.

Aucun des prisonniers ne bougea. Ils étaient près de soixante-quinze, hommes et femmes, entassés dans une pièce qui n'aurait pu en accueillir confortablement que deux douzaines. Endormis ou éveillés, la plupart d'entre eux étaient assis par terre, la tête penchée, les genoux ramenés contre la poitrine. D'autres étaient couchés sur le côté, recroquevillés en position fœtale, essayant de supporter diverses douleurs qui les empêchaient de se redresser, même pour s'asseoir. Un grand nombre venaient de l'université du coin : étudiants, enseignants, membres du personnel entre vingt et quarante ans. Le plus vieux était un chef syndical de plus de soixante ans. Il y avait aussi quelques adolescents des lycées environnants. Certains étaient emprisonnés depuis des mois, d'autres depuis quelques jours. Aucun n'avait pu se laver après le début de leur détention. On ne leur avait pas donné de tenue à mettre. Ils portaient ce qu'ils avaient sur le dos le jour où on les avait arrachés de leur maison ou de leur lieu de travail pour les jeter en prison. Et une chemise à manches courtes ou un chemisier en coton ne suffisaient pas dans cette cellule non chauffée.

Leurs geôliers ne leur avaient pas révélé le lieu exact de la prison. Ils n'avaient droit à aucune visite, à aucun coup de fil, à aucune lettre de leurs proches ; pas de télévision, pas de radio, pas de contact avec le monde extérieur. Ils mangeaient du pain rassis, ou bien une bouillie écœurante qui sentait le chou pourri, ou alors – certains jours – rien. Mais on ne les entendait jamais se plaindre. Ils n'avaient pas le droit de parler – ni aux gardes, ni aux autres prisonniers, ni à eux-mêmes, ni à personne, jamais. Ceux qui contrevenaient à cette règle étaient punis sévèrement.

– Détenu numéro trois zéro neuf, répéta le garde.

Le ton de sa voix avait durci. C'était un homme massif, large d'épaules mais à l'estomac gonflé, comme un boxeur poids lourd qui se serait amolli. Les épais poils noirs sur sa nuque et sur ses avant-bras lui avaient valu le surnom d'*El Oso* – « l'ours ». Ce n'était pas un terme affectueux. Tous les gardes devaient avoir un surnom. Personne n'utilisait son véritable nom.

Un homme d'une cinquantaine d'années se leva lentement et avança à contrecœur vers la porte. Ses pas étaient courts, il marchait sur la pointe des pieds, comme si le talon ou la voûte plantaire ne pouvaient pas supporter son poids. Il s'arrêta devant les barreaux.

– Elle ne se sent pas bien, dit-il à mi-voix sans croiser le regard du garde.

Le garde l'attrapa par les cheveux et cogna sa tête contre les barreaux.

– C'est toi, le détenu trois zéro neuf ?

L'homme fit une grimace de douleur. Le sang ruisselait du haut de son front.

– Non.

– Qui t'a autorisé à parler ?

– Personne.

– Alors assieds-toi ! s'exclama El Oso en le poussant à terre.

Le garde balaya la cellule d'un regard furieux, qu'il fixa sur une femme recroquevillée dans un angle.

– Trois zéro neuf. Viens ici. Tout de suite !

Personne ne bougeait. Au moment où El Oso s'apprêtait à rugir de nouveau, la femme se leva. La seule lumière provenait de l'éclairage fluorescent dans le couloir, il n'y en avait pas dans la cellule. Mais même à travers la pénombre, El Oso pouvait discerner la silhouette de cette femme. Elle s'approchait de lui, soumise, obéissante. Les yeux d'El Oso se plissèrent, un sourire vicieux lui déforma les lèvres.

– Trois zéro neuf ? demanda-t-il.

– Oui, répondit-elle.

El Oso pouvait à peine contenir son excitation. En général, ce n'était pas lui qui avait droit aux jolis visages. Rien que cette idée-là le faisait bander.

Il s'était tapé beaucoup, beaucoup de femmes, mais encore aucune qui ait été enceinte.

– *Bienvenidos, chica. Bienvenidos a La Cacha – la casa de la bruja.*

Bienvenue, jeune femme. Bienvenue à La Cacha – la maison de la sorcière.

– Hé, bouffeur de poubelles ! Casse-toi.

Falcon se retourna et vit l'aide-serveur qui se tenait dans l'embrasure de la porte d'une cuisine. Le regard méchant du serveur le tira hors de ses souvenirs, même s'il avait un peu de mal à se reconcentrer sur la réalité. Il ne s'était pas encore rendu compte qu'il venait d'uriner sur son propre pied gauche.

– Casse-toi, j'ai dit !

Il balança un oignon qui frappa Falcon en pleine poitrine. Falcon le ramassa et l'inspecta : un côté était pourri, mais l'autre encore bon. Il mordit dedans, fit un geste de remerciement en direction du serveur et glissa ce qui restait du bulbe dans sa poche. Sans songer à remonter sa braguette, il reprit son chemin. Il compta vingt pas, puis se retourna pour voir si on l'observait toujours. Le serveur avait disparu.

Falcon aperçut le vieil escalier de secours, noir et rouillé. La base rétractable reposait sur un large support métallique fixé au mur. Le mur était fait de parpaings que Falcon compta jusqu'à ce qu'il identifie le troisième en partant du bas, dixième en partant de l'angle de l'immeuble. Il s'approcha et poussa le bloc, afin de voir si sa mémoire était bonne. Le parpaing bougea. Il l'extirpa du mur et le laissa tomber sur la chaussée. Les deux trous ovales à l'intérieur du parpaing étaient bourrés de sacs plastique. Falcon les ouvrit et sourit. Tout était là – l'argent qu'il avait mis de côté pour les mauvais jours.

Car les mauvais jours, il le sentait bien, ne tarderaient pas à venir.

Il fourra les billets dans ses poches et commença à élaborer sa stratégie. Des vêtements neufs, une douche chaude et peut-être même une teinte de cheveux s'imposaient. Un ou deux pistolets et une tonne de munitions ne feraient pas de mal non plus. On trouvait toutes les armes qu'on voulait dans les rues de Miami – et personne ne connaissait celles-ci mieux que Falcon.

Ensuite, il serait temps de s'occuper de Jack Swyteck.
Ce sale voleur.

14

Jack et Theo se rendirent dans le centre pour assister à un match des Miami Heat dans leur salle, l'American Airlines Arena ou AAA comme on l'appelait. Il n'y avait pas meilleur exemple de sponsoring raté que l'AAA. Imaginez une compagnie aérienne dépensant des millions pour que son nom soit associé à une salle de basket-ball dernier cri construite juste au bord de la baie, et voilà que, dans la bouche de tous les habitants de la ville, le nom de cette salle n'évoquait plus qu'un club automobile[1].

— Ça te dit qu'on s'arrête pour dîner quelque part ? demanda Theo.

Jack traversait la zone violette du garage bondé, essayant de se rappeler où il avait garé sa voiture.

— Tu t'es enfilé trois hot-dogs, des frites, des *nachos*, un bretzel et une grosse moitié de la barre glacée que mangeait le gamin à côté de toi. Comment peux-tu avoir encore faim ?

— C'était il y a au moins une heure, dit Theo en haussant les épaules.

Ils trouvèrent la voiture dans la zone orange et, en guise de compromis, firent un arrêt au drive-in d'un fast-food qui était sur la route de chez Jack. Theo avait tant insisté que Jack

---

1. NdT : aux États-Unis, les initiales AAA évoquent d'abord l'American Automobile Association, l'Automobile Club américain.

avait fini par accepter de rencontrer l'amie de Katrina – la « bombe » – à South Beach. Jack portait encore ses habits de tribunal, alors il était impératif qu'il passe chez lui se changer rapidement. Ils ne mirent que vingt minutes pour se rendre à Key Biscayne, mais la route parut beaucoup plus longue : Jack avait perdu à pile ou face le droit de sélectionner la station. Theo bloqua le bouton sur une radio dont Jack n'avait que faire : un chapelet d'injures sans fin, ponctué par le claquement de langue de Theo qui dégustait une barre chocolatée en guise de dessert.

– Il faut qu'on parle de ta surconsommation de matière grasse, dit Jack.

– C'est une barre diététique.

– Où est-ce que tu as vu ça ?

– Là, ici, sur l'emballage : quarante-cinq pour cent de matière grasse de moins.

– De moins que quoi ? Qu'une baleine à bosse ?

Jack se prit soudain à espérer une panne – *tout* lui semblait préférable à une nuit passée à s'arracher la voix pour échanger des banalités avec une inconnue malgré la musique tandis que Theo et sa copine faisaient presque l'amour sur la piste de danse. Il n'était pas un amateur de boîtes, et il détestait les rencontres arrangées, surtout tard dans la nuit. À South Beach, cependant, minuit était l'équivalent de l'*happy hour* sur le continent.

– N'y pense même pas, dit Theo alors qu'ils se garaient dans l'allée de chez Jack.

– Penser à quoi ? dit Jack en coupant le contact.

– Me laisser tomber ce soir.

Jack lui lança un regard incrédule. Ce type lisait dans les pensées des gens.

– T'inquiète, je viens. Et je suis sûr que je t'en saurai gré. Un jour. Dans tes rêves.

Ils entrèrent dans la maison. Jack se doucha en vitesse et enfila des vêtements propres – noirs, bien sûr. Theo commanda un film et un match de boxe poids moyens par le système de télévision à la carte, puis faillit perdre son sang-froid en essayant de comprendre la fonction image par image de l'appareil de Jack. À onze heures trente, ils sortaient de la maison, prêts pour leur soirée.

– Alors, elle s'appelle comment, cette amie ? demanda Jack en fermant la porte à clé.

– Sabrina.

Il s'immobilisa :

– Tu veux dire qu'on sort avec Sabrina et Katrina ? Comme dans le feuilleton ?

– Ouais. C'est cool, hein ?

– Plutôt ridicule.

– Ben, en fait, elle s'appelle pas Sabrina.

– Ouf, fit Jack en se dirigeant vers la voiture. Et donc, elle s'appelle ? ...

– Ce n'est pas si important que ça.

– Il faudra bien que je l'appelle quelque chose, non ?

– OK. Cindy.

Jack n'aimait pas dénigrer le passé, mais sa réponse fut quasi automatique :

– Tu veux me présenter une fille qui a le même prénom que mon ex-femme ?

– Pour être honnête, elles ont beaucoup d'autres choses en commun.

– Dis-moi que c'est son sosie, pendant que tu y es.

Theo sembla réfléchir.

– En fait, il y a plus que ça encore...

– Quoi, elles ont aussi la même personnalité ?

Theo haussa exagérément les épaules, l'air gêné, comme pour dire : « Excuse, vieux. »

– Theo, nom de Dieu, qu'est-ce qui t'a...

Son ami explosa de rire :

– Je t'ai bien eu, hein ?

Jack soupira de soulagement.

— Pas drôle.

— Non mon pote, mais ça met les choses en perspective, tu trouves pas ?

Jack lui lança un regard noir par-dessus le toit de la voiture avant de prendre place derrière le volant. Theo s'assit à côté de lui ; il riait encore. Jack tourna la clé de contact :

— Est-ce que ça veut dire que l'amie de Katrina s'appelle vraiment Sa...

Il s'arrêta net.

— Pas un geste, commanda la voix derrière le repose-tête. Ça vaut pour toi aussi, le black.

Jack sentit un cercle en métal froid appuyé derrière son oreille gauche. Theo jeta un rapide coup d'œil derrière son épaule.

— Regarde droit devant soi, mains sur le tableau de bord. Sinon, sa cervelle d'avocat va dégueulasser le pare-brise.

— Fais ce qu'il demande, Theo, dit Jack en s'efforçant de parler d'une voix calme.

À contrecœur, Theo obéit et se mit à fixer des yeux la boîte à gants. Jack regarda furtivement dans le rétroviseur. Le peu de lumière extérieure qui filtrait à travers les vitres teintées lui permettait à peine de discerner le pistolet et la main qui le tenait. La banquette arrière et l'homme demeuraient entièrement dans l'obscurité. Jack et Theo avaient été trop absorbés par la plaisanterie sur la future rencontre de Jack pour remarquer que l'éclairage intérieur de la voiture ne s'était pas allumé à l'ouverture des portes. Les voyants du tableau de bord étaient restés éteints, eux aussi : il aurait été impossible de distinguer un homme blotti au sol. *Il a dû trafiquer les réglages.*

— Bien. Maintenant tout le monde reste tranquille.

Jack reconnut la voix.

— Falcon, vous faites une énorme bêtise.

— Ta gueule !

Le moteur continuait de tourner. Pendant ce qui sembla être une éternité, on n'entendit aucun autre bruit dans le véhicule.

– Quelle ironie, soupira finalement Theo.

– Chut ! fit Falcon.

Theo n'avait pas besoin de développer. Jack savait exactement ce à quoi pensait son ami. Cette situation ressemblait étrangement à la toute première fois que Theo et Katrina s'étaient retrouvés ensemble dans une voiture.

– On y va tout doucement, au ralenti, ordonna Falcon. Passe la vitesse.

– Ça n'a aucun sens, dit Jack. La police vous cherche partout.

– Non, c'est un autre qu'ils cherchent, un pauvre SDF. L'ancien moi.

– Je suis sûr que vous avez l'air très chic, maintenant. Mais les flics quadrillent la ville. Ils vous trouveront.

– Ces idiots ne se doutent de rien. Ils s'occupent de surveiller la fille du maire, un point c'est tout. J'aurais pu marcher jusqu'ici à poil, économiser le taxi.

Jack se demandait ce qu'il pouvait dire de plus, ou du moins comment le dire.

– C'est vous qui avez tué cette femme ?

Falcon ne répondit pas.

– Qui était-elle, Falcon ?

– Personne. Comme tous les autres.

– Quels autres ?

Il grogna, comme si Jack attrapait les divers fils de ses pensées et les nouait en douloureux souvenirs.

– Arrête de poser autant de questions, putain !

– Bon, écoute-moi. Peu importe ce que tu as fait. Je suis ton avocat. Je peux t'aider, mais pas si tu ajoutes à tes ennuis le kidnapping et le vol de voiture sous la menace d'une arme.

– Tais-toi et conduis.

– Pose le revolver.

Il pressa l'arme plus fort contre le crâne de Jack.

– La ferme !

– D'accord, dit Jack. Où est-ce qu'on va ?

La question resta suspendue dans l'obscurité. Le plus discrètement possible, Jack jeta un coup d'œil au visage de Falcon dans le rétroviseur. Ses lèvres remuaient, mais les mots ne sortaient pas. Ou alors était-il en train de débattre avec lui-même ?

– Toi et ton pote, vous allez me montrer l'endroit où vous avez caché tout mon fric.

– Quel fric ?

– Ne me ressors pas tes conneries, Swyteck. Le fric qu'il y avait dans le coffre à la banque !

– Je n'ai pris que dix mille dollars pour payer ta caution. Pas un cent de plus.

– T'as tout pris, je le sais !

– Écoute, mec, on n'a pas ton blé, dit Theo.

– Vous l'avez, c'est sûr ! La banque est infestée de flics, je le sais. Ils attendent tranquillement que je vienne chercher mon fric, vous comprenez ? S'il est là-bas, je pourrai jamais mettre la main dessus. Alors vous avez intérêt à l'avoir, vous avez vraiment intérêt à l'avoir, mon fric !

Jack sentit le pistolet trembler, comme si Falcon luttait contre l'envie de presser la détente. Que l'argent soit ou non dans le coffre n'avait pas d'importance. Dans le cerveau paranoïaque de Falcon, il n'y était plus, et Jack l'avait volé. Accusé, jugé, condamné. Tout démenti n'aurait fait que précipiter sa mise à mort.

– D'accord, dit Jack. Je t'y mène.

15

– Tu as l'air ailleurs, remarqua Vince.

– Non, ça va, dit Alicia.

Elle fit signe à la serveuse de leur apporter une nouvelle tournée.

Le temps qu'Alicia en termine avec le médecin légiste, rentre chez elle pour se préparer et passe prendre Vince, il était déjà près de onze heures. La cécité de Vince avait remis en question ses habitudes : choisir une tenue, se maquiller, se faire un brushing – ces choses qu'elle faisait habituellement importaient-elles encore à Vince ? Elle ne comprenait pas bien pourquoi, mais se poser ces questions lui donnait un sentiment de culpabilité. Elle se demanda si elle devait en parler à Vince, et finit par décider qu'il valait mieux que la conversation soit légère ce soir. Le groupe était bon, et ils restèrent une demi-heure au comptoir à écouter la musique. Quand une table se libéra, ils sortirent pour pouvoir s'entendre parler. Le froid était toujours bien en place, mais la terrasse était chauffée. Le ciel nocturne était parfaitement dégagé, et la lune au-dessus de l'océan apparaissait si large qu'on pouvait distinguer les ombres sur sa surface. Alicia devait-elle le mentionner à Vince ?

– Tu es toujours en train de regarder à droite et à gauche quand nous parlons, dit-il.

Elle marqua un temps d'arrêt : comment avait-il pu remarquer ça ?

−Je l'entends, dit-il. Quand tu ne parles pas face à moi, ta voix se projette différemment.

−Ah oui ? C'est étonnant.

−C'est une aptitude que j'essaie de développer. Je progresse un peu chaque jour. Mais on ne parlait pas de moi. Pourquoi est-ce que tu regardes ailleurs ?

−Je suis désolée. Je ne m'en rendais pas compte.

−Est-ce que je te mets mal à l'aise ?

−Non.

−Les gens nous regardent ?

−Nous regardent ? Non. Bien sûr que non.

Vince prit le temps de sourire ; il avait l'air très content de lui.

−C'est extraordinaire.

−Quoi ?

−Je me suis surtout entraîné avec des gens que je côtoie occasionnellement. Mais ça marche encore mieux avec les gens que je connais bien.

−De quoi tu parles ?

−Mon ouïe. Et ma capacité à identifier les moments où les gens ne disent pas la vérité.

Elle lui rendit son sourire, même s'il ne pouvait pas le voir.

−D'accord, d'accord. Effectivement, les gens nous regardent.

−C'est comme ça chaque fois que je sors. Les gens se retournent en pensant : « Hé, qui est cette veinarde qui accompagne cet aveugle super sexy ? »

Il avait réussi à la faire un peu rire. La serveuse apporta un nouveau verre de vin blanc pour Alicia et une autre Heineken pour Vince.

−En fait, c'est mon père qui garde un œil sur nous, dit Alicia une fois que la serveuse se fut éloignée.

−Ah bon ? Peut-être que mon ouïe est moins fine que je le croyais, alors. Je n'ai pas entendu quand les musiciens ont spontanément entamé *Hail to the Chief*[1] à son arrivée.

---

1. NdT : hymne officiel du président des États-Unis, qui accompagne la plupart de ses apparitions publiques.

– Il n'est pas ici, idiot. Je veux dire simplement que la moitié des forces de l'ordre de cette ville est postée en permanence dans un rayon de trois cents mètres autour de moi. J'ai déjà repéré trois flics en civil près de nous.

– Ton père se fait du souci pour toi, dit Vince plus gravement.

– C'est un euphémisme.

– Quoi de plus normal ? Surtout maintenant qu'on sait que le type qui te harcèle est capable de tuer.

Alicia repensa à ce qu'elle avait vu dans la salle d'autopsie.

– C'était d'une brutalité effarante, ce qu'il a fait à cette pauvre femme.

– Tu aurais pu m'appeler pour annuler ce soir. J'aurais parfaitement compris.

– Ça me fait du bien de sortir. Même si on nous surveille.

– C'est un boulot assez peinard pour ces types. J'imagine que tu es toujours agréable à regarder.

Elle ne savait pas quoi répondre à ça.

– Tu as beaucoup changé ? demanda Vince. Je veux parler de ton look...

– Non. Pas vraiment. Ça ne fait que six mois, tu sais. J'étais triste quand nous avons rompu, mais je n'ai pas pété les plombs : je ne me suis pas rasé la tête, je ne me suis pas tatoué d'horloge biologique en plein milieu du front.

Il but quelques gorgées de sa bière et la reposa précautionneusement sur le dessous de verre.

– Je commence à oublier à quoi ressemblent les gens.

Elle l'observa – sans pitié, simplement avec curiosité. Vince n'avait jamais eu l'habitude de parler ouvertement de ses sentiments ; c'était un peu déroutant d'écouter son cœur s'épancher ce soir. Il n'était plus le même, de bien des façons. Et tous ces changements n'étaient pas négatifs. Loin de là.

– J'imagine que c'est une faculté que tu acquerras au fil du temps, là encore. Tu apprendras à reconstruire ces images dans ta tête.

– Je ne crois pas.

—Pourquoi ?

—C'est très étrange. J'arrive à me rappeler parfaitement des traits de ma grand-mère, qui est morte il y a plus de vingt ans. Mais il m'est désormais presque impossible d'associer un visage à la voix de mon frère, alors qu'il passe chez moi chaque semaine.

—Et ton oncle Ricky ?

—Je me souviens de ses cheveux roux et de ses yeux bleus, bien sûr. Mais en ce qui concerne les traits de son visage, c'est pareil. La meilleure façon de décrire les choses, c'est d'imaginer qu'il y a un grand album photo dans ma tête. Si les gens font partie de mon passé, ils y demeurent éternellement, tels qu'ils étaient. Mais si je leur fais une place dans ma nouvelle vie, leur image s'estompe. Plus j'ai de contacts avec eux, plus ils sont définis par des éléments qui ne relèvent pas de la vue. De ces gens-là, au bout du compte, il ne restera plus rien dans l'album qu'un carré d'ombre là où il y avait autrefois une photo, à côté de la petite étiquette qui me dit leur nom.

Une fois de plus, Alicia cherchait quelque chose à répondre.

—Une personne ne se résume pas à son visage.

—Dieu merci. Parce que, aujourd'hui, un visage n'est rien pour moi.

—Tu exagères, non ?

—Non. Je n'arrive à saisir aucune expression ; aucun sourcil froncé, aucune bouche entrouverte, aucune de ces nuances-là. C'en est fini de communiquer sans les mots. J'essaie de diriger mon visage vers le tien quand nous discutons, mais seulement pour mieux projeter ma voix. Pour moi, un visage n'est plus que l'endroit d'où vient la voix.

Alicia l'observait, et elle se demandait s'il s'en rendait compte. Elle voulait trouver les mots justes, mais les mots ne feraient pas l'affaire. Elle eut un temps d'hésitation, puis décida de suivre son instinct. Elle tendit le bras par-dessus la table et prit la main de Vince dans la sienne. Lentement, elle la ramena vers elle et l'appuya contre sa joue. Même quand elle lâcha sa main, il continua de tenir tendrement le côté gauche de son visage, de profiter de sa chaleur et de sa douceur.

La gorge de Vince se noua, puis un petit sourire triste mais reconnaissant apparut sur ses lèvres.

– Eh bien, dit-il à mi-voix, je ne peux pas toujours avoir raison

16

JACK CONDUISAIT SANS AVOIR AUCUNE IDÉE de sa destination. Ce qui importait, c'est que Falcon ne se rende pas compte qu'il était en train d'improviser.

Assis à côté de lui, Theo lui lança un regard anxieux. Jack continuait de rouler. Sentir le pistolet contre son crâne ne l'aidait pas à bluffer et à mener à bien cette fausse chasse au trésor. Ils suivaient Biscayne Boulevard en direction du nord et s'éloignaient du centre-ville. Sur leur gauche se dressait la Freedom Tower, une tour reconnaissable à son style néoméditerranéen qui, dans les années soixante, avait vu défiler des milliers de Cubains candidats à l'immigration, dont la mère de Jack. En face se trouvait la salle de basket-ball, avec sur sa façade un portrait de Shaquille O'Neal haut de cinq étages – c'est-à-dire presque grandeur nature.

– Lève le pied, dit Falcon.

Évidemment, il ne voulait pas qu'une voiture de police les arrête. Jack ralentit pour ne pas dépasser cinquante kilomètres heure.

Pendant des années, les urbanistes avaient fait tout un foin autour de la « manhattanisation » de Miami, mais le cœur de cette cité ne ressemblait encore guère à « la ville qui ne dort jamais ». À part quelques boîtes et quelques restaurants autour de Design District et de Little Haïti, la portion de Biscayne Boulevard qui s'étendait au nord du vieil Omni Hotel était complètement morte passé minuit, même les week-ends. La plupart des magasins protégeaient leur vitrine avec des volets métalliques coulissants, et les sans-abri dormaient devant les portes, sur des matelas de carton. Très peu de voitures circulaient dans les rues transversales, ce qui n'avait pas empêché les petits génies chargés de la circulation de prévoir un barrage de feux rouges parfaitement inutiles. Mais Jack était reconnaissant chaque fois qu'on lui donnait une occasion de s'arrêter : il n'avait pas encore décidé de l'endroit où il pourrait bien conduire Falcon. Ils avaient atteint l'intersection de Twenty-First Street, à quelques mètres du célèbre « immeuble à mosaïque bleue », la première construction architecturale d'inspiration cubaine qui s'affranchissait du style méditerranéen classique. Jack ne connaissait ce bâtiment que parce que c'était celui que Theo préférait à Miami, bien que l'attirance de ce dernier n'ait rien à voir avec le fait que l'immeuble soit bleu et cubain, ou rouge et ukrainien, ou vert et martien. Lui importait seulement le fait qu'il s'agisse du siège américain des alcools Bacardi.

— Il doit bien y avoir plusieurs centaines de milliers de dollars qui traînent quelque part là-dedans, dit Theo.

— Tais-toi ! lui ordonna Falcon.

Le feu passa au vert, ils se remirent à rouler.

— On y est bientôt ? demanda Falcon.

— Oui, dit Jack.

— Où est-ce qu'on va ?

— À la marina. C'est là que j'amarre mon bateau.

— C'est pas vrai. Il y a un bateau derrière ta baraque.

Jack était pris en flagrant délit de mensonge – mais un avocat se devait de savoir rapidement reprendre la main :

— Tu veux parler de mon *petit* bateau. On va avoir besoin de mon très gros bateau pour se rendre jusqu'aux Bahamas.

— T'as laissé mon fric à Nassau ?

— Si je te le dis, tu me descendras et tu iras tout seul.

— Et si je te descendais là, maintenant ?

– Alors tu ne reverrais jamais ton pognon.

La voix de Falcon se crispa soudain :

– C'est pas à toi de me dire ce que je vais revoir ou non, compris ?

– Hé, fit Theo, relax, mon vieux.

– Fermez-la tous les deux ! C'est moi qui commande ici.

– Alors commande-toi de te calmer, suggéra Theo.

Jack lui lança un regard oblique – *de quoi tu te mêles ?*

Tout d'un coup, Jack ne sentit plus le pistolet... Puis la crosse en métal s'écrasa devant son oreille, juste sous sa tempe. Le choc l'étourdit. La voiture fit une embardée, mais il réussit à reprendre rapidement le contrôle. Le canon du pistolet lui heurta à nouveau la tempe.

– C'est *moi* qui commande, personne ne dit le contraire ! cria Falcon.

Jack sentait le sang couler sur le côté de son visage. Il entendait la paranoïa dans la voix de Falcon, qui semblait au bout du rouleau. La situation empirait, il était temps que Jack prenne une initiative. Le feu devant eux passa du vert à l'orange. Il aperçut une voiture de patrouille dans la rue transversale, qui attendait le vert. Sur un coup de tête, il enfonça la pédale d'accélérateur, sachant très bien qu'il passerait au rouge. La voiture de police avait déjà commencé à franchir l'intersection quand Jack lui coupa la route, roulant à près de deux fois la vitesse autorisée et grillant effrontément le feu.

Des gyrophares bleus se mirent à tourbillonner derrière eux : la voiture de patrouille vira sur le boulevard dans un crissement de pneus et les prit en chasse.

– Tu l'as fait exprès ! gueula Falcon.

Jack entendit un déclic derrière son oreille – *le pistolet qu'on armait ?*

– Sème-le !

Jack ne réagit pas suffisamment vite. Falcon pressa l'arme encore plus fort contre son crâne.

– Fonce, ou je te tue !

Jack écrasa l'accélérateur, et la BMW bondit en avant. Lancée à leur poursuite, la voiture de patrouille n'était qu'à une moitié de pâté de maisons derrière eux et sa sirène hurlait. Le moteur de la BMW vrombissait, l'aiguille du compteur franchit les cent dix kilomètres/heure.

— Jack, un tête-à-queue ! dit Theo.

— Plus vite ! cria Falcon.

— Fais un tête-à-queue !

Jack enfonça la pédale de frein et donna un coup de volant brutal à gauche, puis un autre à droite, tentant de réussir un de ces arrêts en dérapage contrôlé qui paraissent si faciles quand des pilotes professionnels les exécutent dans les pubs. C'était beaucoup plus délicat que ça en avait l'air à la télé. La BMW dérapait bel et bien, mais Jack avait perdu le contrôle. Theo se pencha brusquement par-dessus l'accoudoir. Jack sentit le bout du canon glisser contre sa tête – Theo tentait d'arracher le pistolet à Falcon. Il y eut un bruit assourdissant – comme si on tirait un coup de canon dans une caverne – et le toit ouvrant explosa. Un torrent de morceaux de verre brisé se déversa sur eux. Jack avait mal derrière les oreilles. Theo hurlait, les pneus crissaient affreusement, mais Jack crut tout d'un coup se retrouver soixante mètres sous l'eau – une pression folle dans les oreilles et un silence impénétrable autour de lui. Il se mit ensuite à entendre un sifflement terrible et, avec Theo et Falcon qui continuaient de lutter, il lui était impossible de mettre fin aux embardées du véhicule. Il ne savait même plus qui tenait le pistolet.

— Theo ! cria-t-il, bien qu'il pût à peine entendre sa propre voix.

Laissant une longue trace de caoutchouc brûlé sur le macadam, la BMW coupa à travers trois voies de circulation en sens inverse. Les conducteurs des véhicules qui roulaient dans l'autre direction multiplièrent les coups de klaxon et les coups de volant, les rayons blancs de leurs phares éclairant le boulevard dans toutes les directions. La BMW heurta le trottoir de plein fouet, mais à une telle vitesse qu'elle fut propulsée par-dessus – un peu comme avec un dos-d'âne dans une course de stock-cars. La voiture décolla un instant, puis atterrit brutalement sur un parking asphalté. Jack eut tout juste le temps de lire l'enseigne lumineuse indiquant des CHAMBRES LIBRES avant que la BMW ne fonce droit dans le Biscayne Motor Lodge. C'est la chambre 102 du motel qui en fit les frais. Toutes les chambres donnaient sur le parking, et les murs extérieurs étaient en préfabriqué peu solide, combinaison d'aluminium et de fibre de verre typique des motels – une porte, une fenêtre panoramique et un climatiseur, livrés en une seule pièce. Ce fut comme de rentrer dans un box pour une seule voiture sans prendre le temps d'ouvrir la porte. Les deux airbags – conducteur et passager – se déployèrent. Tel un bulldozer lancé à grande vitesse, la BMW rasa tout sur son passage, écrasant lampes, commodes et deux grands lits contre le mur du fond de la chambre. Cette montagne de débris tint lieu de coussin géant – pas exactement un atterrissage en douceur, mais c'était moins désastreux que de s'encastrer contre un pilier en béton. Les airbags leur avaient sauvé la vie.

Il fallut un moment à Jack pour reprendre ses esprits et se rendre compte que la voiture était bien immobilisée. On aurait dit qu'une bombe avait explosé dans la chambre. L'obscurité était presque totale ; la seule lumière venait de la rue, pénétrant par le trou béant où se dressait il y a encore peu le mur extérieur de la chambre. Le plafond s'était en partie effondré en un nuage de poussière. Des fils électriques, des conduites d'eau tordues, des meubles en morceaux, des plaques de plâtre et d'autres débris jonchaient la pièce. Jack se ressaisit juste à temps pour entendre la voiture de patrouille arriver en trombe dans le parking. La sirène hurlante noyait tous les autres bruits – sauf ceux des coups de feu. Falcon tirait sur les policiers tout en tâchant de s'extraire du véhicule par la vitre fracassée à l'arrière. Jack se demanda s'il utilisait le même pistolet que Theo avait essayé de lui arracher des mains, ou s'il en avait un autre. Les policiers se ruèrent à l'abri et répondirent aux tirs de Falcon. Jack se blottit derrière son siège et dit à Theo d'en faire autant.

Il y eut un nouvel échange de coups de feu, et les balles de neuf millimètres tirées par la police crépitèrent contre les murs à l'intérieur de la chambre. L'épave de la voiture fut soudain baignée dans un faisceau de lumière blanche. Les policiers avaient allumé le projecteur accroché à leur véhicule. Un autre coup de feu, et la lumière s'évanouit. Falcon avait réussi à atteindre le projecteur d'un tir de plus de trente mètres. Les policiers répliquèrent.

Le regard de Theo croisa brièvement celui de Jack – cela lui suffit pour communiquer à l'avocat les craintes légitimes d'un homme qui avait passé quatre ans dans le couloir de la mort à cause du crime d'un autre. À l'intérieur de la BMW, ils étaient des proies faciles, et l'expression de Theo ne laissait pas de place au doute : il n'avait pas l'intention de rester sans bouger en espérant que les deux flics blancs comprendraient que lui, le grand Noir costaud, était une victime innocente. Avant que Jack ait pu essayer de l'en empêcher, il se faufila à travers le trou du pare-brise, déterminé à profiter de ce que le projecteur soit hors d'usage pour trouver une meilleure planque.

Un coup de feu ramena l'attention de Jack vers le parking. Il vit un policier s'effondrer sur la chaussée. Le second se précipita à son secours. Un autre coup de feu résonna, tiré depuis la chambre et sa montagne de débris, et le second policier tomba aussi sèchement que le premier. Jack ne voyait pas Falcon, mais où qu'il soit – et qui qu'il soit véritablement – son habileté au tir était impressionnante.

Les policiers au sol ne faisaient pas le moindre mouvement, pas le moindre bruit. Des sirènes beuglaient au loin, annonçant l'arrivée de renforts. Jack aperçut une ombre filant contre le mur, de l'autre côté de la BMW. C'était Falcon, il cherchait une issue, mais la voiture le bloquait. Trop de débris lui barraient la route, à moins qu'il ne passe par l'intérieur de la BMW et sorte du côté conducteur.

– Cours, Jack ! cria Theo.

Jack bondit hors de sa cachette et se mit à escalader le tas de débris. De l'autre côté de la voiture, Falcon ne prêtait pas attention à Jack. Il faisait face à ce qui semblait être la porte de communication entre la chambre 102 et celle d'à côté. D'un seul coup de pistolet, il fit sauter la serrure. Jack entendit Falcon pousser la porte, et une femme hurler. Il y avait quelqu'un dans la chambre voisine, là où Falcon venait de s'engouffrer.

– Theo ! cria Jack.

Trop tard. Theo lui aussi avait entendu et, alerté par le cri de la femme, il était déjà en train de grimper par-dessus la voiture pour courir après Falcon.

Jack s'apprêtait à le suivre, mais il aperçut un pistolet par terre, à côté d'un des policiers étendus sur la chaussée. Il se précipita vers l'arme...

– Pas un geste ! cria l'autre policier.

Son épaule et le côté gauche de son cou étaient couverts de sang. Incapable de se relever, il essayait de rester droit en s'appuyant sur un genou.

– J'ai besoin de votre aide, dit Jack. Mon ami est...

– Pas un geste ! répéta le policier.

– Écoutez-moi, je vous en prie.

– Allongez-vous face contre terre, maintenant !

L'arme du policier était pointée vers le cœur de Jack, ne lui laissant guère le choix. Il obéit, et c'est alors qu'un hurlement se fit entendre derrière la porte fermée de la chambre du motel. Un unique coup de feu suivit – puis rien que du silence. Jack posa son front contre la chaussée et ferma les yeux. La pensée du projecteur explosé et des deux policiers blessés lui traversa instantanément l'esprit. Ce soir, Falcon n'avait manqué aucune de ses cibles.

Et le grand Theo Knight était une cible particulièrement difficile à rater.

17

TOUT SE PASSAIT BEAUCOUP TROP VITE pour que Jack ait le temps de s'affoler. Il était toujours étendu à plat ventre sur le parking, derrière la voiture de patrouille. La porte du conducteur était ouverte. Le policier blessé, dressé sur un genou, s'efforçait d'atteindre les commandes de la radio tout en gardant son arme pointée vers Jack. Ses oreilles bourdonnaient encore, suite au coup qui était parti dans la BMW, mais il avait l'impression d'entendre des voix provenant de l'autre bout du parking. Le bruit d'une voiture défonçant le mur d'un bâtiment n'avait rien à envier à un tir de bazooka, et les voisins avaient quitté leurs appartements pour se précipiter dans la rue comme autant de fourmis abandonnant leur fourmilière après un coup de pied.

– Rentrez chez vous ! cria le policier d'une voix faiblissante.

Il essaya de se relever, sans y parvenir. Appuyant son coude sur le marchepied, grognant de douleur, il se hissa jusqu'au microphone du haut-parleur.

– Rentrez tous chez vous. Vous êtes en grave danger !

Il attrapa ensuite le micro de la radio. Jack entendait des sirènes qui se rapprochaient depuis le nord et le sud – ou alors était-ce ce foutu sifflement dans ses oreilles ? Non, il s'agissait bel et bien de sirènes, de plus en plus fortes au fil des secondes.

– Six un, ici McKenzie, dit le policier dans son micro. À qui je parle ?

– Ici Fernandez, répondit une voix. Où es-tu ?

– Biscayne Motor Lodge... Agent blessé... Moi aussi, je suis touché...

– Tiens bon, mon vieux. Je ne suis qu'à une minute.

– Ça va mal. Très mal. Lopez en a pris une dans la tête. Il faut une équipe pour une situation de crise. Peut-être avec prise d'otage.

– Bien reçu.

Jack avait ordre de se taire, mais son silence n'aidait personne.

– Expliquez-lui que c'est Pablo Garcia, dit Falcon. Le sans-abri qui harcelait la fille du maire.

McKenzie respira plus bruyamment, comme s'il rassemblait ses forces pour dire à Jack de la fermer. À moins qu'il ne soit en train de considérer ce qu'il venait de lui apprendre. En fin de compte, il appuya sur le bouton du micro et dit :

– Demande au préfet d'envoyer Vince Paulo.

La balle était passée juste au-dessus de l'oreille gauche de Theo.

– Allonge-toi ! cria Falcon.

Il tenait une jeune femme contre lui, un bouclier humain aux yeux écarquillés par la terreur. Le pistolet était collé contre sa tempe droite.

Ce n'était pas la première fois que Theo se retrouvait face à un homme armé et dangereux, mais il n'avait jamais eu à gérer un fou menaçant un otage innocent.

– À plat ventre, maintenant !

Les pensées s'emballaient dans la tête de Theo. Ce type avait un flingue – chargé, puisqu'il avait déjà touché deux flics. Les chances qu'il le rate une seconde fois paraissaient bien minces.

Falcon enfonça son doigt dans l'œil de la fille, qui hurla encore.

– OK, OK ! dit Theo en s'allongeant par terre.

Falcon poussa la fille sur le lit et, saisissant un cordon de rideau, lui lia les poignets derrière le dos. Les gestes de Falcon étaient rapides et efficaces, comme s'il ne les faisait pas pour la première fois. Gardant son pistolet braqué vers la tête de Theo, il fouilla ce dernier pour vérifier s'il avait une arme sur lui. Il n'en avait aucune.

– Lève-toi ! ordonna Falcon.

Il attrapa la fille par le bras et la souleva du lit pour qu'elle lui serve à nouveau de bouclier.

– Tout doit aller contre le mur, dit-il à Theo. Les matelas, les commodes – tout. Tout de suite !

Theo se redressa et commença à déplacer les meubles.

– Plus vite !

Theo balançait tout ce qu'il attrapait, érigeant une montagne de débris derrière le mur, la fenêtre et la porte qui les séparaient du parking et de la police qui s'y trouvait. Il n'y avait pas suffisamment de choses pour masquer entièrement la fenêtre, et un peu de lumière extérieure filtrait dans la pièce à travers le haut des rideaux.

– À plat ventre ! cria Falcon à Theo quand il eut terminé le travail.

Cette fois-ci, Theo n'attendit pas qu'il manque de crever l'œil de la fille. Il se coucha immédiatement. Falcon s'approcha et appuya le pistolet contre l'arrière de son crâne. Theo sentait l'odeur de poudre des précédents coups de feu. Il se demanda si c'en était fini, si Falcon avait décidé que deux otages, c'était un de trop.

– Laisse partir la fille, dit Theo. T'as pas besoin d'elle.

– Ne me dis pas de quoi j'ai besoin.

– C'est vrai. Swyteck peut t'aider.

– Swyteck peut rien.

– Il m'a aidé, moi. Et j'étais dans le couloir de la mort.

– Le couloir de la mort, hein ?

– Parfaitement.

—Je vais t'en apprendre une bonne, mon grand, dit Falcon en enfonçant le canon du pistolet dans la nuque de Theo. Ce soir, on est tous condamnés à mort.

Il ne fallut que quelques minutes pour que Jack se retrouve en pleine zone de guerre. Au moins une douzaine de voitures de patrouille arrivèrent à toute allure sur Biscayne Boulevard et se positionnèrent autour du motel à la manière d'Indiens encerclant une diligence. Une ambulance arriva juste après eux. Deux policiers bondirent hors de leurs voitures respectives et se précipitèrent auprès de l'agent Lopez, qui était étendu sans bouger sur le parking. Une succession rapide de coups de feu tirés depuis la chambre 103 les força à faire demi-tour pour se réfugier derrière leurs véhicules. Une autre voiture de patrouille traversa le parking en vrombissant et s'arrêta entre le policier à terre et le motel pour faire écran. Un auxiliaire médical rampa vers l'agent Lopez. À dix mètres de là, plus près de la rue, un autre infirmier courait vers l'agent McKenzie. Jack observait toute la scène de sa perspective au ras du sol, la joue écrasée contre le bitume.

Un autre agent accourut auprès de McKenzie. Sur la plaque au-dessus de la poche de sa poitrine, on lisait : D. SWANN.

—T'es touché où, Brad ?

—L'épaule, répondit McKenzie. Il y a des innocents à l'intérieur. Faut pas que vous tiriez, les gars. Comment va Lopez ?

—J'en sais rien, dit Swann. L'infirmier est avec lui.

Il fit un mouvement de la tête vers Jack.

—Ce type conduisait la bagnole qui est rentrée dans le bâtiment, expliqua McKenzie. Il est peut-être dangereux.

—Je ne suis pas dangereux. J'avais un pistolet contre la tempe.

—Je m'en occupe, dit Swann à McKenzie.

Les infirmiers placèrent McKenzie sur un brancard, et l'ambulance repartit de toute urgence vers l'hôpital. Swann fouilla Jack mais, avant même qu'il n'atteigne le portefeuille de ce dernier, il dit :

– Vous êtes Jack Swyteck, n'est-ce pas ? Le fils du gouverneur Swyteck ?

– Oui. C'est ce que j'essaie de vous dire. Mon client est là-dedans avec…

Une autre salve de coups de feu interrompit Jack.

Swann appuya sur le bouton de son micro :

– Cessez le feu !

Il se tourna ensuite vers Jack :

– Qu'est-ce qu'il a comme arsenal, votre client ?

– Une arme de poing.

– Un pistolet ou un revolver ?

– Un pistolet, je crois.

– Combien de cartouches ?

– Je n'en sais rien.

– Et son nom ?

– Pablo Garcia. Il se fait appeler Falcon.

Swann enclencha le mégaphone :

– Falcon, c'est la police de Miami qui vous parle. Vous êtes encerclé. S'il vous plaît, calmez-vous et cessez…

Des coups de feu retentirent et Swann plongea à terre. Pendant une fraction de seconde, Jack crut que le policier avait été touché. Mais il s'était seulement mis à l'abri.

– Votre client a l'air très en colère, maître.

– Sans blague ? Il faut que vous fassiez venir un vrai négociateur.

– On l'a appelé.

– Alors rappelez-le pour lui dire de se dépêcher.

18

À MINUIT PASSÉ DE QUARANTE MINUTES, Alicia sortit son portable qui sonnait dans son sac et jeta un œil à l'écran. C'était Renfro, le préfet de police. Vince et Alicia n'avaient pas bougé de leur table en terrasse, ils bavardaient et écoutaient la musique. Elle se boucha une oreille du doigt pour étouffer le vacarme de la boîte et prit l'appel. Le préfet l'informa des derniers développements concernant Falcon, y compris de la possible prise d'otage.

– Où ça ? demanda Alicia.

– Au Biscayne Motor Lodge. Vous voyez où c'est ?

– Bien sûr.

N'importe quel flic qui avait déjà eu à se soucier de prostituées à vingt dollars et de trafic de drogue à la petite semaine connaissait le Biscayne Motor Lodge.

– Des blessés ?

– Deux agents ont été touchés : Juan Lopez et Brad McKenzie.

– C'est grave ?

– McKenzie a appelé les renforts. Lopez... il en a pris une en pleine tête.

– Il est...

– Mort, oui.

– Mon Dieu, non. Sa femme vient d'accoucher.

– Qu'est-ce qui se passe ? demanda Vince.

Il avait senti suffisamment d'émotion dans la voix d'Alicia pour l'alerter. Elle tendit le bras par-dessus la table et toucha sa main – *attends une seconde.*

– Tu trembles, dit-il.

Était-ce vraiment le cas ? Elle n'en était pas sûre, mais Vince avait perçu une manifestation physique de sa souffrance. Rien n'affectait plus un policier que la perte d'un collègue.

– Je sais que Paulo s'est fait à l'idée qu'enseigner à l'académie est la meilleure chose pour lui à long terme, reprit le préfet. Mais il a souvent eu affaire à Falcon. Ils se connaissent. Ça pourrait au moins l'aider à lancer le dialogue. Est-ce que vous croyez que...

– Je serais prête à parier mon badge que oui, dit Alicia.

– Parlez-lui-en la première. Vous trouverez les mots. Qu'il m'appelle ensuite.

– Ça marche.

Alicia raccrocha et déposa un billet de vingt dollars sur la table pour régler leur dernier verre.

– Faut qu'on y aille, Vince.

Il lui rendit ses vingt dollars et ouvrit son propre portefeuille. Les coupures étaient pliées différemment selon leur valeur – celles d'un dollar en longueur, celles de cinq dollars en largeur, etc. Il déplia deux billets de dix et les posa sur la table.

– Tu as payé la première tournée, expliqua-t-il.

– Merci, mais on doit *vraiment* y aller.

– Qu'est-ce qui se passe ?

– Rien de bon, dit-elle. Je te raconterai en chemin.

Dix minutes plus tard, ils traversaient à toute vitesse le viaduc Julia Tuttle en direction du reste de la ville et du Biscayne Motor Lodge. Des bateaux de croisière dans le port de Miami illuminaient la baie comme autant d'hôtels flottants. À l'ouest se dressait la silhouette dentelée du centre-ville, un assortiment hétéroclite de gratte-ciel sur lesquels des projecteurs peignaient les couleurs de l'arc-en-ciel. Alicia donna à Vince tous les détails, et la proposition du préfet demeura suspendue dans le silence qui s'installa entre eux.

— Je ne crois pas que ce soit une bonne idée, dit Vince.

Alicia changea de voie pour dépasser un camion.

— Tout ce que tu dois faire, c'est parler à ce type. Il te connaît déjà.

— Convaincre un sans-abri de descendre du haut d'un pont est une chose. Mais là, on a affaire à un tireur paranoïaque retranché dans une chambre d'hôtel avec au moins un otage, peut-être plus. Ça nous laisse zéro marge d'erreur.

— C'est seulement un coup de téléphone, Vince.

— Non, ce sont des pourparlers dont le but est de sauver des vies. Il y a une légère différence.

— C'est au-dessus de tes capacités ?

— Je n'en sais rien.

— Tu crois vraiment que quelqu'un est mieux à même de réussir ?

— Comment veux-tu que je sache, bon sang ?

— Ne t'énerve pas. Ça prouve simplement que tu as la confiance du préfet.

Vince prit une grande inspiration et laissa lentement ressortir l'air.

— Tu ne comprends pas, Alicia.

— Sans doute que non. Alors dis-moi.

— J'en ai marre d'être pris entre deux extrêmes.

— Qu'est-ce que tu veux dire ?

— Soit les gens ont pitié de moi et ils s'imaginent que je ne pourrais pas me débrouiller une minute tout seul sans qu'un voyant me tienne la main, soit ils pensent que je me suis transformé comme par magie en une sorte d'aveugle mystique doué de pouvoirs extrasensoriels. Eh bien, la réalité est tout autre. Ça fait six mois que je me sers de ma canne, et de temps en temps il m'arrive encore de me prendre un lampadaire en pleine figure ; non, mon odorat n'est pas comparable à celui d'un limier, et même si Bruce Willis et M. Night Shyamalan me tenaient par la main, je ne me découvrirais pas un « sixième sens » me permettant de voir les morts. Car je reste moi-même, d'accord ? Je n'ai pas changé. Je ne suis devenu ni un incapable ni une version non voyante de Superman. Je suis juste un type normal qui s'efforce de rendre sa vie un peu meilleure chaque jour, et qui y réussit plutôt pas mal.

Alicia restait concentrée sur la file de feux arrière orange devant eux. Avec l'ancien Vince, elle aurait insisté. Le nouveau était plus complexe, et ce qu'il venait de dire n'était peut-être pas faux. Elle-même n'avait-elle pas plus ou moins imaginé qu'un homme ayant perdu la vue se trouvait soudain en mesure de sentir le parfum d'une pomme de l'autre côté de la pièce, ou encore de percevoir les biorythmes d'une personne à l'autre bout de la ligne de téléphone ? Le fait de lui accorder ces petites facultés en plus, consciemment ou non, ne l'avait-elle pas aidée à accepter l'énorme perte subie par Vince ?

–Tu as raison, dit-elle. Cette décision n'appartient qu'à toi.

–Merci.

Elle jeta un coup d'œil sur sa droite. Vince lui tournait la tête, comme s'il regardait par la vitre du passager. Il ne regardait rien, bien sûr. Ce n'était qu'une question d'attitude, un signal qui signifiait que la discussion était terminée. Alicia n'aurait jamais laissé l'ancien Vince s'en sortir si facilement – alors elle n'allait pas le ménager maintenant, simplement parce qu'il était devenu aveugle.

–Ouvre les pourparlers, d'accord ? Si tu n'es pas à l'aise, quelqu'un d'autre prendra le relais.

Il ne répondit pas.

–Vince, écoute-moi. Si le préfet ne peut pas compter sur toi ce coup-ci, elle ne te donnera pas d'autre chance.

Toujours le silence.

–Eh merde, Vince. Qu'est-ce que tu veux enseigner à l'académie ? L'art de se dégonfler ?

Elle avait peur de s'être laissée aller à porter un coup bas mais, au bout d'une minute, il sembla que ses paroles avaient produit l'effet désiré :

– D'accord, dit-il. J'accepte.

Alicia aurait souhaité qu'il voie à quel point elle était fière de lui. Elle dut se contenter de tendre le bras par-dessus l'accoudoir et de lui prendre la main. Après cela, ils roulèrent en silence jusqu'à la sortie sur Biscayne Boulevard.

19

Aussi loin que Jack pouvait voir, Biscayne Boulevard était entièrement fermé à la circulation, dans les deux sens. L'atmosphère devenait quelque peu inquiétante quand une artère normalement très fréquentée se vidait soudain, surtout la nuit, avec les gyrophares qui coloraient le quartier. Jack n'avait pas vu le plus grand boulevard de Miami si désert depuis que l'ouragan Andrew s'était abattu sur le sud de la Floride. L'arrivée des véhicules de transport de la Swat n'en fut que plus théâtrale. Il y en avait deux, l'un appartenant à la police de la ville, l'autre à la police du comté. Détail assez sinistre, une nouvelle ambulance les suivait de près, au cas où.

Jack priait pour que Theo n'en ait pas besoin.

L'avocat se tenait sur le parking d'un fast-food situé de l'autre côté du boulevard, quelques centaines de mètres plus bas que le Biscayne Motor Lodge. Les forces de l'ordre installaient leur poste de commande juste devant le restaurant. L'emplacement était stratégique – proche, mais pas trop, du motel – et garantissait un ravitaillement facile en hamburgers, frites et café.

Jack ne saignait plus. Un des infirmiers avait nettoyé et pansé la plaie, et Jack n'avait pas souhaité qu'on l'emmène à l'hôpital. Au bout de trois quarts d'heure, le sifflement dans ses oreilles avait enfin cessé. La prochaine fois que quelqu'un appuierait sur la détente d'un pistolet à l'intérieur d'un véhicule, il tâcherait de ne pas se trouver à bord.

Les véhicules de la Swat et l'ambulance entrèrent par la voie réservée au drive-in et se garèrent le long du restaurant. Quelques moments plus tard, une grosse fourgonnette affublée du logo bleu, vert et noir de la police du comté de Miami-Dade arriva. Les antennes qui dépassaient du toit suggéraient qu'elle était équipée de tous les gadgets technologiques nécessaires pour garder l'œil sur la situation et pour contacter le preneur d'otage. Les portes arrière des fourgonnettes de la Swat s'ouvrirent brusquement, et les membres des unités tactiques sortirent à la file. Ils étaient munis de fusils d'assaut M-16 et portaient l'équipement habituel de la Swat : casque, lunettes de vision nocturne et gilet pare-balles. Ils semblaient prêts à entrer en action, voire même pressés.

Un agent en uniforme mena Jack au véhicule de la police de Miami et le présenta au sergent Chavez, le coordinateur de l'équipe Swat de la ville.

—Ne bougez pas d'ici, dit Chavez. J'ai à vous parler, impérativement.

Chavez tourna le dos à Jack et alla directement vers le coordinateur de la Swat du comté. Chavez et son homologue échangèrent quasi instantanément quelques propos très vifs, comme si ce face-à-face ne faisait que poursuivre une discussion animée qu'ils avaient entamée au téléphone ou à la radio. Jack n'entendait pas leur conversation, mais rien qu'à les voir il devinait un conflit de juridiction.

Heureusement, les hommes et les femmes présents sur le terrain ne montraient pas une telle inaction. Jack les observait qui allaient de bâtiment en bâtiment, de porte en porte, pour s'assurer que personne dans le quartier ne s'aventurerait dans la rue. Un hélicoptère vrombissait au-dessus de leurs têtes – suffisamment bas pour que Jack puisse lire le logo *Action News* sur son flanc.

—Trop près ! cria Chavez, assez fort cette fois-ci pour que tout le monde puisse l'entendre. Faites-les s'éloigner immédiatement !

Un autre agent s'empara d'un mégaphone et ordonna à l'hélico indésirable de respecter l'espace aérien réservé à la police. Cela ne sembla pas avoir le moindre effet sur les journalistes.

Durant encore plusieurs minutes, Chavez et l'agent de la police du comté poursuivirent leur querelle visant à déterminer qui aurait le contrôle de la situation. Deux unités d'intervention spéciale armées et équipées attendaient leurs instructions, illustrant par là ce qui pour beaucoup était le véritable sens de l'acronyme Swat : *sit, wait and talk* : s'asseoir, attendre et discuter. Jack perdait patience. Cela faisait presque un quart d'heure qu'aucun bruit ne s'était échappé du motel, depuis le dernier échange de tirs. Comment allait Theo ? Jack n'en savait rien, mais il y avait une chose dont il était sûr : Falcon était toujours en vie, et il avait toujours la mainmise sur la situation. Les coups de feu l'avaient prouvé. Jack pouvait au mieux espérer que Theo était retenu en otage. Il ne voulait pas imaginer le pire.

Jack s'approcha de Chavez et de l'agent de la police du comté. Il était temps de mettre tout le monde d'accord.

– Qui commande, ici ? demanda Jack.

– C'est moi, répondirent-ils de concert.

– Et à qui ai-je l'honneur ? leur demanda-t-il.

Chavez se présenta à nouveau. L'autre annonça :

– Sergent Peter Malloy, responsable de l'unité tactique de la police du comté de Miami-Dade. Et vous, qui êtes-vous ?

– Jack Swyteck, répondit Chavez. Avocat spécialisé dans les affaires criminelles.

Malloy changea d'expression, comme si Chavez venait de lui dire : « Pédophile qui enseigne à l'école maternelle. »

– C'est mon client qui est là-dedans, dit Jack. Pablo Garcia, un sans-abri qui se fait appeler Falcon. Il a escaladé le Powell Bridge il y a quelques jours, et on l'a libéré sous caution.

– Ce type fait une fixation sur la fille du maire, ajouta Chavez. Et il se trouve qu'Alicia Mendoza est un agent de la police de Miami. Ce qui veut dire que j'ai un collègue mort, un autre blessé et une autre qui est menacée. Ça fait trois bonnes raisons pour que je prenne le contrôle de la situation. Et vous, Malloy, combien vous en avez ?

– Des dizaines. J'ai une équipe tactique, une équipe de négociateurs, une équipe de régulation de la circulation, une équipe de communication et des responsables pour coordonner tout ce monde. J'ajoute que, contrairement à vous autres policiers de la ville, ce genre de choses, c'est notre boulot à plein temps.

Jack se retenait pour ne pas les gifler.

– Les gars, c'est moi qui ai la meilleure raison au monde d'être ici. Cette raison s'appelle Theo Knight. L'otage. Mon meilleur ami.

Cela les fit taire un moment, mais c'est Jack qui semblait le plus touché par les paroles qu'il venait de prononcer. Depuis qu'il connaissait Theo, depuis qu'ils étaient devenus proches, Jack n'était pas sûr d'avoir jamais encore utilisé ces mots : « mon meilleur ami ».

– Il y a peut-être aussi une femme avec eux, ajouta-t-il. J'ai entendu un cri quand Falcon est entré dans l'autre chambre. C'est pour ça que Theo l'a suivi. Voilà comment cette prise d'otage a démarré.

Malloy lança un regard vers le motel. Des projecteurs avaient été installés sur le toit de l'immeuble de bureaux juste en face. Deux puissants faisceaux de lumière transperçaient la nuit, l'un braqué sur la porte de la chambre 103, l'autre sur les restes de la chambre 102 et sur la voiture de Jack.

– C'est votre véhicule ? demanda Malloy.

– Oui.

– Putain, comment...

La sonnerie du portable de Jack interrompit brutalement la conversation. Il se dépêcha de jeter un œil à l'écran. Le numéro qu'il lut accéléra son rythme cardiaque. Il avait appelé le portable de Theo à plusieurs reprises dans la dernière demi-heure, mais personne n'avait répondu. Et voilà qu'il recevait un appel de ce même numéro.

– C'est le portable de Theo, dit-il.

– Répondez, lui demanda Chavez.

– Attendez, intervint Malloy avant de tendre un dictaphone à Jack.

Jack le colla contre son portable, appuya sur la touche « enregistrement » et prit l'appel :

– Theo ?

– Très drôle, Swyteck.

C'était Falcon.

– Où est Theo ? demanda Jack.

– Euh, il... Disons qu'il ne peut pas te parler maintenant.

– Espèce de salopard. Si tu...

– M'emmerde pas avec tes menaces, Swyteck.

Jack s'efforça de calmer sa colère. Rien n'importait autant que la maîtrise de soi quand on traitait avec un paranoïaque. Particulièrement quand le malade en question avait une arme automatique.

– Tu as raison, dit Jack. On ferait mieux de respirer un grand coup, toi et moi. Si quelqu'un est blessé – toi, Theo, n'importe qui – occupons-nous d'abord de cette personne, OK ? Tu as besoin d'un médecin ?

– Tu te fous de moi ?

– Je veux juste m'assurer que tout le monde va bien.

– Foutaises. Moi, je veux négocier.

– Très bien. Il y a un négociateur à côté de moi.

– J'en veux pas de ton négociateur. Dis aux flics qu'ils aillent se faire foutre. Même Vincent Paulo m'a baisé quand j'étais sur le pont, et pourtant on se connaît depuis longtemps, bien avant qu'il ne perde la vue.

– Ça ne se passera pas pareil cette fois-ci. Maintenant c'est toi qui as les cartes en main.

– Tu l'as dit, mon grand. C'est pour ça que je te laisse cette chance, cette unique chance, de me montrer que c'est toi le boss.

– Qu'est-ce que tu veux ?

– Commence par me rendre le fric que tu m'as volé.

– Je ne t'ai rien...

– Pas un mot de plus, putain ! cria Falcon.

Jack resta silencieux. Il s'imaginait Falcon à l'autre bout de la ligne, réprimant sa rage, tâchant de contrôler ses nerfs. Falcon baissa d'un ton, mais la colère lui serrait encore la gorge :

– Je me fiche de tes excuses et de tes démentis. Apporte-moi mon fric. C'est tout ce que je veux. Compris ?

– Je vais voir ce que je peux faire.

– Non, je t'ai demandé si tu m'avais COMPRIS ?

Jack hésita.

– Je veux parler à Theo.

– Hors de question.

– Dis-moi qui d'autre est dans la chambre avec toi.

Jack entendit un déclic. Ce n'était pas le bruit de Falcon qui raccrochait – mais plutôt celui de son pistolet qu'il armait.

– Une dernière fois, Swyteck : tu m'as compris ?

Jack prit cet avertissement très au sérieux.

– Oui. J'ai compris.

– Bien. Une fois que j'aurai mon argent, on pourra parler de mes autres demandes.

– Quelles autres demandes ?

– Tu verras. Les choses vont devenir très intéressantes.

– Ce n'est pas un jeu, Falcon.

– Parfaitement d'accord. Notre affaire est très, très sérieuse.

– Alors arrête de me prendre pour un con. Dis-moi ce que tu veux.

– J'ai une meilleure idée : demande à Vince Paulo. Lui, il sait ce que je veux. Le problème, c'est que je ne lui fais plus confiance. Alors tout repose sur tes épaules. Apporte-moi l'argent, et on pourra parler. Mais traîne pas trop. La batterie du téléphone de ton ami va pas durer éternellement. Et quand elle mourra...

Falcon laissa sa voix planer au-dessus d'un vide qui paraissait terrifiant.

– Tu es encore là ?, demanda Jack.

– Ouais. Allez, mon gars, j'attends. C'est à toi de terminer ma phrase : quand la batterie mourra...

Jack n'avait aucune envie de le dire, mais cette bataille-là ne valait pas le coup d'être menée :

– Theo mourra.

Falcon eut un petit rire macabre.

– Encore une fois t'as tout faux, gros malin : *tout le monde* mourra.

Et il raccrocha. Jack resta sans bouger un moment, préoccupé par des pensées qui n'étaient d'aucune utilité dans une telle situation de crise. Une heure plus tôt, Theo et lui faisaient route vers South Beach. Maintenant un policier était mort, un autre à l'hôpital, Theo était détenu en otage et Falcon menait la barque. Ajoutez à ça le cadavre dans le coffre de Falcon – cette femme qu'on n'avait pas pu identifier –, et cela dépassait presque l'imagination. Jack rabattit l'écran de son portable et essuya une goutte de sang qui perlait du pansement sur sa tempe.

Les responsables des deux équipes Swat l'observaient, les yeux emplis d'appréhension.

– Alors, qu'est-ce qu'il dit ? demanda le sergent Chavez.

Jack le regarda, puis son homologue de la police du comté.

– Je crois que vous venez d'être virés, dit-il.

– Qui est viré ? demanda Chavez.

– Tout le monde, dit Jack en faisant un geste en direction des fourgonnettes Swat. Sauf Vince Paulo et moi.

20

DES PNEUS CRISSÈRENT, UNE BERLINE vert foncé arriva à
toute vitesse à l'angle de la rue, tourna sur le boulevard et
entra sur le parking du fast-food par la sortie du drive-in. Le
conducteur freina si sèchement que le pare-chocs avant faillit
rebondir contre le bitume quand la voiture s'immobilisa à
quelques mètres de Jack.

Un peu plus loin, le sergent Chavez communiquait par
radio avec le responsable de la circulation. Jack n'entendait pas
tous les mots, mais il comprit qu'il s'était formé un embou-
teillage de camionnettes des médias équipées d'antennes
paraboliques devant les barricades placées au nord et au sud
de cette section de Biscayne Boulevard. Le nombre d'hélicoptères qui grondaient au-dessus de leurs têtes était passé de un
à trois ; leurs projecteurs blancs aveuglants déchiraient le ciel
nocturne, au demeurant parfaitement dégagé. Pendant ce
temps, les membres des unités tactiques tournaient autour de
leurs fourgonnettes, s'abreuvant uniquement de décas pour
éviter d'être trop excités.

Dès que la porte de la berline s'ouvrit, Jack reconnut la fille
du maire, dont il avait vu des photographies récentes dans le
journal. La porte du côté passager s'ouvrit plus lentement ;
l'homme avec les lunettes noires et la longue canne blanche
ne pouvait être que Vincent Paulo. Alors qu'ils s'approchaient,
Jack remarqua la façon dont l'agent Mendoza guidait son

partenaire aveugle en terrain inconnu. La main de Paulo était posée dans le creux du coude de Mendoza. Elle ne le tirait pas, et ils n'avançaient pas non plus bras dessus, bras dessous, mais Jack détecta un certain confort et une certaine familiarité : le contact physique entre eux paraissait naturel.

– Des nouvelles de McKenzie ? demanda Mendoza au sergent.

Chavez coupa son microphone et dit :

– Il a été touché au ventre. Ils sont en train de l'opérer. On croise les doigts. J'imagine que vous êtes au courant pour Lopez.

Alicia hocha lentement, tristement la tête. Jack eut tout d'un coup l'envie d'être ailleurs : en tant qu'avocat de Falcon, il vivait sa position comme celle de l'intrus lors de funérailles familiales ou, pire, comme celle de complice du meurtrier.

– Vous êtes déjà entré en contact avec l'homme ? demanda Paulo.

Chavez regarda en direction de Jack :

– Son avocat vient de recevoir un appel téléphonique.

– Où est son avocat ?

– Je suis juste ici, dit Jack.

Paulo se tourna vers l'endroit d'où la voix était venue. Il serra la main de Jack. Le sergent Malloy se présenta ensuite comme chef de l'équipe Swat de la police du comté de Miami-Dade. Et toutes ces présentations se terminèrent par un face-à-face entre Jack et Alicia.

Un avocat n'était jamais très à l'aise lorsqu'il rencontrait une victime de son client, même si, relativement parlant, celle-ci n'avait pas trop souffert. L'attitude d'Alicia envers Jack resta cependant très professionnelle ; ses grands yeux noisette ne le foudroyèrent pas. Elle portait une veste en cuir courte et élégante, un pull, un pantalon noir et des talons qui ne l'élevaient pas à la hauteur de Jack et du sergent Paulo mais lui permettaient de dépasser Chavez de cinq bons centimètres. Son parfum et son maquillage confirmaient qu'elle avait dû interrompre un rendez-vous privé pour se rendre ici. Les photos dans le journal avaient donné à voir une belle jeune femme, et Jack constatait maintenant que l'objectif n'avait pas menti.

– Est-on sûr à cent pour cent que Falcon détient un otage ? demanda Paulo.

– Oui, dit Jack. Il s'appelle Theo Knight. Il était assis à côté de moi quand Falcon a détourné notre voiture. L'appel que j'ai reçu provenait du portable de Theo. Il se pourrait bien aussi qu'il y ait une femme avec eux.

– J'ai besoin de plus de détails, continua Paulo. Qui peut me mettre au parfum ?

Chavez résuma l'action des forces de l'ordre jusqu'à présent. Jack raconta tout ce qu'il avait vécu entre le détournement de la BMW et le coup de fil provenant du portable de Theo. Pour terminer, ils réécoutèrent l'enregistrement de la conversation entre Jack et Falcon. Entendre à nouveau cet échange causa à Jack presque autant d'angoisse que la première fois. Il regrettait déjà ce qu'il avait dit et la manière dont il l'avait dit, sachant que la vie de Theo était en jeu.

Au moment où la conversation enregistrée s'achevait, un hélicoptère passa au-dessus d'eux à si basse altitude qu'ils sentirent l'air froid de la nuit tournoyer autour d'eux.

– C'est un de nos appareils ? demanda Paulo.

– Non, c'est la télé, dit Chavez.

– Il faut qu'on les fasse s'éloigner.

– Sans blague ?

Paulo leva la tête vers le ciel, ce qui étonna Jack. Il semblait réagir au bruit et au vent.

– Vous êtes sûr que l'appel provenait d'un portable ?

– Absolument. Le numéro de Theo s'est affiché sur mon écran.

– L'accident a peut-être endommagé les lignes téléphoniques du motel. Chavez, vérifiez auprès de la compagnie. Si le motel est toujours relié au téléphone, faites bloquer tous les appels sauf ceux venant de notre véhicule de communication. On n'a pas besoin que Falcon bavarde avec un journaliste trop entreprenant. Au fait, est-ce que quelqu'un a pris contact avec l'agence d'urbanisme de la ville ?

– Non, répondit Chavez, pas encore.

– Il va nous falloir les plans du bâtiment. Avec le plus de détails possible : murs porteurs et murs non porteurs, vide sanitaire, conduites et canalisations, hauteur du grenier. Vous avez déjà localisé la conduite d'eau ?

– On y travaille, dit Chavez.

– Bien. Le moment viendra peut-être où il faudra qu'on la coupe. Pareil pour l'électricité.

– N'importe quel crétin peut voir que...

Chavez s'interrompit, mais il ne s'excusa pas pour sa maladresse.

– L'électricité est déjà coupée, reprit-il, du moins dans la chambre où ils se trouvent. C'est une des conséquences de l'accident, évidemment.

– Mieux vaut ne présumer de rien, dit Paulo. Je ne veux pas que Falcon puisse nous observer à la télé, surtout avec ces hélicos et leurs caméras qui vont lui révéler notre position. Alors allez-y, faites couper l'électricité le plus vite possible. Y a-t-il encore d'autres personnes dans le motel ?

– Nous avons tâché de frapper à toutes les portes et d'évacuer les clients, dit Chavez. Il y avait beaucoup de chambres libres – nous n'avons compté que seize clients. Certains étaient déjà dehors. Ils sont sortis en courant quand la voiture est rentrée dans le bâtiment. Ça ne m'étonnerait pas qu'ils aient cru qu'une bombe avait explosé.

– Est-ce qu'il y avait quelqu'un dans la chambre où s'est plantée la voiture de monsieur Swyteck ?

Jack eut soudain froid dans le dos. À cause du choc et de l'agitation qui avait suivi, il ne s'était pas encore demandé si sa BMW avait pu faire une victime.

– Pour l'instant on n'en sait rien, répondit Chavez.

– Est-ce que le gérant du motel ou un employé à l'accueil pourrait nous renseigner ?

– On ne les a pas encore retrouvés. C'était le chaos ici jusqu'à ce que les agents de la circulation mettent un peu d'ordre.

– Il n'y a pas un registre à l'accueil ?

– Si, mais la moitié des clients à qui on a parlé jusqu'ici n'y figurent même pas. On dirait bien que certaines de ces chambres sont louées à l'heure, si vous voyez ce que je veux dire.

Malloy, qui semblait ronger son frein, les interrompit :

– Excusez-moi, sergent Paulo. Mais quel est exactement votre rôle ici ?

– Il a mené plusieurs négociations avec Falcon au cours des deux dernières années, répondit Alicia. Il est ici sur la demande du préfet Renfro.

– Vous voulez dire que c'est *lui* qui va conduire la négociation ? s'exclama Malloy.

– Sans vouloir passer pour un emmerdeur, est-ce que je peux vous demander à tous de ne plus parler comme si je n'étais pas présent ? Je suis aveugle, pas invisible.

– Désolée, dit Alicia.

– Pour répondre à votre question : non, ce n'est pas moi qui vais mener la négociation. J'ai accepté de lancer le dialogue avec Falcon. Mais une fois que c'est fait, je passe la main. Ce sera à vous autres de jouer.

– Excusez-moi, intervint Jack, mais ça ne va pas faire l'affaire. Vous avez entendu l'enregistrement de notre conversation. La seule personne avec qui Falcon est prêt à parler, c'est moi ; et il m'a dit que, pour savoir ce qu'il voulait, il fallait que je le demande à Vince Paulo.

– Mettons les choses au clair tout de suite, dit Malloy. Il est hors de question qu'un avocat mène ces pourparlers.

– Alors il faut que ce soit moi *et* Paulo.

Un silence tendu s'abattit sur le groupe. Jack n'arrivait pas à lire l'expression de Paulo, ses yeux étant cachés derrière les lunettes noires.

—Avançons étape par étape, finit par dire Paulo. La première chose dont nous devons nous soucier, c'est sa demande. Dites-m'en plus sur l'argent en question.

—Il a du liquide dans un coffre de banque à Nassau. Il croit que je l'ai pris, c'est faux. À part le montant de sa caution, j'ai tout laissé dans le coffre aux Bahamas.

—Quelle somme cela représente-t-il ?

Jack hésita. Son instinct d'avocat lui commandait de ne pas répondre, mais le fait était que, si sa relation privilégiée avec son client n'était pas morte lors du détournement de la voiture, elle pesait moins lourd dans la balance que le pistolet avec lequel Falcon menaçait Theo.

—À l'ouverture du coffre, j'avais compté exactement deux cent mille dollars. Sa caution s'élevait à dix mille.

Les policiers échangèrent des regards incrédules. Chavez dit à haute voix ce que tous pensaient :

—Comment est-il possible qu'un SDF ait mis de côté autant de pognon dans une banque offshore ?

—Sans doute pas en lavant des pare-brise, dit Jack.

—Pourquoi a-t-il besoin de cet argent maintenant ? Vous avez une idée ? demanda Paulo.

—Non. Il le veut, c'est tout.

—Et peu importe pourquoi, dit Malloy. Notre patron nous a expliqué les choses très clairement : la police du comté de Miami-Dade ne donne pas d'argent aux preneurs d'otages. Point final. C'est la règle de base qu'on pose avant de discuter avec ces types-là.

—Toutes les règles ont des exceptions, dit Paulo.

—Vous êtes en train de me demander d'aller chercher l'argent aux Bahamas ? questionna Jack.

—Combien de temps ça vous prendrait ? demanda Paulo.

—Vous êtes sérieux ?

—Cette prise d'otage va durer. L'autre jour, Falcon a paralysé la circulation sur le Powell Bridge quatre heures durant. Et, la fois d'avant, il nous a fallu près de six heures et demie pour clore l'épisode. Et lors de ces pourparlers, il n'y avait *pas* d'otages. Alors, combien de temps ça vous prendrait ?

— Theo a un ami qui gère une flotte d'hydravions à Watson Island. Si je lui expliquais que c'est une affaire de vie ou de mort, je suis sûr qu'il m'amènerait aux Bahamas en moins d'une heure, à condition que vous nous obteniez les autorisations nécessaires. Mais si on tient compte des déplacements au sol, l'aller-retour me prendra quand même quatre ou cinq heures. Et encore faut-il que je trouve quelqu'un pour me laisser entrer dans la banque en plein milieu de la nuit.

— Je connais quelqu'un à Interpol qui pourra arranger ça avec vous. Quant aux autorisations de vol, ce n'est pas un problème.

— Vous ne pouvez quand même pas remettre à Falcon une valise pleine de fric, intervint Malloy.

— Qu'est-ce qu'on risque ? demanda Paulo.

— Le règlement l'interdit.

— Ce n'est pas ce que je vous ai demandé, dit Paulo.

Jack commençait à apprécier ce type.

— Il faut qu'on lui montre notre bonne volonté, continua Paulo. La dernière fois que je lui ai parlé, c'est quand je l'ai convaincu de descendre du lampadaire en haut du Powell Bridge — et alors la Swat s'est jetée sur lui. Il faut que je me fasse pardonner. Si j'accède à sa première demande, je rétablirai la confiance entre nous. Lui donner son argent — qui de toute façon est à lui, et pas à nous —, ce n'est pas comme lui fournir des munitions.

— Donnez-lui l'argent, répliqua Chavez, et ensuite il vous demandera les munitions.

— La nuit dernière, dit Paulo, Falcon a tué une femme et a enfermé son cadavre dans le coffre de la voiture qui lui tient lieu de domicile. Ce soir, il a déjà blessé deux agents de police, dont un mortellement. Un meurtre de plus n'aggraverait pas son cas, il n'a rien à perdre. Si on lui rachète un otage en échange de son propre argent, il me semble qu'on ne fait pas une mauvaise affaire.

– Alors vous voulez que j'y aille ? demanda Jack.

– Quoi, vous n'êtes pas encore parti ? dit Paulo.

Décidément, Jack commençait *vraiment* à apprécier ce type.

21

− LES ENFERMER, LES ENFERMER, les enfermer...

Cela faisait au moins un quart d'heure que Falcon répétait les mêmes mots, encore et encore. Theo en devenait fou, mais il ne disait rien.

Avec l'aide de Theo, Falcon avait transformé la chambre en forteresse improvisée. Quiconque entrerait par la porte aurait à franchir une montagne de meubles pour atteindre les otages. La pièce avait été entièrement vidée, rien ne restait en place excepté la télévision. Un rayon de lumière filtrait à l'angle du mur et par le haut de la fenêtre. Les rideaux étaient si vieux et usés que, par endroits, la doublure ne préservait plus l'obscurité. À intervalles réguliers, la chambre devenait plus claire à cause des gyrophares sur le parking qui éclaboussaient la fenêtre. Falcon avait essayé l'interrupteur, mais évidemment il n'y avait plus de courant. Cela ne l'empêchait pas d'appuyer régulièrement sur le bouton de la télévision, déterminé à obtenir une image.

− Tu comprends pas que le courant est coupé ? dit Theo.

− La ferme !

Vu le nombre de sirènes qui avaient beuglé ces vingt dernières minutes, Theo se dit qu'une armée de policiers avait pris position à l'extérieur du motel. Il était presque sûr d'avoir également entendu des hélicoptères − de la police ou des chaînes de télé, il n'en savait évidemment rien. Il pensait que les forces de l'ordre étaient en train de se regrouper : la fusillade terminée, venait le temps de la négociation. Theo espérait que Falcon était suffisamment lucide pour se rendre compte que la police ne lui échangerait rien contre des otages morts.

Falcon s'approcha de l'angle près de la fenêtre. Quelques minutes plus tôt, il avait brisé la vitre et tiré deux coups de feu successifs depuis cette même position, d'où il semblait avoir vue sur le parking.

– J'arrive pas à respirer, dit l'autre otage, la femme.

Elle était assise par terre, le dos contre le mur, les mains attachées derrière les reins, une taie d'oreiller sur la tête. Il faisait froid dehors, et la température de la chambre était fraîche mais confortable. Les yeux de Theo s'étaient suffisamment habitués à la relative obscurité pour pouvoir discerner les petites gouttes de sueur qui brillaient sur les bras de la femme : manifestation physique de son angoisse, de son état de panique.

Falcon se remit à marmonner :

– Les enfermer, les enfermer, les enfermer...

Theo avait les poings liés, mais sa tête n'était pas couverte. Falcon semblait chercher désespérément une autre taie d'oreiller au milieu du tas de meubles. Par « les enfermer », sans doute voulait-il dire qu'il fallait que le visage des otages soit masqué, qu'on les empêche de voir.

– Je vous jure que je n'arrive pas à respirer, gémit la femme.

Falcon ne lui prêtait aucune attention, il s'agitait de plus en plus.

– Il faut que tu desserres le nœud autour de son cou, demanda Theo.

Falcon ne réagit pas.

– Hé, tu m'entends ? Elle va étouffer.

– Silence ! J'arrive pas à réfléchir !

Falcon avait des yeux de possédé. La chambre s'illuminait à chaque clignotement des gyrophares sur le parking, ce qui donnait des reflets rouges à son visage.

– Tout ça ne t'avancera à rien, mon vieux, dit Theo.

Falcon lui lança un regard furieux, puis se détourna et recommença à faire les cent pas.

– Les enfermer, les enfermer...

– J'ai besoin d'air ! cria la femme.

– Enlève-lui cette putain de taie d'oreiller, connard !

Falcon fit volte-face, leva le bras et écrasa la crosse du pistolet contre le crâne de Theo. Il s'écroula au sol et sa tête heurta violemment la moquette. Les deux chocs successifs le mirent presque KO. Il entendit Falcon crier :

– Ferme ta gueule !

Mais les sons comme les images s'estompaient dans la tête de Theo. Il luttait pour rester conscient, refusant de fermer les yeux. Il essaya de fixer son attention sur quelque chose, n'importe quoi, pour maintenir son cerveau en éveil. Un petit filet de sang gouttait dans son œil gauche, et il cligna de la paupière pour y voir plus clair, mais sans succès. Son autre œil, celui qui était le plus près du sol, fixait la porte de la salle de bains. Elle était fermée. Comme le reste de la chambre, la fente sombre au niveau du seuil de cette porte s'éclairait à chaque clignotement des gyrophares. Theo tâcha de se concentrer. Par intervalles, il arrivait à voir quelque chose sur le sol de la salle de bains, de l'autre côté de la fente. Quelque chose qui était juste devant la cuvette des WC. Deux chaussures. Des chaussures d'homme.

L'une d'elles bougea.

Theo ne réagit pas – ce qui ne le rassura pas forcément. Mais chaque fois que la chambre s'éclairait, sa certitude augmentait.

Il y avait quelqu'un dans cette salle de bains.

22

Moins d'une heure plus tard, Jack se trouvait à bord d'un hydravion volant vers Nassau. L'océan en dessous de lui était aussi noir que la nuit, et il était presque impossible de distinguer les étoiles qui brillaient dans les strates inférieures du ciel des lumières qui parsemaient le paysage insulaire. Par chance, ce n'était pas le boulot de Jack de faire la différence entre le haut et le bas. Il occupait le siège du copilote, juste à côté de Zack Hamilton, l'ami de Theo à qui appartenait l'appareil. Un officier de police de la ville de Miami était assis derrière eux.

Les Bahamas regroupent environ sept cents îles et deux mille quatre cents récifs. Seule une trentaine de ces îles sont habitées, et les deux tiers des trois cent mille âmes qui les peuplent vivent à Nassau. Jack n'aurait pu dire le nombre de fois où Theo et lui avaient, sur un coup de tête, sauté dans son hors-bord et parcouru les cent kilomètres qui séparaient Key Biscayne de la station de ravitaillement des Caraïbes la plus proche, l'île de Bimini, où ils avaient fait le plein d'essence et de rhum Mount Gay. Nassau avait beau être situé plus au nord-ouest, il sembla à Jack que l'avion venait à peine d'atteindre son altitude de croisière quand ils amorcèrent leur descente. Lentement, l'agencement aléatoire de points lumineux devant eux s'organisa en longues rangées parallèles bleues destinées à les guider.

— Préparez-vous à l'atterrissage, dit Zack.

Il parlait dans le microphone de son casque, sa voix grêle mais audible malgré le ronronnement des deux moteurs à hélice.

— On descend sur une piste d'atterrissage ? demanda Jack.

— Pourquoi ? Vous préféreriez que je vous laisse en pleine forêt ?

C'était le genre de réplique à laquelle Jack aurait dû s'attendre, venant d'un des plus anciens compères de Theo.

— Je voulais dire : on atterrit sur terre et pas sur mer ? C'est bien un hydravion, non ?

— La nuit, on prend beaucoup moins de risques en atterrissant sur une piste. Mais si vous préférez l'eau, ça me dérange pas.

— Non, ça ira, merci, dit Jack en pensant : *Pas dans ce vieux coucou pourri.*

Zack vérifia ses instruments de bord tout en finissant sa dernière gorgée de soda à l'orange et en léchant la graisse sur ses doigts – il avait dévoré un énorme paquet de chips au cheddar. Zack paraissait avoir un appétit insatiable pour tout ce qui était orange et comestible, du moins tant que la couleur de l'aliment était chimique et sa valeur nutritionnelle égale à zéro. Décidément, Jack n'avait rien en commun avec Zack, hormis deux choses : leurs prénoms rimaient, et ils étaient tous les deux amis avec Theo Knight. En mettant ces deux hommes côte à côte pour les comparer, on obtiendrait la preuve scientifique incontestable que la minuscule fraction d'ADN qui différencie un être humain d'un autre est la fraction d'élément la plus déterminante de l'univers. Zack faisait près de deux mètres quinze, et il portait des nattes qui pendaient plus bas que les bras de Jack. Theo avait l'air d'un gringalet à côté de Zack. Une blessure au genou au cours de sa première saison en NBA avait mis prématurément fin à sa carrière mais, heureusement, la prime qu'il avait touchée à la signature de son contrat pro lui avait permis par la suite de démarrer sa propre affaire. Voler était devenu sa nouvelle passion, et Jack admirait qu'un type qui avait vu son rêve initial se briser réussisse à se remotiver de la sorte. Néanmoins, il fallait la magie d'un gars comme Theo pour réunir Jack et Zack un samedi à deux heures du matin.

L'avion se posa et ils descendirent sur la piste. Avec l'aide des autorités locales, ils passèrent en vitesse accélérée les contrôles de douane et d'immigration. Un agent de la police des Bahamas qui les attendait au terminal les mena directement à une voiture de patrouille garée en zone interdite devant l'aéroport. Jack et Zack montèrent à l'arrière, et le policier de Miami s'assit à côté du conducteur. La voiture ne démarrait pas assez vite pour Jack :

– Nous sommes assez pressés, dit-il.

Le flic des Bahamas lui lança un regard par le biais du rétroviseur. Il avait un visage rond, grassouillet, et les yeux d'un chien de chasse, à la fois mornes et expressifs, si tant est que cela soit possible.

– J'en doute pas, mec.

Il y avait peu de circulation à cette heure-ci et, jusqu'à ce qu'ils atteignent les environs de Nassau, Jack compta plus de chèvres et de poules égarées que de voitures sur la route. Vingt minutes plus tard, ils arrivèrent à la Greater Bahamian Bank & Trust Company. Jack descendit de la voiture et les autres gravirent l'escalier de béton à sa suite. À travers la porte d'entrée en verre, ils virent que l'intérieur de la banque était plongé dans l'obscurité, malgré les éclairages de sécurité habituels qui restaient en veille après la fermeture. Un garde émergea de la pénombre et s'approcha de la porte. Il parla dans un interphone qui grésillait comme de l'huile au fond d'une poêle.

– La banque est fermée.

Jack se retint, mais Zack laissa échapper exactement ce que l'avocat pensait :

– On a remarqué, Einstein.

Jack espéra que le garde n'avait pas pu entendre. Il s'approcha plus près de l'interphone et dit :

– Le directeur était censé nous attendre et nous laisser entrer.

Le garde haussa les épaules :

– Monsieur Riley n'est pas ici.

Jack ne s'acharna pas sur le garde ; il se tourna vers le policier bahamien :

– Où est Riley ?

Les yeux de toutou du Bahamien s'éclairèrent :

– L'est en retard.

– Ce n'est pas possible, quand est-ce qu'il arrive ?

– Bientôt.

– C'est-à-dire ?

– Dès que je lui passe un coup de fil.

– Eh bien pourriez-vous alors l'appeler, s'il vous plaît ? dit Jack d'un ton plus impatient que poli. Comme je vous l'ai déjà dit, nous sommes très pressés.

Le policier retourna lentement vers sa voiture, sans doute pour utiliser sa radio.

– Bien sûr que t'es pressé, mec. Le monde entier il est pressé.

Jack sentit lui venir un terrible mal de tête. Theo aurait su d'emblée comment traiter avec ces marioles. L'espace d'un instant, il se prit à regretter que son ami ne soit pas là – avant de se rendre compte que, si Theo était à ses côtés, il n'aurait lui-même pas besoin d'être ici. Jack se frotta entre les yeux pour chasser la douleur.

Je perds la tête.

Le sergent Paulo retrouvait l'intérieur familier du véhicule de communication de la police. Il était en terrain connu, entouré de tout ce dont il avait besoin : son fauteuil préféré, sa vieille tasse à café, son microphone pour communiquer avec les responsables des différentes équipes en place, et un téléphone à portée de main, pour parler à Falcon.

Il fallait encore travailler à coordonner les efforts des deux polices – celle de la ville et celle du comté –, mais les fonctions principales avaient été réparties. Comme la plupart des unités de crise, celle-ci regroupait plusieurs équipes, chargées de la négociation, de la tactique, de la circulation automobile et de la communication. Paulo était négociateur en chef ; sa responsabilité était de parler directement au preneur d'otage. Le sergent Malloy était son adjoint, chargé de l'assister et de prendre des notes. Des officiers de renseignements de la ville et du comté conduiraient des entretiens et rassembleraient des informations pouvant servir aux négociateurs. Un psychologue de la police était sur place pour aider à évaluer les réponses de Falcon et pour recommander des stratégies de négociation.

Les deux départements de police géreraient ensemble la circulation, et les équipes tactiques travailleraient elles aussi main dans la main. Des tireurs d'élite appartenant aux deux polices étaient postés stratégiquement sur le toit des bâtiments en face du motel. Les équipes d'assaut étaient prêtes à intervenir. On s'était cependant mis d'accord pour que, en cas de besoin, ce soit les « éventreurs » – les membres de la Swat dont la spécialité était de faire sauter les portes et les fenêtres – de la police du comté qui ouvrent la marche.

Il avait été également décidé qu'Alicia serait les yeux de Paulo.

– Tu es inquiet ? demanda-t-elle en vidant un gobelet de café chaud dans la tasse de Paulo.

Ils étaient seuls tous les deux dans le véhicule de communication, Paulo ayant demandé qu'on le laisse mettre de l'ordre dans ses idées avant le premier contact.

– J'ai bien peur de devoir m'en occuper jusqu'au bout.

– Tu ne préférerais quand même pas que la tâche revienne à Chavez ou à Malloy ?

– D'une certaine façon, si.

– Comment peux-tu dire une chose pareille ?

Paulo but une gorgée de son café.

– Si ça tourne mal, tu peux deviner le gros titre dans le journal, non ?

– « La faute à l'aveugle » ?

Paulo s'amusa de la capacité de son esprit à créer une image à partir de mots. Il visualisait en détail cette première page de journal, le titre LA FAUTE À L'AVEUGLE sous la bannière *Miami Tribune*.

—Je vois que tu aimes toujours autant mâcher tes mots, dit-il à Alicia.

—Excuse-moi. Mais j'aurais été moins directe si je pensais vraiment que tu allais échouer.

La porte sur le côté s'ouvrit.

—Qui est là ? demanda Paulo.

Elle se présenta en tant que Lovejoy, agent de renseignements.

—J'ai trouvé le gérant, dit-elle. La bonne nouvelle, c'est qu'il n'y avait personne dans la chambre 102 au moment de l'accident. Par contre, il a des informations sur les occupants de la chambre 103. Je me suis dit que vous voudriez sans doute lui parler.

—Bien sûr, dit Paulo. Il est avec vous ?

—Oui, il est à mes côtés. Il s'appelle Simon Eastwick.

—Comment allez-vous, monsieur Eastwick ?

L'homme tardait à répondre – Paulo se dit qu'il avait dû mal juger de sa position. Cela désorientait parfois les gens quand il ne tournait pas la tête exactement dans leur direction.

—Je vais bien, merci, dit finalement Eastwick.

—Pouvez-vous me dire qui occupait cette chambre avant l'accident ?

—Euh, deux jeunes filles hispaniques.

—Qu'entendez-vous par « jeunes filles » ? S'agit-il de jeunes femmes ou d'enfants ?

—Ce sont des adolescentes, qui doivent avoir dix-huit ou dix-neuf ans.

—Parlent-elles l'anglais ?

—L'une d'entre elles le parle très bien. L'autre plus ou moins bien.

—Vous avez leur nom ?

—Non. Elles payaient chaque jour en liquide.

—Savez-vous si elles se trouvaient toutes les deux dans la chambre au moment de l'accident ?

—Désolé, je serais incapable de vous le dire.

—Ça fait longtemps qu'elles occupent cette chambre ?

—L'une est arrivée hier. L'autre, je sais plus. Quelques jours, peut-être plus longtemps.

—Elles avaient souvent des visiteurs ?

—Je serais incapable de vous le dire.

—Et des clients ? intervint Alicia.

Eastwick parut soudain s'indigner :

—Je répète : je serais incapable de vous le dire.

—Ah, fit Alicia, vous respectez la vie privée de vos résidents, c'est ça ?

—Je me mêle pas de ce qui me concerne pas, dit Eastwick.

—Sauf que si ces filles sont mineures, ça vous concerne directement, dit Alicia.

—Je vous l'ai expliqué, elles m'avaient l'air d'avoir dix-huit ou dix-neuf ans. Je leur ai loué une chambre, c'est tout.

En échange d'un pourcentage de leur recette ? Voilà ce que Paulo aurait voulu demander, mais il n'avait aucun intérêt à mettre le gérant le dos au mur et ainsi devoir se priver de sa coopération.

—Y a-t-il quelque chose d'autre que vous puissiez nous dire sur ces filles, monsieur Eastwick ? demanda-t-il.

—Rien d'autre, a priori.

—J'aimerais que vous vous asseyiez avec l'équipe tactique et que vous preniez le temps de leur détailler tous les points d'accès à cette chambre qu'on puisse imaginer. Ça ne vous dérange pas ?

—Non.

Eastwick allait se diriger vers la porte, mais Paulo l'arrêta :

—Encore une chose. Ces jeunes filles – comme vous dites – est-il possible qu'elles gardent une arme à feu dans leur chambre ?

Eastwick réfléchit un moment.

—Je dirais que c'est fort possible, ouais.

—Merci, monsieur Eastwick. Voilà une information très précieuse.

Tout a l'air différent à trois heures du matin, et l'intérieur de la Greater Bahamian Bank & Trust Company ne faisait pas exception. Rien ne bougeait dans le hall d'entrée, et le silence était tellement palpable que Jack avait conscience du bruit de ses propres pas, du chewing-gum dans la bouche de Zack et des pièces de monnaie dans la poche du garde.

Après qu'on l'eut contacté trois fois par radio, Otis Riley, le directeur de la banque, avait fini par débarquer. C'était un petit homme dont le teint mat des îles proclamait la bonne santé, mais Jack discernait tout de même le manque de sommeil dans ses yeux. Riley ne prononça que quelques mots cependant qu'il les menait le long d'un couloir jusqu'aux portes verrouillées de la salle des coffres.

– À partir d'ici, annonça-t-il au groupe, monsieur Swyteck et moi-même n'avons pas besoin d'être accompagnés.

Zack, le garde et le policier bahamien n'objectèrent pas.

– Je dois rester avec Swyteck, dit l'officier de police de Miami.

– Pourquoi ?, demanda Jack.

– Parce qu'on m'a ordonné de ne pas vous quitter des yeux.

– Qu'est-ce que vous vous imaginez, que je vais glisser une liasse de billets de vingt dans ma poche ?

Le flic resta imperturbable.

– Bon sang, fit Jack.

– J'ai pour mission de m'assurer que la somme qui sort de ce coffre soit intégralement remise à la police de Miami. Sans cette garantie, les agents fédéraux ne nous auraient jamais autorisés à faire transiter cet argent.

– D'accord, dit Riley. Venez avec nous.

Riley utilisa sa carte d'accès électronique pour déverrouiller la porte, et les trois hommes entrèrent dans la salle. Le directeur pénétra dans le bureau et en ressortit avec la clé du coffre 266.

– Avez-vous votre clé, monsieur Swyteck ?

Jack hocha la tête. Riley s'approcha du coffre et inséra la clé de la banque. La serrure fit un bruit sec quand il la tourna. Jack introduisit sa clé, et on entendit le même bruit. Jack tira la poignée, et le coffre s'ouvrit comme un tiroir. Alors qu'il n'était qu'à demi ouvert, Jack crut qu'il allait se sentir mal. Puis il tira le coffre jusqu'au fond et resta bouche bée.

– Il est vide, dit Riley.

– Où est passé tout l'argent ? demanda Jack.

– En onze ans d'existence, nous n'avons jamais rencontré le moindre problème, assura Riley.

Comme si, dans l'univers des banques offshore, un peu plus d'une décennie suffisait à instaurer une tradition d'excellence.

– Je suis sûr que nous retrouverons la trace du moindre de ces billets, poursuivit le directeur.

– Est-ce que quelqu'un a ouvert le coffre depuis ma dernière visite ? demanda Jack.

– Je vais tout de suite vérifier nos registres, dit Riley.

– Ce ne sera peut-être pas nécessaire, intervint Jack. Quelqu'un a laissé un mot.

– Ne le touchez pas, dit le policier.

Jack se serait bien gardé d'y mettre ses propres empreintes. Le bout de papier avait la dimension d'une carte de visite, et on lisait dessus un message écrit à la main. Du bout de son stylo, Jack fit glisser le mot du fond du tiroir vers l'avant, suffisamment près pour qu'il soit en mesure de le lire :

– *Donde están los Desaparecidos ?*

– Est-ce que c'est de l'espagnol ? demanda Riley.

– Oui, dit Jack.

Tous trois demeurèrent silencieux, comme s'ils s'efforçaient de déchiffrer ce message.

– Qu'est-ce que ça veut dire ? demanda Riley.

– Ça se traduit par : « Où sont les Disparus ? », dit le policier.

– Ce n'est pas difficile à traduire, dit Jack. Mais si vous voulez savoir ce que ça *veut dire*...

– Eh bien ? fit Riley.

Jack jeta un nouveau coup d'œil au papier :

– Je n'en ai aucune idée.

23

ALICIA ÉTAIT EN TRAIN DE DORMIR sur la banquette arrière de sa voiture lorsque son portable se mit à sonner. Vince l'avait prévenue que le spectacle mis en scène par Falcon risquait de s'éterniser autant qu'un téléthon sur la chaîne publique, alors elle avait saisi l'occasion pour faire un petit somme. Sa voiture était garée juste à côté du poste de commandement, au cas où l'on ait besoin d'elle. Elle ne décrocha pas à temps et l'appel fut dirigé vers sa messagerie, mais elle reconnut le numéro qui s'affichait sur l'écran. Elle enfonça le bouton du rappel automatique, et son père décrocha dès la première sonnerie.

– Alicia, où es-tu ?

– Je suis à un poste de commandement mobile sur Biscayne Boulevard. Il y a une prise d'otage.

– Je sais. Madame le préfet m'a téléphoné, et je viens de mettre la télé. Qu'est-ce que tu fais là-bas ?

– Il se peut que ma présence devienne utile.

– Je t'en prie, ne parle pas à ce malade. Il a déjà tué un policier, et il en a blessé un autre.

Alicia contempla son visage dans le rétroviseur. Autrefois, elle pouvait se pelotonner sur la banquette arrière, récupérer d'une soirée spéciale « deux cocktails cosmopolitan pour le prix d'un » au bar, et à huit heures du matin se rendre à son cours de comptabilité sans arborer le moindre maquillage, seulement un grand sourire. Cette époque était définitivement révolue.

—Je ne prends aucun risque ici. Je reste hors de portée des coups de feu.

—Bien. Ne t'approche pas de ce motel. S'il te plaît, promets-le moi...

—Je ne bouge pas d'où je suis.

—Et ne parle même pas à ce type par téléphone.

—Il n'a pas demandé à me parler.

—Ce n'est qu'une question de temps. Il l'a fait quand il était sur le pont, il le fera encore.

—Si c'est le cas, je ferai ce que les négociateurs me conseilleront.

—*Non.* Écoute ton père. Ne parle pas à ce type, tu m'entends ?

—*Papi*, calme-toi, d'accord ?

—Je suis calme. Mais promets-moi que tu ne lui parleras pas.

—OK, je ne lui parlerai pas. C'est promis. Sauf si le négociateur pense que ce serait utile.

—Le « négociateur » ? Il s'agit de Paulo ?

—Oui.

—Bon Dieu, Alicia. La dernière fois que ce gars-là s'est retrouvé à gérer une vraie prise d'otage, une petite fille de cinq ans a failli se faire tuer. Et lui, il a perdu la vue.

—Ce n'était pas de sa faute.

—Ça, c'est ton opinion.

—Oui, c'est mon opinion, et j'ai confiance en son jugement. Je ferai ce que je pourrai pour respecter tes souhaits. Je promets que Falcon ne saura même pas que je suis dans les parages, sauf si Vince pense que c'est absolument nécessaire.

—Non, il n'y a pas de *sauf si* qui tienne. Tu ne dois pas parler à ce cinglé.

Le ton désespéré de la voix de son père surprit Alicia. C'était à la limite de l'irrationnel — en tout cas cela n'avait rien de raisonnable.

—Je suis désolée, mais je ne peux pas te promettre ça.

Elle n'entendit que du silence à l'autre bout de la ligne.

—*Papi*, ça va ?

—Oui. Ça va.

—On se comprend ?

Il émit un son à mi-chemin entre le soupir et le grognement.

—Ça m'embête de devoir te rappeler ça, ma chérie, mais à l'époque où tu as commencé à sortir avec Vince, il y a un an, tu me répétais souvent à quel point tu t'inquiétais pour lui. Tu étais la première à dire qu'on ne pouvait pas compter sur lui pour respecter les règles.

—Ce n'est pas ça qui lui a valu son accident.

—Peut-être que non. Mais peut-être que oui. Je ne veux pas qu'il t'arrive la même chose, c'est tout. Tu peux comprendre ça ?

—Oui. Parfaitement. Mais toi aussi tu dois comprendre mon point de vue.

—Je sais. Fais ce que tu as à faire.

—Merci. Compte sur moi.

—Alors compte sur moi aussi.

—Compter sur toi pour faire quoi ?

Alicia n'était pas sûre de ce qu'il voulait dire.

—Rien. Je t'aime.

Il lui dit au revoir et raccrocha.

Quatre heures du matin. Si la nuit s'était déroulée comme prévu, Jack aurait été au lit à l'heure actuelle, se contentant de rêver des Bahamas ou d'un autre petit bout de paradis, cependant que Theo serait tout juste en train de sortir d'une boîte de South Beach. Au lieu de cela, Jack entamait sa vingt-deuxième heure sans sommeil, et il faisait un rapport téléphonique à un négociateur de prise d'otages depuis le commissariat de police de Nassau.

—Qu'est-ce qui est arrivé à ces billets ? demanda Paulo.

Danen, le policier de Miami, avait expliqué à Paulo que l'argent avait disparu. Danen et Jack s'étaient mis en mode conférence et avaient enclenché le haut-parleur du téléphone, car le temps pressait, et Paulo voulait un compte rendu intégral des événements. Jack se pencha plus près de l'appareil posé sur le bureau :

–Quelqu'un nous a devancés de deux jours. La banque ne veut pas nous donner de nom à cause des lois garantissant le secret bancaire. Mais qui que soit cette personne, elle n'a rien laissé.

–Vous avez une procuration que vous a signée votre client. Vous avez le droit de savoir qui a ouvert ce coffre, non ?

–En attendant que ses avocats sortent du lit et lui conseillent une autre ligne de conduite, la banque soutient que cette procuration se limite au droit d'accès au coffre. Le document ne m'autorise pas à obtenir des informations protégées par le secret bancaire.

–Vous n'êtes pas en train de me mener en bateau, j'espère ?

–Absolument pas. Demandez à votre homme, si vous ne me croyez pas. Il ne m'a pas quitté d'une semelle, à aucun moment. Nous avons ouvert le coffre, et il n'y avait rien à l'intérieur. Sauf un mot.

–Un mot ? Qu'est-ce qu'il disait ?

Jack le lui dit, et Paulo demanda :

–Qu'est-ce que c'est censé vouloir dire ?

–API, dit Jack.

–API ?

–Désolé. C'est une expression de Theo : « aucune idée ».

Plus exactement : « aucune putain d'idée », songea Jack qui préférait rester poli.

–Est-ce que la banque vous a laissé prendre ce mot ? demanda Paulo.

–Je n'ai pas demandé la permission. Je suis parti avec.

Ça encore, c'est du Theo, se dit Jack.

–Bien. Danen, assurez-vous qu'il ne le contamine pas. Il va nous falloir vérifier s'il y a des empreintes.

–Je ne vous ai pas attendu, dit le flic de Miami. La police des Bahamas a prélevé une empreinte de pouce sur le dessus et celle d'un index à l'arrière. Nous avons scanné ces empreintes et les avons envoyées au FBI ainsi qu'à Interpol depuis le commissariat, ici à Nassau. Tout est en train d'être vérifié.

– Parfait, mais cela ne donnera peut-être rien. Alors maintenons la pression sur la banque pour qu'elle nous lâche un nom. Faut-il qu'on demande l'aide du FBI ?

– Uniquement si on veut tout foutre en l'air, dit Danen.

Jack ne fit pas de commentaire, mais les rivalités au sein des forces de l'ordre avaient tendance à lui rappeler les sempiternels conflits de voisinage. Et dire que c'étaient les avocats qui avaient la réputation d'avoir des ego surdimensionnés...

– Alors on en est où, exactement ? demanda Paulo.

– La seule chose que la banque veut bien confirmer est que quelqu'un a eu accès au coffre entre quinze heures et quinze heures trente jeudi dernier, dit Danen. Peut-être que j'arriverai à débloquer la situation dans la matinée, mais au beau milieu de la nuit nous n'avons pas les moyens de lancer un processus qui permettrait de passer outre les lois protégeant le secret bancaire aux Bahamas.

– Est-ce qu'ils savent que nous devons faire face à une prise d'otages ici ?

– Bien sûr. Mais aucune banque offshore ne peut se permettre qu'on lui colle la réputation de dévoiler ses registres secrets chaque fois que les autorités américaines débarquent en pleine nuit en criant qu'il s'agit d'une urgence.

– Surtout s'il y a maldonne, dit Jack.

– Qu'est-ce que vous voulez dire ? demanda Paulo.

– J'ai un jour représenté une femme qui attaquait une banque des îles Caïman. La banque en question avait permis à son ex-mari d'accéder au coffre de ma cliente. Cet enfoiré était reparti avec environ un demi-million de dollars de bijoux qui ne lui appartenaient pas. Il s'est avéré que quelqu'un de la maison était dans le coup : un employé de la banque a ouvert le coffre à l'ex-mari alors que la femme l'avait fait rayer de la liste des personnes autorisées bien avant le divorce. Mais il revenait à ma cliente de prouver qu'il y avait autant de bijoux dans le coffre. Ce qui nous était impossible, bien sûr. Les jurés nous ont quand même accordé vingt-cinq mille dollars parce qu'ils se rendaient bien compte que quelque chose clochait. J'imagine que les employés de la banque ont fêté Noël en grande pompe cette année-là.

—Vous pensez qu'il a pu se passer quelque chose du même genre ici ?

—Je n'en sais rien, dit Jack. Mais d'après mon expérience des îles Caïman, la banque ne va rien nous dire avant qu'ils aient mis en place leur propre défense légale.

Silence sur la ligne. Puis Paulo reprit :

—Combien de temps avant que le laboratoire vous dise s'ils ont trouvé des empreintes ?

—Peut-être qu'on le saura dans l'heure, répondit Danen.

—Bien. Restez à Nassau et faites le nécessaire dans la matinée pour que les choses avancent avec la banque.

—Vous voulez que je reste ici, moi aussi ? demanda Jack.

—Non, dit Paulo. Il faut que je lance le dialogue avec Falcon. C'est bien trop calme dans cette chambre de motel, alors je vais l'appeler dès qu'on aura raccroché.

—Faites attention, s'inquiéta Jack. Plus vous lui parlerez, plus la batterie du portable de Theo se videra. Et Falcon nous a dit ce qui se passera quand il n'aura plus de batterie...

—Je sais. Mais j'ai attendu le plus longtemps possible. Il faut que je lui parle, ne serait-ce que pour éviter qu'il perde les pédales. Il faut au moins que je puisse le rassurer, lui dire que vous êtes en train de revenir de la banque.

—D'accord, dit Jack. Je serai de retour sur place avant le lever du soleil.

24

THEO DEMEURAIT AU SOL, la joue plaquée contre la moquette. Il avait très mal à la tête à cause du coup que lui avait flanqué Falcon.

Cela faisait une bonne demi-heure que Falcon avait ôté la taie d'oreiller sur la tête de la fille, mais sa respiration restait rapide et peu profonde. Il semblait qu'elle n'arrivait tout simplement pas à inhaler suffisamment d'air. Cela pouvait être une conséquence de la peur – du moins c'est ce que Theo espérait. Ce n'était ni le moment ni le lieu pour faire face à une véritable urgence médicale.

Theo avait toujours les yeux fixés sur ces chaussures dans la salle de bains. À une ou deux occasions, il les avait vues légèrement remuer, mais la personne derrière la porte réussissait merveilleusement bien à rester immobile et silencieuse. Theo se demandait s'il devait essayer d'entrer en contact avec lui – il supposait qu'il s'agissait d'un « lui », les chaussures semblaient être des chaussures d'homme.

Falcon continuait de faire les cent pas, furieusement, creusant quasiment un sentier dans la moquette. S'il s'était assis ne serait-ce qu'un moment, ou s'était posté près de la fenêtre, Theo en aurait profité pour glisser un murmure sous la porte de la salle de bains : « Tapez du pied une fois si vous êtes seul. Tapez deux fois si vous avez un flingue. » Theo n'était pas du genre à attendre patiemment que quelqu'un

vienne régler ses problèmes. Mais s'il devait prendre une initiative contre Falcon, il fallait qu'il sache qui était de son côté,
si la personne allait pouvoir l'aider ou allait seulement le
gêner. À l'heure actuelle, Theo devait se contenter d'attendre
qu'une occasion se présente.

— Tu ferais bien de te détendre un peu, dit Theo à son
ravisseur.

Falcon ne lui prêtait aucune attention. Ses lèvres remuaient
frénétiquement. Il était plongé en plein monologue, répétant
peut-être ce qu'il comptait dire à la police, à moins qu'il ne
soit en train de se défendre contre les démons dans sa tête.

— Calme-toi une seconde, mec, répéta Theo.

Falcon s'arrêta, baissa les yeux vers lui et visa son genou
avec le pistolet.

— Interromps-moi encore une fois et tu feras sonner les
détecteurs de métaux pendant le restant de tes jours. T'as pigé ?

Si Theo s'était trouvé ne serait-ce que trente centimètres
plus près, il aurait crocheté Falcon derrière le genou et l'aurait
fait chuter. Mais ensuite, quoi ? Theo avait les mains attachées
derrière le dos, la fille à côté de lui était ligotée, et il n'avait
aucun moyen de savoir si le type caché dans la salle de bains
sortirait pour les aider ou resterait tranquillement assis pendant que Falcon les abattait.

— Ouais, dit Theo, j'ai compris.

— Bien. Maintenant lève-toi.

Theo ne bougea pas. Il était écœuré à l'idée de perdre toute
chance de communiquer avec l'homme derrière la porte.

— Lève-toi tout de suite ! Et adosse-toi au mur, à côté de
la fille.

Lentement, il lui obéit. C'était aussi bien comme ça,
après tout. Theo avait vu suffisamment de séries policières à la
télé pour savoir que les deux étapes les plus dangereuses pour
les otages sont le départ – lorsque la situation se met en place –
et, plus tard, quand quelqu'un essayait de s'échapper. Exactement comme en matière d'aviation : quatre-vingt-dix-neuf
pour cent des accidents avaient lieu au décollage ou à l'atter-

rissage. Ils avaient survécu au décollage, pour ainsi dire. Accompli la moitié du chemin. Theo avait besoin d'élaborer un plan d'action, pas de lancer une attaque réflexe, s'il voulait s'assurer un atterrissage en douceur. Si la porte de la salle de bains s'ouvrait avant que Theo ait défini une stratégie, on aurait du mal à éviter la catastrophe.

– J'ai envie de faire pipi, geignit la fille.

– Retiens-toi, dit Falcon.

Sans blague, croise les jambes, pensa Theo.

– Je peux pas. Ça fait déjà deux heures que j'ai envie. S'il vous plaît, laissez-moi aller aux toilettes.

Falcon grimaça.

– OK, je vais te laisser utiliser les WC. Mais si tu tentes quoi que ce soit, ajouta-t-il en pointant son pistolet vers la tête de Theo, je bute le Noir. *Comprende ?*

Elle hocha la tête.

Merveilleux, pensa Theo. *Absolument merveilleux.*

Le téléphone sonna. Theo reconnut la sonnerie de son portable – mais il était dans la poche de Falcon. Celui-ci se figea. Le téléphone continua de vibrer. Troisième sonnerie. Quatrième sonnerie.

– Tu comptes pas répondre ? demanda Theo.

Cinquième sonnerie. Sixième. Suivie par un petit carillon indiquant que l'appel était transféré vers la messagerie. Falcon était immobile, comme paralysé par l'indécision.

À l'avant de la pièce, l'espace au-dessus des rideaux s'éclaira brutalement. Les policiers venaient d'allumer un projecteur sur le parking. Theo entendit le grondement électrique d'un haut-parleur qu'on mettait en marche, puis une voix amplifiée qui avait presque l'air artificielle.

– Falcon, c'est moi. Vince Paulo. Je vais à nouveau composer le numéro du portable. Décrochez, s'il vous plaît.

Il y eut un silence total pendant trente secondes. Personne ne bougea.

Puis le téléphone se remit à sonner.

—S'il ne répond pas ce coup-ci, dit Chavez, il est temps qu'on se mette à réfléchir sérieusement à une intrusion.

Cela signifiait l'usage de la force pour pénétrer à l'intérieur de la chambre. Vince n'était pas prêt pour ça.

—Il va répondre, dit-il.

Il attendait dans le silence et la fraîcheur de la nuit, de précieuses secondes s'égrenant à chaque sonnerie qui retentissait sans qu'on y réponde. Au bout de la sixième, il entendit à nouveau la messagerie de Theo se déclencher. Vince raccrocha.

—Vous comptez continuer ce petit jeu-là indéfiniment ? demanda Chavez.

—Il est encore tôt. Je connais ce type. Il faut du temps avant qu'il se mette à parler.

—Et vous, vous pourrez garder l'esprit vif encore longtemps sans dormir ?

Cette question était justifiée, mais du coup Vince pensa à ses cachets. Il les avait laissés à la maison. Et même s'il en avait sur lui, il ne pourrait pas en prendre, étant donné que ceux-ci l'endormaient. Cela dit, on n'arrêtait pas les antidépresseurs du jour au lendemain. Il n'avait pas loupé une dose depuis qu'il avait commencé le traitement, il y a six mois. Une nuit sans cachet n'aurait probablement pas de conséquence. Mais qu'arriverait-il si cette prise d'otages se prolongeait sur deux ou trois jours ? Ou plus ?

—Je vous ferai signe quand il sera temps de changer d'approche, dit Vince.

—Il se peut qu'ils soient déjà tous morts là-dedans, dit Chavez. Je crois que vous devriez reprendre le haut-parleur, dire à ce type de répondre au téléphone sinon on entre.

—Laissons les menaces de côté pour l'instant, d'accord ?

Vince rappela encore. Cette fois-ci, il y eut trois sonneries... puis le silence sur la ligne. La main de Vince serra le téléphone un peu plus fort.

—Falcon, vous êtes là ?

Pas de réponse, mais quelqu'un avait bel et bien décroché.

—Falcon, c'est Vince Paulo.

—Qu'est-ce que vous voulez ?

Vince s'efforça de ne pas sembler trop content d'avoir enfin une réponse :

—Prendre de vos nouvelles, rien de plus. Tout va bien ?

—Bof. J'aurais préféré une vue sur la piscine, mais il faut pas être trop exigeant quand on débarque sans réservation.

De l'humour : c'était toujours bon signe. Les types qui s'apprêtaient à péter les plombs faisaient rarement des blagues.

—Vous avez faim ? demanda Vince.

—Je vis dans une bagnole, rappelez-vous, connard. Ça fait onze ans que j'ai faim.

—On pourrait vous apporter de quoi manger. Des hamburgers, ça vous dit ?

—Bonne idée.

—Combien il vous en faut ?

—Deux. Et des frites.

—Et pour les autres ?

—Ouais, apportez-en pour eux aussi.

—Alors combien de hamburgers au total ?

—J'en sais rien. Apportez-en deux de plus.

—Un pour chacun d'eux ?

—Ouais. Un chacun. Ça suffit.

Vince leva deux doigts à l'attention de ses collègues. Il venait de le confirmer : deux otages à l'intérieur, pas plus.

—D'accord, ça fait quatre hamburgers et des frites. Et j'ajoute des boissons en plus. Mais vous savez comment ça marche, Falcon. On a déjà vécu ça. Mon chef ne me laissera pas vous donner quelque chose en échange de rien.

—Je vous rembourserai. Dès que Swyteck m'aura apporté mon fric.

Vince devait se montrer très prudent. Tôt ou tard, il faudrait qu'ils évoquent la disparition de l'argent, mais cette négociation irait droit dans le mur si, dès le départ, Vince ne faisait pas comprendre à Falcon qu'il ne pouvait pas se servir de son avocat pour lui trouver du liquide et faire ses courses pour lui.

– Ce n'est pas un problème d'argent, Falcon. Pourquoi ne pas relâcher les otages ?

– Pourquoi ne pas arrêter de me faire chier ?

– Tout ça ne nous mène nulle part, Falcon. Je ne peux rien pour vous tant que vous menacerez la vie d'innocents.

– Je ne les relâcherai pas.

– Je comprends votre point de vue, mais laissez-moi vous dire les choses comme elles sont. Je n'essaie pas de vous menacer, seulement de vous décrire ce qui se passe ici, à l'extérieur. La police a encerclé le bâtiment. Il y a des agents de la police de Miami, et d'autres encore de la police du comté. Ils ont placé tout le quartier sous couvre-feu. Il n'y a aucune chance que vous puissiez vous faire la belle. Alors autant trouver tout de suite un terrain d'entente, d'accord ? Vous ne cherchez pas à vous échapper, je n'envoie pas les Swat. Ça vous va ?

Falcon ne répondit pas. Vince jugea que c'était bon signe, ce que n'aurait pas été un rejet immédiat ponctué d'un juron.

– D'après ce que je sais, vous détenez également une femme dans cette chambre. Je me trompe ?

Toujours pas de réponse.

– Pouvez-vous nous dire son nom ?

Vince patienta, vainement.

– Vous ne connaissez peut-être pas son nom. Vous pourriez éventuellement le lui demander, et nous le dire ensuite...

– Pas de problème, dit Falcon.

Le silence qui suivit dura suffisamment longtemps pour que Vince ose croire que son interlocuteur avait couvert le microphone du portable de sa main et interrogeait effectivement l'otage.

– Elle dit qu'elle s'appelle Amelia Earhart[1], et elle demande à parler à Geraldo[2].

---

1. NdT : née en 1897, morte en 1937, cette Américaine fut une pionnière de l'aviation.

2. NdT : présentateur d'un célèbre talk-show dans les années quatre-vingt et quatre-vingt-dix.

Geraldo ? se dit Vince. Ça devait faire longtemps que Falcon n'avait pas regardé la télé.

– Pas mal, comme blague, Falcon. Mais il est important que nous connaissions son nom.

– Je vous en ai assez dit.

– Oui, sans doute. Prenez quand même le temps de réfléchir à ce que je viens de vous dire. De songer à libérer ces otages. Vous marqueriez beaucoup de points si vous les laissiez partir, Falcon. Les juges apprécient quand on montre de la bonne volonté.

– Vous avez le culot de me parler de bonne volonté ! Vous m'aviez dit que, si je descendais du pont, je pourrais parler à Alicia Mendoza. C'est pas vraiment ce qui s'est passé, hein, Paulo ?

– Les choses se passeront différemment cette fois-ci.

– Sûrement pas. Vous m'avez menti et vous me mentirez encore.

Falcon perdait sa bonne humeur. Il fallait que Vince fasse revenir le type avec le sens de l'humour qui avait décroché tout à l'heure.

– Je ne vous mentirai pas.

– Ben voyons. Les menteurs mentent, et vous êtes un foutu menteur de merde !

– Falcon, ce n'est pas nécessaire...

– Apportez-moi à bouffer et arrêtez de me prendre pour un con.

– Je vous rappelle dès que vos hamburgers sont arrivés.

– Non, ne me rappelez *jamais*. Je ne veux pas recevoir d'appels de flics. La prochaine voix que j'entends a intérêt à être celle de Jack Swyteck me disant qu'il a mon fric.

– Et la nourriture ?

– Je veux mon *fric*, c'est tout.

– Calmez-vous, d'accord ?

– Ne me dites pas de me calmer ! C'est moi qui commande ici, pas vous !

– On peut régler le problème ensemble...

– Ensemble ? Mon cul !

– Vous détenez deux otages. Pourquoi ne pas en relâcher un ?

– Je ne relâche personne.

– Falcon, écoutez-moi. Laissez partir un des otages, et vous pourrez parler à Swyteck. Vous n'avez pas besoin de deux otages. Un vous suffit.

– C'est tout à fait vrai. Il me suffit d'un otage. Alors passez-moi Swyteck, et apportez-moi mon fric, sinon quelqu'un ici va rendre l'âme bien avant la batterie de ce téléphone.

Falcon coupa la communication. Vince ne voyait pas l'expression sur les visages qui l'entouraient, mais ce n'était pas nécessaire.

– Ça va ? demanda Chavez.

Vince sentit sa main trembler légèrement au moment où il posa le combiné.

– Oui, ça va.

– Et maintenant ?

– Je ne peux pas le rappeler tant que Swyteck n'est pas à côté de moi. Dès que son avion atterrit, il faut le ramener ici. De toute urgence.

25

—Je vous en prie, il faut que j'aille aux toilettes tout de suite.

Entendre sa co-otage se remettre à supplier décourageait Theo. La vue de Falcon pétant un plomb en pleine conversation téléphonique avec le négociateur aurait dû suffire pour que cette fille pense à autre chose qu'à sa vessie. Theo ne comprenait pas qu'elle puisse chercher à irriter Falcon à ce moment précis. Soit elle était vraiment stupide, soit elle avait *vraiment* envie d'aller aux toilettes. Ou peut-être, se dit-il soudain, qu'elle avait son propre plan d'action.

Elle était assise par terre, adossée au mur, juste à côté de lui. Il lui donnait dix-neuf ou vingt ans, mais elle était beaucoup trop maquillée, de sorte qu'il était impossible de le dire précisément. Ce qui était sûr, c'est qu'elle était hispanique, avec de jolis traits classiques, un visage en forme de cœur. Son accoutrement ne servait qu'à augmenter son sex-appeal. Les anneaux créoles dorés qui pendaient à ses oreilles mettaient en valeur sa peau olive et ses longs cheveux châtains. Sa poitrine n'était ni grosse ni petite, mais le soutien-gorge bonnet B qu'elle portait sous son chemisier très décolleté poussait ses seins l'un contre l'autre et les faisait remonter presque jusque sous son menton. Le rouge à lèvres foncé et le fard à paupières épais ne juraient pas avec la minijupe serrée, les talons noirs et les bas résille. Theo n'aimait pas juger les gens d'après leur allure, mais il savait qu'il n'était pas séquestré avec une nonne.

– Il faut que j'y aille, dit-elle. Il faut que j'y aille *maintenant* !

– La ferme ! cria Falcon. Personne ne va nulle part.

– Je veux dire aux toilettes.

Falcon ne sembla pas entendre la réplique de la fille. Il avait le regard vide, comme si une partie de lui venait de se renfermer sur elle-même.

– Tu ne dois pas boire maintenant.

– Je ne veux pas boire. Je veux aller aux WC.

– C'est trop tôt.

– Dans trente secondes, il sera trop *tard* !

– Si tu bois maintenant, tu vas mourir.

La jeune femme et Theo échangèrent des regards confus. Falcon parlait à la fille comme s'il s'adressait à quelqu'un d'autre, dans d'autres circonstances.

– De quoi vous parlez ? demanda-t-elle d'une voix prudente.

Falcon se remit à faire les cent pas – rien à voir avec le déplacement lent et mesuré d'un homme en pleine contemplation, mais des allers-retours d'un bout à l'autre de la pièce effectués avec frénésie et colère.

– La ferme, la ferme putain !

Il giflait son oreille gauche d'une main et serrait son pistolet de l'autre. Theo ne l'avait encore jamais vu aussi agité depuis le début de la prise d'otages. Ni lui ni la jeune femme ne disaient mot.

– Arrête de geindre, bon sang, dit Falcon. Demande au docteur. Il te le dira. Si tu bois de l'eau maintenant, tu crèveras. Tu m'entends ? Tu veux mourir ? C'est ça que tu veux ?

Ils n'étaient pas sûrs que Falcon attende véritablement une réponse, alors ils gardaient le silence.

– Réponds-moi ! C'est ça que tu veux ?

La fille se blottit contre le mur, comme si elle espérait disparaître. La situation était bien assez effrayante comme ça, et le ton de Falcon semblait être plus qu'elle ne pouvait supporter.

—Laisse-la tranquille, intervint Theo.

—Qu'est-ce que tu m'as dit ? demanda sèchement Falcon.

—J'ai dit : laisse-la tranquille.

— *¿ Qué es su número ?*

—Hein ?

— *¿ Qué es su número ?*

—Je parle pas espagnol, mec.

Remuant à peine les lèvres, la jeune Hispanique murmura à Theo :

—Il veut savoir votre numéro.

—Quel numéro ? Mon numéro de téléphone ?

—Non, non ! cria Falcon. *Su número !*

—Je sais pas de quoi tu parles, mon vieux.

Les yeux de Falcon s'emplirent de rage. Il pointa le pistolet vers la fille.

—Tu veux que je flingue cette salope ? C'est ça ?

—Je veux pas que tu flingues qui que ce soit.

—Alors pourquoi tu me forces à faire ça ? *Pourquoi ?*

—Personne te force à rien faire. Tout le monde est cool.

—Je m'en fous que t'aies soif. Tu veux vraiment mourir, c'est ça ?

—Ça va, mec, dit Theo, je suis cool. Personne ici ne veut mourir.

—Parce que lui donner de l'eau maintenant, ce serait comme de presser cette gâchette et envoyer une balle entre ses deux yeux. Tu comprends ce que je dis.

Falcon aurait pu tout aussi bien être encore en train de parler en espagnol. Ou en chinois.

—Je comprends très bien. Y a pas de souci. On fait les choses comme tu dis, ça va pour nous.

—Peut-être que tu préférerais être mort. Hein ? Tu penses que ça irait mieux si tu étais mort ?

—Je te propose un truc, dit Theo. On laisse tomber l'eau, les WC, et tout le reste qui t'a foutu en rogne. On oublie tout ce qu'elle a dit. Ça marche, boss ?

Falcon continuait de tourner en rond. Un mélange de tension et de confusion flottait dans la pièce et, dans ces circonstances éprouvantes, il aurait été difficile de lire une expression sur les différents visages. Même Sigmund Freud n'aurait pas pu déchiffrer le mystère Falcon, comprendre les raisons de sa crise de nerfs. Falcon avait-il entendu ce que les autres lui avaient dit et simplement mal interprété leurs paroles ? Ou le son de leur voix avait-il déclenché d'autres voix, entièrement différentes, beaucoup plus lointaines, dans sa tête ? Theo n'aurait su dire.

Falcon s'écarta d'eux, secouant la tête de dégoût.

—Tu sais quoi ? Vas-y, bois cette putain d'eau. J'en ai rien à foutre.

Il se remit à marcher. Theo croisa le regard de la jeune femme à côté de lui ; ils parvinrent à une entente silencieuse. La situation était périlleuse, et elle ne faisait qu'empirer. Ils ne pouvaient attendre sans rien faire que les secours arrivent. Ils devaient tenter quelque chose pour se sortir de là eux-mêmes.

Il fallait qu'ils rallient à leur cause l'homme dans la salle de bains.

—Comment tu t'appelles ? murmura Theo.

—Natalia.

—OK, Natalia. Est-ce que ton pote dans la salle de bains a un flingue ?

Falcon fit volte-face et se dirigea vers eux. Elle attendit qu'il ait traversé la pièce, fasse à nouveau demi-tour et s'éloigne d'eux. Dès qu'il eut le dos tourné, elle se pencha plus près de Theo et murmura d'une voix tremblante :

—En tout cas, je l'espère.

La porte du poste de commande mobile de la police s'ouvrit. Les pas étaient trop lourds pour être ceux d'Alicia. Paulo se tourna en direction du bruit qui approchait. Aveugle depuis plus de six mois — et pourtant il cherchait toujours à faire face à ce qui le surprenait, comme s'il allait pouvoir le voir. Il se demandait si cet instinct finirait un jour par disparaître complètement.

— Chavez ? demanda Paulo.

— Ouais, c'est moi. J'ai Daden à l'autre bout de la ligne, depuis Nassau. Il a besoin de vous parler.

Il glissa le portable dans la main de Paulo qui eut une poussée d'adrénaline. Il avait besoin d'un nouvel angle d'attaque avec Falcon, et il espérait que Daden et les Bahamas pourraient le lui fournir.

— Qu'est-ce que vous avez pour moi ? demanda-t-il.

On sentait l'urgence et l'excitation dans la voix de Daden :

— On vient de recevoir le rapport d'analyse des empreintes sur le mot qui était dans le coffre. Ils ont trouvé une correspondance.

— À qui appartient cette empreinte ?

— Malheureusement, on n'a pas de nom.

— Vous venez de dire qu'il y avait une correspondance...

— Oui, c'est bien le cas.

— Alors de qui s'agit-il ?

— La semaine dernière, quand le labo a prélevé une empreinte inconnue sur le poudrier de l'agent Mendoza, ils l'ont enregistrée dans la base de données du FBI. Eh bien c'est cette empreinte-là qui correspond.

— Attendez une seconde, dit Paulo. Vous êtes en train de me dire que la personne qui a volé le sac d'Alicia dans ce bar à Coral Gables est la même que celle qui a pris l'argent dans le coffre de Falcon aux Bahamas.

— Ce n'est pas moi qui le dis. C'est l'empreinte.

Paulo réfléchit : se pouvait-il qu'il y ait eu une quelconque erreur ? Non, il le savait bien.

— Les empreintes ne mentent pas, déclara-t-il.

— Non, mon cher. Elles ne mentent assurément pas.

26

Jack tint la promesse qu'il avait faite au sergent Paulo. Il était de retour à Miami avant l'aube – tout juste.

Cinq heures du matin, l'heure idéale pour faire amerrir un hydravion. Government Cut, le chenal que les hommes avaient creusé pour relier le port de Miami à l'Atlantique, était plat comme une vitre : pas de vagues, pas de sillages, pas de crétins qui, bière en main, frimaient dans leur bateau neuf en montrant surtout leur ignorance complète des règles de priorité. Jack avait réussi à dormir une heure durant le vol depuis Nassau ; pas assez pour qu'il se sente reposé, mais c'était mieux que rien. Ils se posèrent tellement en douceur – ou du moins Jack dormait si profondément – qu'il fallut que Zack trouve les mots justes pour le réveiller :

– Au feu !

Jack bondit hors de son siège aussi vite que – eh bien, qu'un homme fuyant un avion en flammes. Quand il reprit ses esprits, il vit que Zack lui souriait.

– C'était censé être drôle ? demanda Jack.

– Désolé, vieux. J'ai bien dû gueuler votre nom quinze fois, et vous continuiez à ronfler.

Jack aurait pu lui énumérer une douzaine de façons différentes de réveiller quelqu'un qui dormait profondément sans risquer de provoquer une crise cardiaque, mais il laissa tomber. Zack semblait être un de ces charmants adultes que le fait de tirer le slip de quelqu'un par-derrière ou de faire un lit de façon à ce que les pieds de la personne restent à l'air amusait encore beaucoup.

Ah, si Theo était là !

Une voiture de patrouille de la police de Miami attendait sur le quai. Jack monta à l'arrière et ils s'engagèrent directement sur Biscayne Boulevard, s'arrêtant au poste de contrôle de la circulation, puis continuèrent vers le nord.

Les premières ombres de l'aube s'étiraient à travers les rues que l'on avait évacuées. La présence policière avait fortement augmenté depuis le départ de Jack, bien plus que ce à quoi il se serait attendu. Toutes les rues transversales étaient fermées à la circulation. En renfort de la police du comté et de la ville, les policiers de l'État avaient eux aussi débarqué. Des tireurs d'élite étaient postés sur les toits. Des voitures de patrouille et des fourgonnettes de la Swat remplissaient le parking du fast-food qui tenait désormais lieu de centre de commande. Les hélicoptères de la police avaient remplacé ceux des médias. La nuit cédant la place au matin, des journalistes et quelques curieux commençaient à se grouper devant les barricades de la police sur Biscayne Boulevard.

Voir tout ce déploiement à une heure si matinale, ainsi que la foule agglutinée contre les barrières, fit ressurgir une image assez troublante à l'esprit de Jack. Il se souvint d'une certaine nuit d'automne au nord-est de la Floride, à l'extérieur de la prison d'État. Un groupe de manifestants – des pro ainsi que des anti-peine de mort – s'était assemblé lors d'une vigile qui avait duré la nuit entière. Ils se pressaient aussi près du portail de la prison que les agents de la police d'État le leur permettaient. Le brouillard froid semblait pris de remous, anticipant l'air chaud de la matinée, comme si le soleil naissant à l'horizon annonçait bien plus que le lever d'un jour nouveau. Theo Knight n'était qu'à une heure du rendez-vous que la chaise électrique lui avait fixé. Sa tête et ses chevilles avaient été rasées un peu avant pour assurer un contact parfait entre sa peau et les électrodes qui transmettraient une décharge de 2 500 volts à travers son corps. Jack lui avait déjà dit au revoir. Jamais il n'avait été aussi près de perdre Theo – bien plus près qu'un avocat ne devrait jamais l'être d'enterrer un client innocent. À l'époque, l'État avait fait tout ce qui était en son pouvoir pour mettre à mort Theo Knight. Le propre père de Jack – le gouverneur Harry Swyteck – avait même signé l'ordre d'exécution. Aujourd'hui, des années plus tard, à quelques pâtés de maisons du quartier où Theo, alors âgé de quinze ans, avait été arrêté pour meurtre, une armée de policiers avait été déployée pour *sauver* la vie de Theo. Le bourreau cette fois-ci n'était pas le père de Jack, mais un des clients de Jack. Un coupable s'apprêtant à exécuter un innocent. Les ironies s'accumulaient bien trop vite pour que Jack puisse toutes les assimiler. C'était comme cette expression cubaine qu'employait son *abuela* et dont lui, le petit-fils culturellement sous-doué, n'arrivait jamais à se rappeler exactement, mais qui signifiait ceci : « La vie est une route pleine de brusques virages. »

Jack se demandait si son client – son ami – réussirait une nouvelle fois à s'en sortir contre toute attente.

La voiture de patrouille passa devant le poste de commande sans s'arrêter. Jack se pencha en avant et cogna contre la grille métallique qui divisait l'intérieur du véhicule.

– On vient de le dépasser, dit Jack.

– Ce n'est pas notre premier arrêt, répondit le policier.

– Où est-ce qu'on va ?

Le flic ne se pressait pas pour répondre.

– Paulo a dit qu'il avait besoin de moi de toute urgence. Où est-ce que vous m'emmenez ?

– Le maire veut vous parler.

– À quel sujet ?

Le flic se taisait. Ils tournèrent dans une rue transversale et s'engagèrent à l'intérieur d'un garage couvert. La voiture s'arrêta. Le flic sortit et ouvrit la porte de Jack, qui descendit. Le policier hocha la tête en direction d'une berline bleu foncé garée à l'autre bout de la rangée. Les murs de béton renvoyaient l'écho du bruit des talons de Jack cependant qu'il s'approchait de la berline. Il n'était plus qu'à deux pas quand il entendit la voiture se déverrouiller électroniquement. La porte du passager s'ouvrit un peu, puis complètement, poussée de l'intérieur. Jack prit place sur le siège et referma la porte.

Raul Mendoza, le maire, était assis derrière le volant.

– Bonjour, Jack.

– Monsieur le maire, répondit-il d'un ton neutre.

Le maire posa un cigare pas encore allumé sur le tableau de bord. Le bout en avait été rongé – sûrement un moyen de calmer son stress.

– Notre conversation téléphonique, la semaine dernière, n'a pas été très probante. Je me suis dit qu'un contact plus personnel pourrait faciliter les choses.

– Ça dépend de ce que vous avez à me dire, répondit Jack.

Le maire prit le temps de peser ses propres paroles avant de continuer :

– Écoutez, dans cette histoire, vous et moi, nous sommes dans le même camp. Je pense que vous serez d'accord avec moi si je souligne quelques faits tout simples : premièrement, ce Falcon est un taré qui est parfaitement capable de tuer de sang-froid. Deuxièmement, il détient votre ami. Troisièmement, il veut ma fille.

– Il a demandé à lui parler ?

– Pas encore. Mais il le fera. Et quand ça arrivera, je veux votre parole que vous ne lui permettrez pas.

– En quoi est-ce qu'une telle chose dépend de moi ?

– Écoutez, ce n'est pas que la police de Miami ne sait pas garder de secrets, mais je suis quand même le maire. On me dit que Falcon veut parler avec vous. Et s'il joue le jeu et qu'il cède quelque chose en échange, ils accepteront de vous passer le téléphone.

– Ils veulent que ce soit moi qui négocie avec lui ?

– « Négocie » n'est peut-être pas le mot qui convient. Je suis sûr qu'on vous dictera ce que vous devrez dire, ou du moins qu'on vous le suggérera fortement. Mais oui, ils vous laisseront lui parler.

– D'accord, pourquoi pas.

Le maire lui fit un sourire sardonique. Il prit le cigare sur le tableau de bord et le planta dans le coin de sa bouche.

– C'est gentil de votre part, dit-il tout en agitant le cigare entre ses dents, mais je ne suis pas là pour vous encourager. Juste pour vous informer des règles de base. Mes règles.

– Vos règles ?

– Oui, dit-il avant de retirer le cigare de ses lèvres. Quand vous aurez Falcon au bout du fil, je suis sûr qu'il vous demandera de le laisser parler à Alicia. Peu importe l'envie que vous aurez d'apaiser ce type, peu importe ce que Paulo vous dira de lui dire. Même s'il menace de faire sauter la cervelle de votre ami ou de faire sauter tout le bâtiment, ne passez pas ce téléphone à ma fille. Un point c'est tout.

– Attendez une seconde. Comme je vous l'ai dit quand nous avons eu notre petite conversation téléphonique au sujet de la caution de Falcon, je compatis avec un père qui s'inquiète pour sa fille. Mais j'ai l'intention de faire ce que les négociateurs me diront.

– Vous voulez que votre ami se fasse tuer ?

– Non, bien sûr que non.

– Alors écoutez-moi. Vince Paulo a tellement de couilles qu'il croit que parler face à face avec un preneur d'otages est une bonne idée. C'est ce qu'il a fait la dernière fois, et ça lui a littéralement pété à la gueule. Maintenant qu'il est aveugle, il va avoir besoin de quelqu'un pour le prendre par le bras et le conduire dans un autre piège mortel. Je ne laisserai pas Alicia être ce quelqu'un.

– Ce n'est pas parce qu'elle parle à Falcon au téléphone qu'elle aura à le rencontrer pour une conversation en tête à tête.

– C'est la première étape. Il est clair que Falcon est obsédé par ma fille. Faut-il vous rappeler qu'il a volé son rouge à lèvres et qu'il lui a écrit cet e-mail de tordu : « C'est uniquement par amour que je vous recherche. »

– Vous devriez vous assurer de la validité de vos sources policières, monsieur le maire. Les flics ne sont pas si sûrs que Falcon soit à l'origine du rouge à lèvres volé, ni de l'e-mail.

– Vous niez que ce type en pince pour ma fille ?

Jack se souvint de sa première rencontre avec Falcon, du regard du SDF quand ils abordèrent le problème d'Alicia.

– Non, je ne le nie pas. Mais votre fille est agent de police, et si la laisser parler à Falcon peut permettre de faire libérer un otage, je suis pour. Je crois qu'il faut que nous fassions confiance aux négociateurs.

– Je ne fais confiance à *personne*, OK ? Est-ce que...

Il s'interrompit. Jack crut d'abord qu'il cherchait à maîtriser sa colère, mais il semblait s'agir d'une autre émotion.

– Est-ce que vous avez la moindre idée, reprit-il, de ce que c'est que de perdre...

Jack attendait qu'il termine, mais une fois encore le maire s'interrompit. Il regardait droit devant lui, vers son propre reflet dans le pare-brise, évitant de croiser le regard de Jack.

– Je ne parle pas de ça très souvent, poursuivit-il d'un ton solennel, mais la mère d'Alicia est ma seconde femme. J'avais été marié une fois avant, j'avais une autre fille.

Il marqua une pause, puis ajouta :

– Elle est morte à l'âge de huit ans.

– Je suis désolé.

– Le 16 septembre 1974. Isabel et sa mère se trouvaient dans une pâtisserie à Buenos Aires. Elles avaient fait des courses en ville, elles étaient chargées de sacs et de paquets. Elles avaient décidé de s'arrêter pour grignoter quelque chose de sucré avant de rentrer à la maison. Elles étaient assises au comptoir ; c'était une délicieuse journée entre une mère et sa fille.

Jack l'observait, mais le maire continuait de regarder à travers le pare-brise, fixant le vide.

– Et tout d'un coup...

Sa voix commença à trembler. Il dut avaler sa salive pour garder son calme.

– Tout d'un coup, il y eut une énorme explosion. Une bombe. Un terroriste, un cinglé, un fils de pute, avait décidé de faire sauter une agence bancaire juste à côté de promeneurs innocents. Vous arrivez à imaginer quelqu'un capable d'une chose pareille ?

Jack y arrivait, mais il aurait voulu que ce ne soit pas le cas.

– À peu près quarante bombes explosèrent à travers le pays rien que ce jour-là. Ma femme est morte sur place. Notre fille est morte à l'hôpital deux jours plus tard.

– Je ne savais pas. Je suis désolé.

Les deux hommes restaient assis en silence. Jack ne savait pas quoi dire. Aurait-il dû promettre de faire tout ce qui était en son pouvoir pour tenir Alicia à l'écart des négociations ? Ou le maire cherchait-il simplement à refermer de vieilles blessures, en essayant de se convaincre lui-même que, cette fois-ci, il faisait tout son possible pour protéger sa fille, même si les demandes qu'il adressait à Jack et ses craintes concernant Alicia n'étaient pas complètement raisonnables ? Finalement, il se pencha par-dessus l'appui-coude, tendit le bras devant le torse de Jack et agrippa la poignée de la portière du passager. L'intrusion dans son espace vital rendit Jack mal à l'aise.

– Laissez ma fille hors de tout ça, dit le maire en ouvrant la portière la portière pour qu'elle s'ouvre. Ou nous pourrions bien le regretter tous les deux.

Cela avait presque l'air d'une menace, mais la situation était trop délicate, trop ambiguë, pour que Jack puisse répliquer quoi que ce soit. Il hocha légèrement la tête, histoire d'offrir quelque chose à son interlocuteur, ne serait-ce que par empathie envers ce qui était arrivé à la famille Mendoza il y a un quart de siècle. Puis il descendit du véhicule et referma la portière.

Le moteur se mit à ronfler, et la voiture du maire quitta le garage.

27

Il faisait encore nuit à Nassau quand Riley rentra chez lui après son passage à la Greater Bahamian Bank & Trust Company. Il était épuisé, irrité et déterminé à s'accorder deux heures de sommeil avant son rendez-vous avec les avocats de la banque au sujet du problème du coffre. Il devait traiter avec des avocats bien plus souvent qu'il ne l'aurait souhaité. Concernant les banques offshore, la seule chose qui n'était pas un secret était que la réglementation sur le secret financier et les contestations auxquelles elle donnait lieu avaient rendu un tas d'avocats très riches.

Riley grimpa lentement les marches de sa maison de ville. L'énorme auvent tropical qui protégeait la pelouse devant la maison bloquait la lueur du lampadaire de la rue, et Riley avait négligé d'allumer l'éclairage extérieur avant de se précipiter hors de chez lui pour aller retrouver Swyteck et les autres à la banque. La porte n'était pas verrouillée – c'est ainsi qu'il l'avait laissée. On entendait parfois parler de crimes même aux Bahamas, mais la vie sur une île semblait encourager ses habitants à garder portes et fenêtres ouvertes, comme pour nier, ou au moins défier, l'existence du mal au paradis. Il pénétra dans l'entrée et appuya sur l'interrupteur. Aucune lampe ne s'alluma. Pas trop étonnant. Les coupures de courant faisaient partie de la routine dans son quartier. Il ferma la porte et attendit que ses yeux s'habituent à l'obscurité avant d'essayer de traverser la pièce. Il s'apprêtait à faire un premier pas quand, de l'autre côté de la pièce, il entendit le bruit caractéristique que fait un revolver qu'on arme.

– Pas un geste, Riley.

Il se figea. Cette voix lui était familière, mais il ne l'aurait peut-être pas reconnue si facilement s'il ne venait pas de passer la nuit à s'occuper du coffre 266.

– Eh bien, les nouvelles vont vite.

Il essayait de paraître décontracté, mais il n'arrivait pas à dissimuler son angoisse.

– Le monde est petit, Riley. Et cette île est minuscule.

– Absolument.

Les yeux de Riley s'accoutumaient à l'obscurité, mais l'homme n'était toujours qu'une ombre dans un recoin noir de la pièce. Non qu'il l'aurait reconnu. À chaque fois qu'il avait eu affaire à lui par le passé, il avait entendu sa voix, mais jamais vu son visage. En coupant l'électricité au niveau du disjoncteur, l'homme confirmait qu'il voulait que les choses continuent comme avant.

– J'ai entendu dire que quelqu'un a fini par vider le coffre 266, dit l'homme au revolver.

– C'est juste.

– Qui était-ce ?

– Je ne peux pas vous le dire.

L'homme laissa échapper un rire qui n'avait rien de sincère.

– Bonne réponse.

– C'est la seule que je peux vous donner.

– Ça me va, dit-il avant de durcir le ton : Tant que c'est cette réponse-là – et seulement celle-là – que vous donnez aussi à la police.

– Cela dépendra de la banque et de ses avocats.

– Mauvaise réponse.

Riley attendit qu'il poursuive, mais il n'y eut qu'un long silence qui le mit mal à l'aise. Divers scénarios se bousculaient dans son esprit, et aucun d'entre eux n'avait une fin heureuse.

Il ne pouvait échapper à la conclusion que l'agresseur se demandait seulement s'il devait l'abattre ici, dans son propre salon, ou bien l'emmener ailleurs pour en finir avec lui.

– Voici mon problème, finit par dire l'homme.

La gorge de Riley était sèche, et il dut se forcer pour répondre :

– Oui ?

– Les flics sont des enfoirés qui mettent leur nez partout. Si vous leur dites qui a pris l'argent du coffre, que pensez-vous que va être leur question suivante ?

– Je... Je n'en sais rien.

– Réfléchissez.

– J'ai un peu de mal à me concentrer en ce moment précis. Je suis désolé. Je suis sûr que les avocats de la banque auront une réponse.

– Qu'est-ce qu'on en a à foutre des avocats ? Vous leur demandez une réponse claire, ils vous en donnent six biaisées, et ils vous en facturent douze. Restons simples. Je vais vous donner la réponse, et vous me direz si vous êtes d'accord. Ça marche ?

Étant donné que l'autre tenait le revolver, il aurait difficilement pu objecter.

– Ça marche.

– Quand les policiers découvriront qui a pris l'argent, ils n'auront qu'une unique question : pour commencer, comment tout ce liquide a-t-il atterri dans ce coffre ?

Riley ne dit rien.

– Vous êtes d'accord ? demanda l'homme.

– Oui, répondit Riley, je suppose.

– Ne faites pas le timide avec moi. Vous êtes d'accord ou non ?

– Oui, je suis d'accord.

– Bien, voici un sujet sur lequel nous pouvons être d'accord : si la police remonte jusqu'à la source de cet argent, les choses iront très mal pour vous.

Riley resta silencieux.

– Vous êtes toujours d'accord avec moi ?

Il déglutit. Il voulait parler, mais sa bouche ne s'ouvrait pas. Il avait trop peur de donner la mauvaise réponse. L'homme reprit :

– J'ai besoin que vous soyez d'accord avec moi, mon ami. Parce que, si vous ne l'êtes pas, il va falloir que je vous tue, ici même, maintenant.

Riley s'entendait respirer. Il avait eu affaire à des types peu recommandables dans le temps. Le secret bancaire avait son côté obscur. Mais personne n'avait encore menacé sa vie, du moins pas d'un ton si tranquille. Il n'avait pas le moindre doute sur la détermination du personnage.

– D'accord, dit-il d'une voix étranglée.

– D'accord *quoi* ? demanda l'homme.

– Personne ne saura jamais d'où venait cet argent.

– Bonne réponse. Très bonne réponse.

Riley discerna la silhouette qui se levait de son fauteuil. Le visage était caché par l'obscurité, mais il réussit à distinguer la forme d'un revolver.

– Allongez-vous, dit l'homme. Face contre terre.

Riley entendit quelque part dans sa tête une voix le suppliant de résister. Il essaya de l'ignorer, mais l'avertissement se répétait sans cesse cependant qu'il s'étendait par terre et posait sa joue contre le tapis. L'homme s'approcha, et il sentit la vibration de chacun de ses pas lourds, puis il s'arrêta au-dessus de lui ; Riley ne voyait que le haut de ses chaussures.

Il s'imagina le revolver pointé directement à l'arrière de son crâne et, l'espace d'un instant, put voir les gros titres des journaux du lendemain : « Un banquier retrouvé mort chez lui, exécuté. »

– Comptez jusqu'à mille, à haute voix, dit l'homme. Ne songez même pas à vous relever avant d'avoir terminé.

Riley commença à compter.

– Trop vite. Ralentissez.

Il recommença. Un, deux, trois. L'homme s'éloigna. Neuf, dix, onze. La porte d'entrée s'ouvrit. Quinze, seize, dix-sept. Riley l'entendit se refermer. Il ne bougeait pas le moindre muscle, mais sa voix tremblait.

Il ne s'arrêta de compter qu'au moment où les premières lueurs du jour pénétrèrent à travers les persiennes en bois.

28

La vague de froid quittait Miami. Theo le sentait. L'atmosphère de la chambre devenait de plus en plus chaude, de plus en plus irrespirable à mesure que les minutes passaient. On y voyait plus clair, aussi. Quelques rayons de soleil s'infiltraient par-dessus les vieux rideaux et s'éparpillaient au sommet de la barricade formée par les meubles renversés et les matelas, telle l'aube sur la cime d'une montagne. Si Theo trouvait le moyen de ramper à travers la pièce et d'ouvrir les rideaux, les tireurs pourraient peut-être discerner l'intérieur de la pièce, et viser au-dessus du tas de meuble. Il supposait qu'il y avait des tireurs d'élite dehors. Ces types-là vivaient dans l'espoir de tirer sur quelque chose d'autre qu'une cible en carton sur un terrain d'entraînement. Tout ce dont ils avaient besoin, c'était d'une ouverture, que la tête de Falcon entre dans leur ligne de mire une seule fois. Et alors, le problème était réglé. Le tueur de flics serait mort. À moins qu'ils croient que c'était Theo qui avait tué ces agents de police. Enfin, Jack leur avait sûrement expliqué que le Noir ne faisait pas partie des méchants. Mais est-ce qu'ils l'avaient cru ? Ou avaient-ils pensé que l'avocat défendait simplement un ancien client ? Ils avaient dû se renseigner sur Theo, découvrir que Jack l'avait sauvé de la chaise électrique. Peu importe que l'ADN ait prouvé son innocence. Comme tous ceux qui prétendaient « connaître » le passé de Theo, ils supposeraient qu'il avait été relâché à cause d'un vice de forme, que son petit malin d'avocat avait bricolé un micmac légal qui avait réussi à impressionner un juge. Alors ils verraient un assassin dans leur ligne de mire et saisiraient leur chance de rendre justice – car mieux valait tard que jamais. Première balle pour Falcon, deuxième pour ce nègre de merde qui méritait la mort. Une erreur tragique. Quelle tristesse.

Calme-toi, se dit Theo. *Peut-être que le tireur est noir lui aussi.*

– Hé, monsieur, dit Natalia. Est-ce que vous allez enfin nous laisser aller aux toilettes ?

Falcon regarda dans sa direction. Apparemment, elle l'avait tiré de pensées très profondes, car il lui fallut un bon moment pour comprendre le sens de sa demande.

– Utiliser quoi ?

– Les toilettes, dit Theo. Ça fait six heures qu'on est assis ici.

Falcon se tenait derrière la porte d'entrée. Il colla son œil contre le judas et jeta un bref regard sur le parking, puis se retourna et s'approcha de Natalia.

– Elle d'abord.

– Ça va, dit-elle. Laissez-le y aller.

– La ferme ! Si je dis que tu y vas en premier, tu y vas en premier. Tu m'entends ?

Elle lança un regard anxieux en direction de Theo. Leurs voix portaient suffisamment pour être entendues jusque dans la salle de bains, et ils savaient tous les deux que ce serait la panique dès que Falcon ouvrirait cette porte. On ne pouvait guère parler d'effort coordonné, mais il était clair que Theo serait le plus efficace des deux de ce côté-ci de la porte.

– OK, dit-elle. J'y vais en premier.

Ils avaient tous les deux les mains attachées dans le dos, et Falcon avait lié leurs chevilles très fort avec des fils électriques qu'il avait arrachés aux lampes. Il s'agenouilla lentement, gardant son pistolet pointé vers le visage de Natalia. De sa main libre, il desserra le fil autour de ses chevilles suffisamment pour qu'elle puisse marcher. Puis il l'attrapa par les cheveux et la releva si violemment que sa tête se pencha sur le côté, sa joue reposant presque contre son épaule. Elle était coincée entre Falcon et le mur et il colla le pistolet sous son menton, canon pointé vers son cerveau.

— Ne tente surtout rien, dit-il.

— Ne vous inquiétez pas, ça ne risque pas.

Les vêtements de Natalia étaient serrés, et Falcon semblait apprécier que son corps soit tout contre le sien.

— Et la porte reste ouverte, ajouta-t-il.

— Quoi ? Vous allez me regarder faire pipi ?

Un sourire froid se forma sur les lèvres de Falcon.

— Ce n'est pas comme si tu n'en avais pas l'habitude, *jinitera*.

— Hé, fit Theo. C'est pas nécessaire de l'insulter.

— Je croyais que tu parlais pas l'espagnol, toi.

— Tu crois sérieusement qu'il y a un seul barman à Miami qui ne sait pas dire « prostituée » en espagnol ?

— Et toi, tu crois sérieusement que ça vaut le coup de se prendre une balle en essayant de défendre l'honneur de cette pute ?

Theo ne répondit pas. Falcon gardait le flingue pointé vers l'arrière de la tête de Natalia ; il la poussait en avant et la suivait pas à pas. Dans la perspective d'une éventuelle tentative d'évasion, la position de Falcon ne faciliterait pas les choses. Si l'ami de Natalia dans les WC avait effectivement une arme, il lui serait difficile de tirer sur Falcon sans risquer de la blesser ou même de la tuer.

Theo était toujours au sol. Adossé au mur, il n'était qu'à quelques pas de la salle de bains, et d'où il se trouvait il voyait bien la porte. Il s'était efforcé de desserrer les liens autour de ses poignets, sans faire beaucoup de progrès. Le fil autour de ses chevilles tenait tout aussi bien en place. Si quelque chose de bon allait se produire, ce serait grâce à Natalia et à son ami.

Les pas de la fille en direction de la porte étaient lents et mesurés, comme si elle prenait le temps de réfléchir à ses prochains gestes. Theo se demanda si l'homme à l'intérieur était prêt à faire face. Se tenait-il en position de tir, le pistolet armé ? Était-il bon tireur, ou bien les balles fuseraient-elles dans tous les sens ? Perdrait-il son sang-froid, se débinerait-il ? Avait-il même vraiment un pistolet ?

Falcon passa le bras devant Natalia et agrippa la poignée. Theo se tint prêt à se jeter en avant pour rouler au sol et le heurter si nécessaire. Falcon tourna la poignée et poussa la porte.

De l'obscurité surgit une forme blanche indistincte – comme un *linebacker* de foot américain se précipitant dans l'embrasure de la porte – accompagnée d'un cri si fort et si perçant que Theo en fut glacé et Falcon complètement désorienté. L'homme bondit hors de sa cachette et percuta Natalia, la poussant contre Falcon. Son élan les envoya tous trois valdinguer à travers le dressing. Falcon fut le premier à s'écraser contre le mur, suivi par Natalia, puis par son ami. L'impact combiné fit voler l'arme de la main de Falcon. Natalia donnait autant de coups de pied qu'elle pouvait et son ami enchaînait les coups de poing contre Falcon, cependant que le pistolet atterrissait sur le carrelage. Theo roula immédiatement vers l'arme, mais elle glissait dans la direction opposée. Il se retrouva emmêlé dans le combat rapproché que les deux autres menaient contre Falcon mais, du coin de l'œil, il remarqua une autre femme cachée dans la baignoire.

– Prenez le pistolet ! cria Theo.

Elle ne bougea pas. Il n'y avait pas de fenêtres dans la salle de bains, aucune source de lumière, aussi Theo avait du mal à la voir. Ses yeux parvenaient tout de même à percer la pénombre.

– Bon sang, cria-t-il, attrapez ce...

Falcon, d'un coup de botte, le frappa en pleine bouche et se releva d'un bond – il reprenait le contrôle. Il poussa brutalement Natalia sur le côté, saisit son ami par la chemise et cogna la tête de l'homme contre le mur. Le type s'affaissa comme une masse, étourdi, peut-être inconscient. Falcon se retourna vers sa droite et récupéra le pistolet au sol.

– Personne ne bouge !

Theo se figea. Natalia était par terre, le chemisier déchiré, un filet de sang coulant de son nez. Son ami respirait, semblait-il, mais il demeurait immobile face contre terre.

Falcon tremblait, de colère plus que de peur.

– Vous aviez prévu votre coup ! s'exclama-t-il. Je vous avais dit de ne rien tenter !

Theo lança un nouveau regard vers la baignoire. Il voyait la main de la femme qui reposait sur le bord, et le sommet de sa tête. *Allez, ma grande. C'est maintenant ou jamais.*

– Tu mériterais que je te tue ! cria Falcon en pointant le pistolet vers Natalia.

– Ne tirez pas, je vous en prie !

– Et pourquoi je devrais me retenir ?

– J'ai que dix-huit ans. S'il vous plaît, épargnez-moi.

Falcon respirait bruyamment, le regard fixé sur Natalia. Puis il dirigea le pistolet vers Theo.

– Alors reste plus que toi, le costaud.

– Je crois pas que tu veuilles vraiment faire ça, dit Theo.

– Oh, tu me connais pas très bien, ricana Falcon.

– Appuie sur cette gâchette, et les flics débarqueront en moins de deux secondes chrono.

– Qui a parlé de gâchette ?

Il glissa la main dans la poche de son manteau et en sortit un couteau à viande. Les SDF étaient souvent de véritables cuisines ambulantes. Theo se demanda ce qu'il avait d'autre dans ses poches. Un chargeur de rechange, peut-être ? Au cours de la bagarre, il était sûr d'avoir senti quelque chose sous l'épais manteau de Falcon. Ce dernier devait se douter que la police le cherchait après la découverte du corps dans le coffre de sa voiture. S'était-il préparé à cette confrontation ?

– De toute façon, les flics vont probablement arriver d'une minute à l'autre, essaya Theo.

– Bien tenté, dit Falcon.

Un grognement, puis une espèce de gargouillis s'échappè-rent de la salle de bains. Falcon et Theo lancèrent tous deux un regard vers la porte ouverte. La femme n'avait toujours pas bougé de la baignoire, et elle ne montra aucune réaction quand Falcon pointa son pistolet vers elle.

– Pas un geste ! hurla-t-il.

Mais la femme ne semblait avoir aucune velléité en ce sens. Il entra dans la salle de bains et alluma l'interrupteur. Rien ne se produisit. Il avait apparemment oublié que le cou-rant était coupé. Il fouilla encore une fois dans la poche de son manteau, sortit un briquet jetable et éclaira la pièce.

Ce n'est qu'à ce moment-là que Theo remarqua le sang.

Falcon poussa un cri dont la source était plus profonde que le simple choc, que la peur, un cri bien plus terrible que le hurlement le plus insoutenable d'un animal blessé à mort. Ce cri dura une bonne dizaine de secondes, et quand il s'arrêta pour reprendre son souffle, il claqua la porte et s'éloigna à reculons, à pas incertains et tremblants.

Il fixait la porte des yeux, pointant son pistolet comme s'il s'attendait à la voir s'ouvrir à tout moment. Rien ne se pro-duisit. Il n'y avait plus un bruit. Falcon finit par lever le poing et par s'écrier en direction de la salle de bains, s'écrier le plus fort possible :

– Non, bon sang, non ! Pas *toi* encore !

29

Vince Paulo se trouvait au poste de commandement mobile quand il entendit un grésillement radio dans son oreillette, suivi par la voix excitée d'un des agents de police en position devant la chambre du motel.

– Il me semble que nous venons d'entendre un cri à l'intérieur de la chambre, sergent.

Vince appuya sur son microphone.

– Vous en êtes sûr ?

– Oui. Je l'ai entendu, et Jonesy dit que lui aussi.

– Homme ou femme ?

– Un homme, je crois.

Vince appuya à nouveau sur son micro et appela son spécialiste audio.

– Bolton, vous arrivez à capter quelque chose là-dedans ?

Elle mit un moment à répondre, et Vince s'imagina qu'elle ajustait ses contrôles, essayant d'obtenir une meilleure retransmission.

– On dirait qu'il y a une sorte de dispute, monsieur.

– Vous avez la vidéo ?

– Négatif. Quand la voiture de Swyteck s'est plantée dans le bâtiment, elle a écrasé les conduits d'aération qui mènent à la chambre. Il n'y a aucun endroit où glisser la ligne de transmission. Notre équipe technique a placé ces appareils d'écoute aussi près que possible, mais tant que nous n'avons pas le feu vert pour entrer dans la chambre d'à côté et installer quelque chose sur le mur mitoyen, on n'obtiendra rien de satisfaisant.

– Vous arrivez à isoler quelque chose ?

– J'ai essayé de filtrer les bruits de fond, mais je n'ai obtenu qu'une sorte de son strident. Si les agents sur place pensent que c'était le cri d'un homme, je n'ai aucune raison d'en douter.

– Ça marche, merci, dit Vince.

– S'il torture les otages, intervint Chavez, il faut qu'on entre.

Vince décrocha le téléphone et composa le numéro.

– S'il ne répond pas, on entre.

Falcon regardait fixement le portable au sol comme s'il s'agissait d'un petit animal extraterrestre. Il sonna une seconde fois, puis une troisième.

– Tu ferais mieux de répondre, dit Theo.

– Chut !

Le portable sonna encore deux fois. Personne ne bougeait. Puis, à la sixième sonnerie, Falcon bondit comme un chat, l'attrapa et appuya sur le bouton.

– Swyteck ? murmura-t-il d'une voix rauque.

– Ici Vince Paulo.

– Je vous ai dit que je ne voulais plus parler à des flics.

Sa colère était palpable, malgré son murmure.

– Nous avons entendu un cri. Tout va bien dans cette chambre ?

– Où est Swyteck ?

– Pourquoi murmurez-vous ?

Falcon mordait sa lèvre inférieure, grimaçant comme un homme qui souffre.

– Dites-moi où est Swyteck ?

– Il est en chemin, il revient de la banque. Il va arriver dans quelques minutes. Mais, comme je viens de le dire, nous avons entendu crier, Falcon. On aurait dit un homme. Je dois entendre la voix de Theo Knight, m'assurer qu'il va bien.

– Il va bien.

– Il y a des types ici que ça démange d'enfoncer la porte de cette chambre, Falcon. Alors aidez-moi. Il faut que j'entende sa voix.

Falcon grinça des dents, puis s'approcha de Theo, qui était encore assis par terre. S'agenouillant face à lui, il lui mit le pistolet contre l'oreille gauche, et le portable contre la droite.

– Dis quelque chose.

– Il y a deux autres...

Falcon le frappa avec la crosse du pistolet et écarta le téléphone avant que Theo ait pu en dire plus.

– Pas si fort, dit Falcon en rapprochant le téléphone de son oreille.

Il était furieux mais continuait de murmurer.

– Falcon, avez-vous deux autres otages ? demanda Paulo.

– Je veux parler à Swyteck.

– Pourquoi murmurez-vous ?

– Parce qu'elle est là. Dans la salle de bains.

– Qui est dans la salle de bains ?

– C'est elle. Je sais que c'est elle.

– De qui s'agit-il ?

– Je ne peux pas m'en débarrasser !

– Falcon, respirez un grand coup et dites-moi qui d'autre est avec vous dans cette chambre.

Falcon faisait les cent pas comme un forcené, mais il posait le pied plus doucement par terre, attentif à ne pas faire trop de bruit.

– Elle est toujours là. Partout où je vais, elle me suit.

– Qui ?

– Elle vient jusqu'au fleuve. Elle vient jusqu'à chez moi. Elle s'assied sur ma caisse de lait. Elle ne s'en ira pas, elle ne s'en ira jamais ! Je lui massacre la gueule avec un tuyau et je la fous dans le coffre de ma voiture, et elle revient encore ! Elle est là, dans la salle de bains !

– Falcon, expliquez-moi de qui vous parlez.

Falcon entoura le portable de sa main, de façon à ce que personne dans la chambre ne puisse entendre. Son murmure n'en était que plus rauque :

– Il faut que je dise quelque chose à Swyteck.

– Pas de problème. Dites-le moi et je transmettrai.

– Dites-lui... dites-lui d'abord que je veux mon fric.

– D'accord. Il ne ménage pas ses efforts pour vous le rapporter. Il y a autre chose ?

– Oui, dit-il en lançant un regard anxieux vers la porte de la salle de bains. Dites-lui que j'ai vraiment, vraiment *besoin* de mon putain de collier.

Il replia le téléphone, coupant ainsi la ligne.

30

Jack était à la recherche de Bushman.

Que Falcon demande son collier avait rendu le sergent Paulo perplexe. Jack, cependant, savait exactement de quoi parlait son client. Celui-ci voulait le collier de perles en métal sur lequel avait été accrochée la clé du coffre de Falcon à la Greater Bahamian Bank & Trust Company. Le problème, c'était que la dernière fois que Jack avait vu ce collier, il se trouvait autour du cou d'un Jamaïquain sans-abri et extrêmement paranoïaque du nom de Bushman.

— Est-ce que vous reconnaîtriez Bushman si vous le voyiez à nouveau ? avait demandé Paulo.

— Oui. À mon avis, il vit le long de la rivière, sans doute pas trop loin de la voiture de Falcon. Si quelqu'un peut me conduire là-bas, je le trouverai.

— Je vous y amène, avait dit Alicia.

Jack n'avait encore raconté à personne sa conversation privée avec le père d'Alicia, mais il en restait que l'idée d'éloigner la fille du maire du poste de commande et du négociateur en chef lui semblait bonne.

— Parfait. Allons-y.

Ils prirent la voiture personnelle d'Alicia, de sorte qu'elle dut montrer son badge pour sortir du périmètre fermé à la circulation. Ils suivirent Miami Avenue en direction du sud et du fleuve. Ils se garèrent devant un horodateur près de Tobacco

Road, le plus vieux bar de Miami, où Theo avait à de nombreuses reprises soufflé dans son saxophone jusqu'au petit matin. Jack ne cherchait pas les souvenirs, mais il était étonnant de constater à quel point la pensée de perdre un ami vous menait à le voir partout et dans toute chose.

—À quoi il ressemble, ce Bushman ? demanda Alicia tandis qu'ils marchaient le long de la rive nord du fleuve.

—La chose dont je me souviens plus particulièrement, c'est qu'il avait quatre ou cinq kilomètres de dreadlocks entassés sous son bonnet en laine, et cette espèce de masse au sommet de son crâne était empaquetée dans du papier alu. Ça m'a fait penser à du Jiffy Pop.

—Du quoi ?

—Vous vous souvenez de l'époque avant le pop-corn micro-ondable, quand on le faisait chauffer sur la plaque de cuisson dans un petit sachet qui ressemblait à un moule à tarte ? Lorsque les grains de maïs explosaient, le sachet se déployait comme un gros ballon en aluminium ? Eh bien, c'est à ça que ressemble la tête de Bushman.

—Ils ont inventé le pop-corn avant le micro-ondes ?

Jack s'apprêtait à répondre quand il remarqua le petit sourire qui signalait qu'elle le faisait marcher. *Rien de tel que de se faire prendre pour un vieux par une jeune et jolie fliquette.*

Jack contourna un tas de métal rouillé qui semblait avoir fait partie d'une vieille péniche.

—Votre père m'a mis le grappin dessus avant que je rejoigne le poste de commande ce matin. Il voulait me parler.

Alicia lui lança un regard hésitant.

—De quoi ?

—Ça l'inquiète beaucoup que vous puissiez prendre une part trop active à la négociation. Il m'a fait promettre, au cas où je parlerais à Falcon, de ne pas ne serait-ce que prononcer votre nom.

—Mon père me veut du bien. Mais vous devez faire tout ce que le sergent Paulo vous suggérera.

Ils continuaient de marcher. Le sentier était plat, mais les monceaux de déchets le long du fleuve devenaient de plus en plus imposants. Avec la prise d'otages qui se déroulait en ce moment même au motel, Jack avait le sentiment qu'il lui aurait fallu courir pour retrouver Bushman, mais il devait faire attention à chaque pas à cause de tous les bouts de métal tordus qui jonchaient la rive.

— Qu'est-ce que vous pouvez me dire sur Paulo ?

— C'est un excellent négociateur.

— Vous le connaissez bien ?

Elle hésita suffisamment longtemps pour que Jack comprenne que, pour elle, c'était une question compliquée.

— Très bien, répondit-elle.

— J'espère que vous ne m'en voudrez pas de poser cette question, mais est-ce qu'il est *complètement* aveugle ?

— Oui. Maintenant, avant de commencer à paniquer, gardez à l'esprit que c'est un négociateur expérimenté. Écouter, parler, convaincre : voilà l'essence de son métier, et rien de tout ça ne dépend de sa vue. Ce n'est pas comme s'il était chirurgien esthétique et qu'il s'apprêtait à vous refaire le nez à tâtons.

Jack passa la main sur son visage.

— Quel est le problème avec mon nez ?

— Rien...

— Bon.

— ... qu'une petite chirurgie ne puisse arranger.

— Ah, de l'humour de flic. Voilà un truc dont nous ne pourrions nous passer, nous autres avocats.

Alicia s'arrêta et montra quelque chose du doigt :

— C'est lui ?

Juste devant eux, près du pont, un homme dormait par terre. Son anorak était si sale que sa forme semblait se confondre avec le sol, mais son couvre-chef lumineux réfléchissait le soleil du matin tel un globe chromé.

— Ça ne peut être que Bushman.

Ils approchèrent prudemment, comme ça allait de soi quand on s'approchait d'un type qui dormait sur la rive du fleuve, la tête emballée dans du papier alu. Bushman était pelotonné sur son côté droit. Une pipe à crack vide et noircie se trouvait par terre près de lui. Un chat errant léchait quelque chose dans sa main, mais Bushman ne bougeait pas. Il était difficile de dire s'il respirait même.

– Bushman ? appela Jack.

Il demeurait immobile.

Il essaya un peu plus fort :

– Hé, Bushman !

Le Jamaïquain grogna et se souleva lentement sur un coude.

– Qu'est-ce tu veux, mec ?

– Vous vous souvenez de moi ? Jack Swyteck, l'avocat de votre ami Falcon.

Bushman redressa le torse, mais il ne prêtait guère attention à ses visiteurs. Il fit claquer bruyamment ses lèvres, comme s'il essayait de décider s'il pourrait vivre avec le goût infâme qu'il avait dans la bouche.

– Falcon a besoin de votre aide, dit Alicia.

Bushman arrêta de remuer les lèvres.

– Vous êtes qui ?

– Elle m'accompagne, dit Jack – qui ne voulait pas brandir tout de suite la menace de la police. Falcon veut récupérer son collier.

– Tu lui as parlé ? demanda Bushman.

Jack ne répondit pas directement :

– Il a de graves ennuis, et il a dit qu'il avait vraiment, vraiment besoin de son collier.

Bushman eut soudain l'air soucieux.

– Elle doit être de retour, dit-il.

– Qui ça ?

– Cette femme dont je t'ai parlé. Je croyais que c'était juste une sans-abri du coin. Mais Falcon m'a expliqué, mec. C'est pas une d'entre nous. C'est une d'entre eux.

– Une d'entre eux ?

– Ouais, mec. Ils reviennent toujours, tu sais ? Ça sert à rien d'être gentil avec eux. On peut pas leur faire confiance. Ils arrêtent jamais.

– Ils arrêtent jamais de faire quoi ?

– De chercher. La maison.

– Quelle maison ?

Le Jamaïquain regarda par-dessus son épaule, comme pour vérifier que personne n'écoutait. Puis il murmura :

– *La casa de la bruja.*

– La maison de la sorcière ? fit Alicia.

Jack avait lui aussi pu traduire, mais Alicia avait été légèrement plus rapide. Bushman grimaça :

– Pas si fort, mam'selle. Ils vont nous entendre.

– Qui habite dans la maison de la sorcière ? demanda Jack.

– Personne y habite. C'est juste là où ils vont.

– Qui « ils » ?

– Tu sais. On en a déjà parlé. Les Disparus.

L'heure tournait, et Jack avait peur que Bushman soit en train de gâcher le peu de temps qu'ils avaient. Mais ce dernier venait de mentionner les Disparus, et Jack se devait de tenter le coup :

– Bushman, si je vous disais que Falcon m'a envoyé en mission, et quand je suis arrivé à l'endroit qu'il m'avait indiqué, j'ai trouvé un mot qui demandait, en espagnol : « Où sont les Disparus ? »... Est-ce que vous seriez capable de répondre à cette question ?

– Bien sûr que oui. *La casa de la bruja.* Tu comprends donc rien de ce que je te raconte, mec ?

– Non, dit Jack en secouant lentement la tête. J'aimerais pouvoir, mais honnêtement je n'ai pas le temps de démêler toutes ces conneries. On a besoin du collier.

– Il est à moi maintenant.

– Falcon veut le récupérer.

– Dommage. Il me l'a donné.

– Combien vous en voulez ?

– Il est pas à vendre.

– Il y a bien quelque chose que vous pourriez vouloir en échange ?

Bushman réfléchit. Puis il regarda Alicia et sourit :

– Je veux voir ses nichons.

– Aucun problème, dit Alicia.

– C'est vrai ? fit Bushman.

– Bien sûr, affirma-t-elle avant de glisser la main sous sa veste et de sortir son badge. Impressionnant, non ?

Bushman déglutit.

– Maintenant file-nous ce fichu collier, dit-elle.

31

THEO OBSERVAIT AVEC INQUIÉTUDE Natalia qui s'occupait de la jambe de son amie. Celle-ci était toujours dans la baignoire et Natalia était agenouillée à côté d'elle sur le carrelage taché de sang. Theo et l'autre otage étaient assis dans le coin dressing; adossés contre le mur, mains et pieds fermement liés, ils faisaient face à la porte ouverte de la salle de bains. Angoissé, Falcon faisait les cent pas d'un bout à l'autre de la chambre. Il transpirait mais refusait d'ôter son manteau. Theo lui aussi transpirait, car la pièce semblait devenir de plus en plus chaude à mesure que les minutes passaient. À cause du manque de ventilation, l'air paraissait sec et lourd, comme s'ils ne faisaient en fait qu'inspirer et expirer le même souffle continuellement.

Autant qu'il puisse s'en souvenir, tout cela avait commencé avec le cri d'une femme. Theo s'était précipité dans la chambre, et Falcon avait tiré un seul coup de feu. La balle perdue avait apparemment traversé le mur de la salle de bains et touché la cuisse de la copine de Natalia.

– Comment va-t-elle ? demanda Theo.

– La ferme ! cria Falcon.

Il continuait de tourner en rond en marmonnant, comme s'il faisait un effort terrible pour formuler une phrase cohérente. Il sembla être terriblement frustré de ne rien pouvoir dire de plus que Theo:

– Comment va-t-elle ?

– La balle lui a déchiré la peau et lui a arraché un petit bout de cuisse, dit Natalia. Mais elle ne saigne plus.

– Bien, dit Falcon. Plus de sang. C'est très bien.

– C'est bien seulement si son cœur bat encore, intervint Theo.

– Ta gueule, toi ! cria Falcon avant de se tourner vers Natalia et de demander : Il bat encore, hein ?

– Oui, répondit-elle. Elle aura une vilaine cicatrice quand ce sera guéri, mais on dirait qu'elle va s'en tirer.

Ces mots firent grimacer Theo. Natalia était trop loin de lui pour l'entendre murmurer, alors il attendit que Falcon ait marché jusqu'à l'autre bout de la chambre avant de dire entre ses dents :

– Dis-lui que ton amie a besoin d'un médecin.

Falcon se retourna brusquement :

– Je t'ai entendu ! Je ne tolérerai aucune urgence bidon ici. C'est compris ?

– Ça n'a rien de bidon, répliqua Theo. Regarde-la. Elle est à peine consciente.

– C'est moi qui décide qui a besoin d'un médecin. Moi et personne d'autre. C'est moi qui commande ici, c'est compris ?

Theo ne voulait pas trop insister, mais il ne voulait pas non plus abandonner :

– Écoute, mon vieux, tu as trois autres otages. Laisse cette fille-là partir, OK ? Elle a une blessure par balle, et c'est pas avec un petit pistolet de merde que tu l'as touchée. Même si elle saigne plus, elle est dans un sale état. Elle pourrait avoir un arrêt cardiaque, et qu'est-ce que tu ferais alors ?

Le visage de Falcon se crispa. Il semblait réfléchir à la situation.

– Il faut que tu la fasses sortir d'ici, insista Theo.

– Je sais, je sais ! Que tout le monde ferme sa gueule !

– Sois malin, vieux. Passe un marché. Rends-leur la fille contre quelque chose d'autre. Peut-être que c'est la monnaie d'échange qu'il te fallait pour obtenir ce collier dont tu parlais.

L'idée d'un échange semblait plaire à Falcon, mais il n'avait pas très envie de perdre un otage. Il sortit le portable de sa poche et le serra fort dans sa main.

– C'est ça, encouragea Theo, force-les à discuter avec toi.

– Swyteck, aboya Falcon dans le téléphone. Où est mon putain de fric ? Et où est mon collier ?

Son visage rougit de colère, comme s'il n'aimait pas la réponse qu'on lui donnait.

– Je me fous de tes excuses. Je veux mon fric et mon collier. Tu as cinq minutes. Si j'ai pas ce que j'ai demandé dans cinq minutes, je descends le Noir. Tu m'entends ? Je sors mon flingue et je fiche une balle en pleine tête de ton ami le futé !

Il marmonna quelque chose d'inaudible et glissa le portable dans sa poche. Theo lui lança un regard dédaigneux, lui faisant comprendre qu'il ne s'était pas laissé berner.

– Qui tu regardes comme ça ? demanda Falcon.

– T'as pas déplié le portable, répondit Theo. Le portable ne fonctionne que déplié.

Falcon sourit, comme si tout cela n'était qu'une grosse blague.

– J'ai pas déplié le téléphone. Voilà une bien mauvaise nouvelle pour toi, non ?

– Je te suis pas, vieux.

Falcon s'approcha en parlant d'une voix basse, menaçante :

– Ton pote Swyteck a un délai de cinq minutes, dit-il en visant le front de Theo avec le pistolet. Et il le sait même pas.

32

LE POSTE DE COMMANDEMENT COMMENÇAIT à embaumer le mauvais café. Les gens entraient et sortaient en laissant derrière eux leurs gobelets. Savaient-ils seulement que les gobelets jetables étaient faits pour être jetés ? Jack en compta treize à moitié vides autour de lui. Theo en aurait compté treize à moitié *pleins*, même si un psychopathe lui visait le crâne avec son flingue pendant qu'un avocat en manque de sommeil s'apprêtait à négocier sa libération. Leurs cerveaux étaient assemblés différemment, à moins que Jack et Theo aient juste une opinion diamétralement opposée des capacités de Jack. Aux yeux de Theo, il était un faiseur de miracles, le jeune avocat tenace qui l'avait sauvé de la chaise électrique. Pour Jack, Theo était pour ainsi dire l'éponge qui avait déjà absorbé cent dix pour cent du quota de chance dont l'avocat bénéficierait jamais dans sa vie.

— Essayez de ne pas utiliser le mot « non », expliqua le sergent Paulo à Jack. Peu importe ce que dit Falcon, peu importe ce qu'il demande, ne lui claquez pas de porte au nez.

Jack se rappela soudain la requête de Bushman : un strip-tease d'Alicia.

— Et s'il demande à parler à Alicia ? demanda Jack.

— Bon exemple, dit Paulo. Dites-lui que vous devez voir si c'est possible. Que vous allez vous renseigner. Ne faites aucune promesse, mais ne fermez aucune porte. Vous êtes dans une position idéale, parce qu'il n'y a vraiment rien que vous puissiez lui donner sans avoir d'abord obtenu l'accord de la police, du maire, d'Alicia ou de quelqu'un d'autre.

– Dois-je lui parler des Disparus ?

– Ne le lui balancez pas à la figure, lui demanda Paulo. Si ça survient dans la conversation, voyez où ça vous mène. Mais n'oubliez pas qu'il n'a pas encore employé ce mot avec nous. Je ne suis pas sûr que nous devions aborder le sujet avec lui avant que nous ayons nous-mêmes mieux compris ce concept. Si on lui sort ça de but en blanc, je crains que nous libérions des démons personnels qui pourraient le faire paniquer et blesser un des otages.

– D'après son casier judiciaire, dit Jack, il est originaire de Cuba. Peut-être devrions-nous vérifier si *los desaparecidos* n'est pas une façon de désigner les sans-abri à Cuba.

– Bonne idée, approuva Paulo.

Jack regarda Alicia et lui demanda :

– Qu'en pensez-vous ?

– Moi ?

La question semblait l'avoir tirée de pensées plus compliquées.

– Oui. Votre espagnol est excellent – bien meilleur que le mien, en tout cas. Que pensez-vous de la possibilité que les Disparus soient des sans-abri ?

– Difficile à dire. J'imagine que ça vaut le coup d'enquêter.

– Vous avez une autre théorie ?

Elle marqua une pause avant de répondre :

– Non. Pas vraiment.

Jack avait le sentiment que quelque chose était passé sous silence. En tant qu'avocat spécialisé dans les affaires criminelles, il avait souvent eu ce genre de sentiment en parlant à des policiers. Il jeta un regard à Paulo mais n'arriva pas à lire d'expression sur son visage. Alors il n'insista pas.

– Vous êtes prêt à passer ce coup de fil ? demanda Paulo.

– Oui, dit Jack. Allons-y.

Alicia fit glisser le téléphone au centre de la table et composa le numéro. Jack prit une grande inspiration qu'il expira lorsque la première sonnerie retentit. Il ne prit une autre inspiration qu'après la troisième sonnerie. À la quatrième, Falcon répondit :

– Bienvenue chez Joe, c'est pour une réservation ?

Cette blague idiote brisa momentanément l'élan de Jack.

– Falcon, c'est moi. Swyteck.

– T'as mon collier ?

– Il se trouve que oui.

– Et le fric ?

Jack se répéta mentalement le principe que lui avait inculqué Paulo.

– On s'en occupe.

– C'est quoi le problème ?

– Aucun problème. Rien que les délais typiques liés aux banques offshore. Ne t'inquiète pas.

– Je veux mon fric.

– Je comprends. Mais nous avons déjà la nourriture que Paulo t'a promis : des hamburgers, des frites et des boissons bien fraîches. Et ton collier. C'est plutôt un bon départ, non ?

– Pas terrible du tout.

– Mais tu sais comment ça marche. Même les petites choses comptent pour beaucoup, surtout quand on traite avec les flics. Si ça ne tenait qu'à moi, je te filerais tout ça gratis. Mais ces gens-là veulent toujours quelque chose en contrepartie. Alors, même si je n'aime pas faire ça, je dois quand même te demander : qu'est-ce que toi tu vas me donner ?

– Laisse-moi réfléchir.

– Que dirais-tu...

– J'ai dit : laisse-moi réfléchir !

– D'accord, prends ton temps.

Durant le silence qui s'ensuivit, Paulo fit un geste lent, paumes vers le bas, indiquant à Jack d'être patient.

– J'ai trouvé, dit Falcon. En contrepartie, je te donnerai rien que de la merde. Ça marche ?

Jack réfléchit, se demandant comment répondre à une telle proposition tout en respectant la règle de Paulo qui stipulait qu'il ne fallait jamais dire non.

– Quel genre de merde ? demanda Jack.

– De la merde de cheval. De la merde de vache. N'importe quelle merde qui te ferait plaisir. On en a pour tous les goûts, et chaque fois que vous les enfoirés vous me passerez un coup de fil, j'en aurai d'un nouveau genre à vous proposer. Maintenant, pour la dernière fois – dit-il en élevant le ton –, où est mon putain de fric ?

Jack entendait la tension dans la voix de Falcon. Il mesura ses paroles :

– Je ne vais pas te mentir, OK ? Mais il faut que nous soyons bien d'accord. Si je te dis la vérité, tu dois pouvoir l'accepter. C'est possible ?

– Dis-moi où est mon fric.

Paulo fit un autre geste de la main : un signal brutal, coupant, que Jack interpréta comme : « Laissez la vérité de côté. »

– Je vais vérifier où ça en est avec ton argent, d'accord ? Je m'en occupe, c'est promis. Mais il faut que tu me donnes quelque chose.

– Tu mérites rien.

– Tu veux ton collier ou non ?

– N'essaie pas de me faire du chantage.

– J'ai parlé à ton ami Bushman. Je sais à quel point tu en as besoin.

Un silence s'installa ; l'instinct de Jack lui disait qu'il avait joué exactement la bonne carte. Paulo, cependant, recommençait de faire ce geste tranchant, lui commandant silencieusement mais catégoriquement de ne pas s'aventurer dans la voie des Disparus.

– Voici ma proposition, dit Falcon. Je laisse à chaque personne ici son tour au téléphone. Dix secondes, pas plus. Ils peuvent te dire qui ils sont, et ils peuvent te donner le nom d'un ami ou d'un parent à prévenir. Ça te va ?

—Qu'est-ce que tu entends par «tout le monde»? Combien de personnes sont avec toi dans cette chambre?

—Tu acceptes ma proposition ou non?

Jack regarda Paulo, qui hocha rapidement la tête.

—OK, dit Jack. D'accord.

—Mais d'abord mon collier. Vous me l'apportez avec la bouffe.

Paulo secoua vivement la tête.

—Tu laisses d'abord les otages nous parler au téléphone. Désolé, Falcon, mais ça ne peut pas marcher autrement.

Jack l'entendit marmonner, et il se l'imagina en train de frapper l'air de son poing, au bord de l'explosion.

—Est-ce qu'il va falloir que je tue un des otages?

—Ne fais pas ça, dit Jack.

—Est-ce qu'il y a un autre moyen de vous faire comprendre? demanda-t-il d'une voix qui s'emballait tout d'un coup.

—Falcon, ne t'engage pas dans cette voie-là...

—Parce que je peux jouer le jeu comme ça, si c'est ce que vous voulez.

—Personne ne veut en arriver là.

—Je peux faire du mal à ces otages.

—Je n'en doute pas.

—Si j'en ai envie, je peux *vraiment* les faire souffrir.

Jack entendit un cri quelque part dans la chambre – un homme, mais ça ne semblait pas être Theo.

—Falcon, si tu recommences ça ne serait-ce qu'une fois, les Swat vont te tomber dessus. Contrôle-toi.

Il y eut un bref silence, puis Falcon reprit, d'une voix haletante:

—Je me contrôle, Jack. Tout est sous contrôle.

—Tu as blessé quelqu'un?

—Non, mais *toi* oui. Maintenant amène-moi mon foutu collier.

Il coupa la communication.

– Pas d'inquiétude, dit Paulo. C'était Falcon qui criait, pas votre ami Theo.

– Vous en êtes sûr ?

– Je suis aveugle, pas sourd. Faites-moi confiance. Vous nous avez fait prendre un bon départ.

Jack voulait le croire, mais sa main tremblait en rendant le téléphone à Paulo.

– Que va-t-il faire quand je lui dirai que son argent a disparu ?

– Avec un peu de chance, la prise d'otages sera terminée avant qu'on en arrive à ce stade.

– Et si ce n'est pas le cas ?

Paulo regardait droit vers lui, et il était évident qu'il entendait l'inquiétude dans la voix de Jack.

– Comme je l'ai dit, répéta Paulo, avec un peu de chance ce sera terminé avant.

33

THEO ÉCOUTA ATTENTIVEMENT chaque parole de Falcon. Le coup de fil avait semblé réel cette fois-ci, et Theo considéra comme une avancée le fait que Falcon parle directement à Jack et non à la police. Theo ne voulait pas que son propre intérêt soit placé au-dessus de celui des autres otages, mais au moins avec Jack il savait que sa vie vaudrait autant que celle des autres.

– Impressionnant, dit Falcon en rangeant le portable dans sa poche. Ton pote a appelé vingt secondes avant la fin du délai que je lui avais fixé.

– Je me faisais pas de souci. Jack est médium, tu sais.

Theo ne donna aucun signe laissant entrevoir qu'il plaisantait, ce qui rendit Falcon très mal à l'aise.

– Tu te fous de moi ?

– Tu verras bien, répondit Theo.

Falcon clignait nerveusement de l'œil. Il se détourna de Theo, qui avait remarqué que le visage de Falcon paraissait de plus en plus rouge et boursouflé, mais pas à cause de la colère. À cause du manteau d'hiver qu'il portait. La vague de froid s'était manifestement éloignée de Miami, et la température dans la chambre entièrement fermée devenait de plus en plus élevée. Falcon devait être en train de cuire, mais il ne semblait pas vouloir quitter son épais manteau.

– Écoutez-moi bien, dit Falcon. Je vais vous laisser parler au téléphone. Soyez bref. Donnez votre nom et le numéro de téléphone d'un ami ou d'un parent que les flics pourront appeler pour leur dire que vous pétez la forme. C'est tout. Si vous ne respectez pas mes consignes, je vous défonce le crâne. Compris ?

Personne ne répondit.

– Bien. On va commencer par les filles.

Il passa la tête dans la salle de bains :

– Natasha, comment va ton amie ?

– Je m'appelle Natalia. Et mon amie n'est pas en état de parler au téléphone, si c'est ce que vous voulez savoir. Elle a perdu connaissance.

– Alors réveille-la.

– On ferait mieux de la laisser se reposer.

– On ferait mieux de faire couler un peu d'eau froide dans cette baignoire.

– T'es dingue ou quoi ? s'exclama Theo. À tous les coups elle va en faire un malaise.

– Le docteur dit que c'est bon.

– Quel docteur ?

– On ne fait pas le traitement à l'eau sans l'autorisation du docteur.

– Quel docteur ? répéta Theo.

Falcon ne répondit pas. Il s'approcha de la baignoire et tourna le robinet d'eau froide, qui cracha quelques gouttes puis s'asséacha complètement.

– Enfoirés ! Ils ont coupé l'eau.

– C'est ce que le docteur a dû prescrire, lâcha Theo.

– OK, guignol. On commence par toi, puis ça sera le tour du joli cœur à côté de toi. Mais, d'abord, faut que je chie un coup. Vous pouvez mater ou bien tourner la tête. Personnellement je m'en fous.

La porte de la salle de bains restant ouverte, Theo avait une vue imprenable sur les toilettes, alors il préféra tourner la tête pendant que Falcon baissait son pantalon sans ôter son manteau.

L'homme à côté de Theo se pencha vers lui et murmura :

−Je ne peux pas parler au téléphone.

−Pourquoi ?

−Parce que... vous ne comprenez pas ce qui se passait ici ? Ces filles ne sont pas exactement ce qu'on pourrait appeler mes amies.

−Quoi ? Vous étiez le prêtre venu sauver l'âme de ces putains, c'est ça ?

−Très drôle. J'avais déjà pensé à une histoire comme ça, mais ce n'est pas crédible. Cela dit, il faudra bien que je raconte quelque chose quand le cinglé me filera le téléphone.

−Dites-leur que vous vous appelez monsieur X et que vous étiez là pour affaire.

−Ça vous fait rire tant que ça ? Imaginez-vous à ma place : vous aimeriez que tout le monde apprenne que vous étiez dans un motel pourri avec deux putes de dix-huit ans ?

−Dix-huit ? fit Theo en rigolant. J'espère pour vous, l'ami.

−Ça vous dirait d'arrêter de vous foutre de moi ? Tout ça pourrait mettre ma carrière en l'air.

−Vous faites quoi dans la vie ?

Le type ne répondit rien, mais Theo se rendit soudain compte :

−Hé, je sais. Vous présentez pas la météo sur Action News ?

−Moi ? À la télé ? fit l'homme qui s'efforçait de sembler ne pas comprendre. Vous devez me confondre avec quelqu'un d'autre.

−Non, mec. Je vous regarde tous les soirs à onze heures. Walt, le Magicien de la Météo.

−Ce n'est pas moi.

−Mon œil. Un peu de gel dans les cheveux, une de ces vestes Armani à la mode, et vous êtes définitivement le Magicien de la Météo. Moi qui croyais que vous étiez homo.

−Non, je suis marié.

−Vous voulez dire que vous *étiez* marié.

Le présentateur ferma les yeux puis les rouvrit comme s'il était en train d'agoniser.

−Mon Dieu, je suis foutu.

– Oh oui, dit Theo. Vous êtes vraiment foutu.

– J'arrive pas à y croire. Tout ça à cause d'un sac plastique.

– Quoi ?

Theo avait tout entendu quand il était barman, mais voilà une histoire que même un psycho-cocktailologue n'aurait pu endurer sans qu'on l'attache d'abord – littéralement. Il semblait que la fille adolescente du présentateur avait eu à rendre une paire de jeans empruntée à une camarade de classe. L'idiot de mari avait mis le jean dans un sac plastique de supermarché discount. L'épouse en colère avait failli faire un infarctus : « Tu ne vas quand même pas utiliser un sac de chez Winn-Dixie ! » hurla-t-elle en se précipitant vers le placard. Quelques instants plus tard, elle était de retour, le jean plié dans du papier de soie et glissé soigneusement dans un des fameux sacs bleu pastel du magasin Tiffany.

– Elle était prête à m'étrangler à cause d'un sac plastique, raconta-t-il à Theo. Tout ça parce qu'elle ne voulait pas que la mère d'une gamine bourrée de fric sache que nous faisons nos courses chez Winn-Dixie. Alors je l'ai regardée et je lui ai dit : « Depuis quand la femme drôle et sexy que j'ai épousée s'est-elle transformée en connasse prétentieuse ? »

– Aïe !

– J'ai eu tort ?

– On a toujours tort, déclara Theo. C'est dans le contrat, écrit en petits caractères.

– Vous pensez que j'aurais dû m'excuser ?

– Hmm. S'excuser ou se tirer et aller se trouver deux jeunes putes ? Y a pas un psy qui présente un talk-show sur votre chaîne ? C'est à lui qu'il faudrait demander.

Walt poussa un soupir de désespoir, comme si entendre ces conclusions de la bouche de Theo rendait les choses encore pires.

– Qu'est-ce que je dois faire maintenant ?

– Tout ce qu'il faut pour sortir d'ici en vie.

– Et ensuite ?

— Sauvez votre honneur.

— Comment ?

— Vous vous tirez une balle.

— Je me tire une balle ?

— Oui. Mais pas sur le duvet de son lit. Elle vous en voudrait éternellement. Toujours respecter le duvet d'une femme.

Le type hocha la tête, comme si tout cela avait réellement un sens.

— Merci, dit-il.

— Je vous en prie.

Falcon tira la chasse, et avec ses déjections disparut le dernier litre d'eau qui restait dans la chambre.

— Allez, petit malin, dit-il à Theo. C'est toi qui commences.

Le type de la météo murmura à l'intention de Theo :

— Je vous en prie... Il ne faut pas qu'il me passe ce téléphone.

— Vous inquiétez pas, dit Theo. Votre tour ne viendra pas.

Falcon composa le numéro, attendit qu'on décroche et cette fois-ci passa outre les plaisanteries. Theo n'aurait même pas su dire s'il parlait à Jack ou aux flics.

— Tenez-vous prêts, dit Falcon dans le téléphone, c'est l'heure de faire l'appel.

Il tenait le pistolet dans la main droite, le téléphone dans la gauche.

— Dix secondes, précisa-t-il à Theo. Ton nom et un contact.

Dès que le téléphone s'approcha de sa bouche, Theo balança le secret de Falcon comme on recracherait une bouchée de nourriture brûlante :

— Il y a des explosifs sous son manteau et...

— Enfoiré !

Falcon retira le téléphone et lui donna un coup de pied dans le ventre, aussi fort qu'une mule en colère.

Theo s'effondra par terre, il ne pouvait plus respirer. Il n'avait pas été absolument certain pour les explosifs, mais il avait senti *quelque chose* quand il avait lutté avec Falcon et le refus du SDF d'ôter son manteau malgré la chaleur qui augmentait n'avait fait que renforcer ses soupçons.

Falcon lui donna un autre coup de pied et, avec tous les jurons qui fusaient, Theo ne doutait plus d'avoir raison. Ce type était une bombe ambulante.

Falcon bouillait de rage. Il approcha son pistolet du crâne de Theo :

— Je fais ce serment : quoi qu'il arrive, *toi*, tu ne sortiras pas d'ici vivant.

34

LES EXPLOSIFS CHANGEAIENT RADICALEMENT la donne – surtout pour Vince Paulo.

Depuis qu'il avait perdu la vue, Vince avait entendu tout un tas d'histoires extraordinaires. Le type qui s'était mouché le nez si violemment que son œil était sorti de son orbite. Le pompier dont l'œil s'était retrouvé à pendre par le nerf optique après qu'il eut reçu un jet de tuyau de pompe à incendie en pleine poire. L'enfant qui s'était fait éclater l'œil sur une colonne de lit en sautant sur son matelas. Des métallos qui s'étaient planté des éclats d'acier près du disque optique ou qui s'étaient projeté du plomb liquide sur la rétine. Un soldat sur lequel on avait tiré à bout portant : le projectile avait pénétré le canthus interne de l'œil droit et s'était logé sous la peau du côté opposé. Ce qui rendait ces cas miraculeux était que, à chaque fois, le handicap visuel qui en avait résulté était nul ou négligeable, d'après ce qu'on en racontait. À l'inverse, il y avait des patients qui n'avaient souffert que de traumatismes oculaires mineurs, le globe restant intact, mais qui avaient perdu à jamais leur vision. C'étaient les malchanceux, les Vince Paulo de ce monde.

– L'équipe de déminage se tient prête, sergent.

Vince entendit le message dans son oreillette, mais il ne répondit pas immédiatement. Theo Knight venait de mentionner des explosifs : cela suffisait pour que Vince revoie la porte criblée de balles au bout du couloir de sa maison, l'entrée du tunnel obscur qui lui était à jamais réservé.

– Vince ? dit Alicia.

Elle se tenait juste à côté de lui.

– Oui, j'ai entendu. Je réfléchissais une minute.

C'était un mensonge, bien sûr. Du moins en ce qui concernait la « minute ». Cela faisait des mois qu'il ne cessait de réfléchir à la manière dont les choses auraient pu se passer s'il n'avait pas ouvert cette porte. Il enclencha le microphone et dit au chef de l'équipe de déminage d'attendre qu'il ait effectué une dernière tentative de rétablir le contact avec Falcon.

– Ce n'est pas parce que ce Theo dit que Falcon a une bombe que c'est nécessairement le cas, remarqua Alicia.

– Nous devons parer à la pire des éventualités.

– Tu crois vraiment qu'il aurait le savoir-faire ?

– Il avait deux cent mille dollars dans un coffre aux Bahamas. Il se balade avec un pistolet neuf millimètres et des tonnes de munitions. Il a descendu deux policiers lors d'une fusillade en pleine nuit, et maintenant il arrive à gérer une prise d'otages où il doit faire face à la ville entière. Je crois qu'il est temps que nous effacions de notre esprit l'image du pauvre SDF perché sur un pont et que nous nous concentrions sur ce salopard tordu qui, sans raison apparente, a battu à mort une femme sans défense avec un tuyau de plomb.

– Je posais la question, Vince, c'est tout.

Il perçut le changement de ton dans la voix d'Alicia, et se rendit compte qu'il s'était laissé emporter par son émotion. Il était temps qu'il maîtrise ces sentiments qui traînaient juste sous la surface de sa conscience mais qui ne disparaissaient jamais vraiment ; il était temps d'apaiser la colère inutile qu'il ressentait d'avoir pris un risque qu'il n'aurait jamais dû prendre.

– Désolé, dit-il. Je ferais mieux de respirer un bon coup et de me détendre une minute, non ?

Il sentit la main d'Alicia se poser doucement sur son bras.

—Cette situation n'a rien à voir avec celle à laquelle le préfet et moi t'avions convié. Est-ce que ça te va ?

—Pourquoi ça ne m'irait pas ?

—Je n'en sais rien. Trop comme la précédente, peut-être.

—Non, tu te trompes. Cette situation n'a rien à voir. Cette fois-ci, j'ai été prévenu. Je peux voir ce qui arrive.

Le jeu de mots involontaire provoqua chez Vince un petit rire intérieur, triste et automatique.

Le téléphone sonna, mais l'appel ne provenait pas de la ligne dédiée uniquement à la chambre du motel. Il s'agissait de l'inspecteur Barber, l'enquêteur en chef de la section homicide.

—J'ai des infos pour vous au sujet du corps retrouvé dans la voiture de Falcon, dit l'inspecteur.

—Parfait. Alicia Mendoza est juste à côté de moi. Laissez-moi mettre mon portable sur haut-parleur.

—Je préférerais que vous ne fassiez pas ça, dit Barber.

Vince ne savait pas exactement comment interpréter cette réticence de l'inspecteur, mais il respecta son souhait.

—OK, pas de haut-parleur.

—En fait, je préférerais que l'information que je vais vous communiquer et tout ce que vous me répondrez reste strictement entre vous et moi. Cela pourrait jouer un rôle important dans vos négociations.

—D'accord.

Vince couvrit le téléphone et murmura :

—Alicia, tu pourrais m'excuser une minute ?

Il sentit qu'elle était confuse, car elle sembla hésiter un instant. Mais ce fut très bref.

—Aucun problème, répondit-elle. Je vais chercher du café.

Vince attendit que la porte s'ouvre puis se referme.

—Je suis seul, dit-il dans le téléphone.

—J'ai un témoin qui affirme avoir vu un homme de moins de trente ans – soit un Noir à la peau claire, bien habillé, soit un Hispanique à la peau foncée – parler à Falcon, il y a deux soirs de ça, près de la rivière.

–Quelle heure ?

–Juste après la tombée du jour. Si je mets ça en corrélation avec le rapport du médecin légiste, c'était peu de temps avant que Jane Doe se fasse assassiner et enfermer dans le coffre de la voiture – euh, de la demeure – de Falcon.

–On sait qui ça pourrait être ? Cette description correspond à la moitié de la jeune population masculine de Miami.

–C'est vrai. Mais heureusement notre témoin a relevé le numéro sur la plaque d'immatriculation du type.

–Qu'est-ce que ça a donné ?

–C'est là que ça devient intéressant. Il s'agit d'un certain Felipe Broma. Qui s'occupe de la sécurité du maire.

Vince comprit soudain pourquoi l'inspecteur voulait qu'Alicia s'éloigne.

–Vous avez parlé à ce Broma ?

–Pas encore.

–Et au maire ?

–Non.

–Qu'est-ce que vous attendez ?

Un silence s'ensuivit. Puis Barber reprit :

–Cela fait un bout de temps que je suis inspecteur. J'écoute mon instinct.

–Qu'est-ce que votre instinct vous dit ?

–Il n'y a qu'une seule façon de découvrir ce qui se passe vraiment ici. Et parler au maire ou à son garde du corps ne nous aidera pas.

–Qu'est-ce que vous suggérez ?

–Je dois parler à Falcon. Il faut que vous arrangiez ça.

Vince réfléchit.

–Laissez-moi déjà voir si je peux réussir à l'avoir à nouveau en ligne. On avisera ensuite.

–Encore une chose, dit Barber. Pas un mot de tout cela à la fille du maire. D'accord ?

Vince ne savait pas exactement ce que l'inspecteur avait en tête, mais l'idée de cacher des choses à Alicia ne lui plaisait guère – en tout cas pas tant que Barber ne lui aurait fourni une explication plus complète.

– Comme je vous l'ai dit : laissez-moi essayer de reprendre le dialogue avec Falcon, et on verra à partir de là.

35

FALCON Y VOYAIT enfin plus clair.

Même sans électricité, suffisamment de lumière du jour s'infiltrait dans la pièce pour dévoiler les visages de tous ses prisonniers. La fille dans la salle de bains n'était pas la femme qu'il avait d'abord cru qu'elle était, elle n'était pas ce passé qu'il redoutait. Elle n'était qu'une fille sans nom, comme tant d'autres qu'il avait connues dans le temps.

– Je crois qu'elle commence à avoir de la fièvre, dit Natalia.

– Silence ! cria Falcon.

– Tu devrais vraiment la laisser voir un médecin, intervint Theo.

Falcon lui lança un regard noir :

– Je t'ai déjà expliqué que le docteur avait dit que c'était bon.

– De quel docteur tu parles, putain ? C'est toi, le docteur ?

– J'ai l'air d'un docteur ?

– Agréé par mon assurance ? Absolument.

Falcon le fusilla du regard :

– J'en ai déjà rencontré, des clowns, toujours à glisser leurs petites vannes pourries. Sournois comme vous êtes, dès qu'on baisse la garde, vous vous précipitez sur le flingue.

Il jeta un œil à la fille dans la baignoire, puis se retourna et se remit à faire les cent pas à travers la pièce. Pas de bouffe, pas de fric, pas de collier. Swyteck lui avait dit qu'ils avaient le collier, mais ce serait désormais plus difficile que jamais d'arranger une livraison. Cette grande gueule de Noir avait tout fichu en l'air en parlant aux flics du manteau magique. Qui serait assez fou pour s'approcher de la chambre ?

La fille dans la baignoire grogna.

– Son front est bouillant, dit Natalia.

– Elle a besoin d'un médecin, renchérit Theo.

– La ferme ! cria Falcon en le menaçant avec son pistolet. J'en ai assez de toi. Ça suffit !

Falcon sentait la température monter. C'était comme si quelqu'un avait allumé une chaudière, ce qui ne pouvait pas être le cas, il le savait. À moins que... Et si les flics soufflaient de l'air chaud par les conduits de ventilation ? Ils avaient déjà coupé l'eau et l'électricité, alors pourquoi ne pas transformer la chambre en four ? Falcon traversa la pièce et appuya sa main contre la grille d'aération. Il ne sentit rien à part la sueur qui continuait de dégouliner sur son visage. Il n'arrivait pas à imaginer comment les habitants de Miami avaient pu survivre dans ces cubes de béton avant l'invention de la climatisation. Du coup, ça ne paraissait pas si absurde de vivre dans une voiture qui n'avait plus de vitres : quand il faisait froid, on n'avait qu'à enfiler un manteau. Quand il se mettait à faire chaud, on l'enlevait. Mais pas cette fois-ci. Pas ce manteau-là.

Le manteau restait sur les épaules de Falcon.

Quelqu'un gémit dans la salle de bains, puis poussa un long grognement. Falcon reconnaissait la douleur quand il l'entendait, mais il y était insensible. Enfin, ce n'était pas tout à fait vrai. Autrefois, il avait cru y être insensible. Il ne s'était pas rendu compte que chaque gémissement, chaque grognement, chaque cri perçant dans la nuit s'était infiltré à travers les murs psychologiques qu'il avait bâtis autour de sa conscience. Pendant des années, il avait gardé ces bruits enfermés au sous-sol, mais ils ne cessaient de grimper l'escalier et de frapper à la porte de la cave jusqu'à ce que les verrous finissent par céder. Les souvenirs l'envahirent. Ils n'étaient plus seulement son passé. Ils étaient devenus chaque heure de sa vie : son passé, son présent, son avenir.

– Elle a besoin d'un médecin, entendit-il supplier quelqu'un.

Mais cela ne fit que le rendre encore plus confus. Le présent faisait écho au passé. Le passé saturait le présent. Son cerveau n'arrivait plus à distinguer l'un de l'autre, et il était soudain à nouveau plongé dans cette cave, emprisonné avec ses souvenirs.

– Tu cherches la Vierge ? demanda El Oso.

La question eut l'effet recherché. Le prisonnier 309, la jeune femme enceinte, connaissait bien les horreurs qui s'étaient produites aux pieds de la Vierge Marie. Un viol collectif devant la statue de la Sainte Vierge était une façon particulièrement efficace de faire comprendre à une jeune femme rebelle combien son attitude s'était écartée des normes en vigueur.

El Oso reconnut la peur de la jeune femme en lui disant de ne pas s'inquiéter :

– La Vierge n'est pas ici, dit-il, la voix chargée d'une satisfaction perverse. Il ne reste plus de vierges à *la casa de la bruja.*

Il la poussa en avant et ils marchèrent le long d'un grand couloir sombre. Le ventre de la femme, fortement bombé, la précédait : elle allait accoucher d'un jour à l'autre. El Oso s'arrêta au bout du couloir et déverrouilla la porte métallique. Dès qu'elle s'ouvrit, un cri aigu déchira l'obscurité. On aurait dit une femme, mais El Oso savait qu'il s'agissait d'un homme. C'était un sujet de plaisanteries chez les gardes : la façon dont on pouvait faire crier les hommes comme des filles.

– Tu as envie de regarder ? demanda-t-il.

Ils se tenaient en dehors de la pièce, ils ne pouvaient pas encore voir à l'intérieur. Une radio diffusait à plein volume de la musique festive, une chanson étrangement inappropriée à ce qui, de toute évidence, se passait ici.

La jeune femme secoua la tête.

– Tu es sûre que tu ne veux pas voir ? C'est peut-être quelqu'un que tu connais.

Il s'agissait d'une possibilité qu'elle semblait ne pas vouloir considérer, mais El Oso voyait bien que ses défenses craquaient. Cela se passait toujours comme ça. Leur instinct avait beau leur suggérer qu'il valait mieux ne pas savoir, les prisonniers finissaient toujours par être avides de réponses.

– Viens, jetons un œil.

Il parlait avec douceur, mais pas dans un souci de ménager la jeune femme. Son manque de sincérité était palpable, et il se délectait de l'angoisse qui envahissait le regard de la jeune femme. Il la poussa en avant, et on entendit un autre hurlement dans la pièce. Celui-ci fut si fort et si long que même El Oso s'arrêta pour écouter. Le cri ne cessa qu'une fois que le prisonnier eut perdu sa voix, perdu la capacité d'exprimer sa souffrance.

Sûrement les testicules, pensa El Oso.

On entendait toujours la chanson.

– Je ne veux pas entrer ici, dit la femme.

– Peu importe.

– Non, je vous en prie. Ne me forcez pas à entrer.

– C'est ta seule chance. Dans une minute, il suppliera sa maman de venir le secourir. Ça finit toujours comme ça.

Les larmes montaient aux yeux de la femme. Son corps tremblait :

– Je ne veux pas voir.

– Peu importe.

– Qui est ici ?

– L'ennemi.

– Comment s'appelle-t-il ?

– Il n'a pas de nom.

Il la tira en avant, mais elle résista.

– Je ne peux pas entrer !

Une gifle la força à se taire. Puis il la secoua par le bras si fort qu'elle heurta le mur. Enceinte comme elle l'était, son équilibre était précaire. Il la poussa brutalement dans le dos et elle franchit la porte ouverte en trébuchant. Elle se cogna contre un comptoir – les bouteilles de bière vides des gardes s'entrechoquèrent – et tomba par terre.

– Regarde, femme ! cria un des gardes. Regarde qui est sur le gril.

Le « gril » était une table métallique au centre de la pièce. Un prisonnier était attaché dessus avec des lanières, allongé sur le dos, complètement nu. La plante de ses pieds était violacée et gonflée. Un garde se tenait au bout de la table avec une planche en bois dur, prêt à s'en servir comme d'une batte de base-ball pour frapper la voûte plantaire. Un autre garde s'occupait du transmetteur électrique et des multiples fils qui étaient reliés directement au torse et aux organes génitaux du prisonnier. Sa poitrine et son ventre étaient couverts de marques de brûlure noires. Ses testicules avaient pris des couleurs grotesques et enflé de trois fois leur taille normale.

– Fernando ! cria la femme enceinte.

Le prisonnier ne réagit pas à sa voix. Il parvint seulement à émettre un grognement puis à murmurer :

– De l'eau... s'il vous plaît.

– Non, tu ne peux pas boire maintenant ! gueula El Oso.

– J'ai tellement soif, dit le prisonnier d'une voix qui faiblissait.

– Il ne doit pas boire maintenant, sinon il mourra !

– Il va mourir de toute façon, dit un autre garde.

Ce dernier riait tout en enfonçant des billes de métal dans la gorge du prisonnier – des électrodes qui permettraient au courant de traverser le corps à la vitesse d'un éclair.

– Avale ! ordonna le garde.

L'autre tourna un bouton qui libéra le courant. Le corps du prisonnier se tendit et se mit à vibrer. Il y eut soudain une symphonie bizarre formée de la musique à la radio, des braillements des gardes et des hurlements à vous glacer le sang de l'homme qui agonisait.

– Bande d'animaux ! cria la femme à travers ses larmes.

Mais elle ne regardait plus son mari se faire torturer. Écroulée au sol, elle grimaçait. El Oso s'imaginait qu'elle ne pouvait tout simplement plus supporter ce spectacle, mais l'expression de douleur physique sur son visage laissait entrevoir autre chose.

– J'ai perdu les eaux, dit-elle en se laissant glisser sur le côté, en larmes.

Les gardes cessèrent de rire. Le prisonnier ne faisait plus le moindre mouvement. La femme enceinte gémissait. La chanson festive continuait de jouer macabrement.

– Merde. On fait quoi, alors ? demanda l'homme avec les billes de métal.

– Vite, dit El Oso, aidez-moi à la porter. Allons trouver le docteur.

36

DÈS QUE JACK FRANCHIT LA PORTE, le silence à l'intérieur du poste de commandement lui parut anormal. Il se rendait compte que les négociations ressemblaient en bien des façons à une partie d'échecs, mais les meilleurs joueurs qu'il avait jamais vus – ces vieux Cubains à Little Havana – pouvaient discuter de base-ball, commander un expresso et débattre de politique tout en réfléchissant à leur prochain coup. Certains pouvaient même jouer aux dominos en même temps qu'ils jouaient aux échecs. Évidemment, une prise d'otages n'était pas un jeu. Mais Jack commençait à craindre que le sergent Paulo fasse trop d'efforts pour analyser la situation.

Il sentait aussi une certaine tension entre Paulo et Alicia.

– J'interromps quelque chose ? demanda Jack.

– Non, absolument pas, répondit Alicia.

– Entrez, je vous en prie, dit Paulo.

Ils avaient tous deux parlé d'un ton très plaisant, comme s'ils cherchaient un peu trop à convaincre Jack qu'il n'y avait aucun problème.

– Je peux revenir dans une minute, proposa Jack.

– Non, dit Paulo. Il faut qu'on fasse ça maintenant. Vous êtes prêt ?

Jack hocha la tête, puis il se rendit compte que c'était une manière très idiote de répondre à un aveugle.

– Prêt, dit-il.

Aucun doute là-dessus, Jack percevait plus de stress que d'habitude dans la voix de Paulo. Peut-être que c'était l'avertissement de Theo concernant les explosifs qui avait transformé le négociateur en chef, ou du moins qui avait affecté son comportement. Jack s'apprêtait à dire quelque chose à ce sujet, mais Alicia était déjà en train de composer le numéro du portable de Theo. Quel que soit le problème, il semblait qu'Alicia était encore moins disposée à en parler que Paulo.

Le bruit creux de sonneries auxquelles on ne répondait pas résonna dans l'oreille de Jack – cinq fois, puis une sixième. Encore une et l'appel serait transféré vers la messagerie. Mais Falcon décrocha :

– Boum !

– C'est pas drôle, Falcon, dit Jack après s'être ressaisi.

– Swyteck, c'est toi ? Je m'y attendais pas, tiens. Qu'est-ce qui se passe ? Mon pote Paulo a peur de parler au plastiqueur fou ?

Jack lança un regard vers Alicia, puis vers Paulo. Il aurait dû se contenter de répondre « non », mais c'était plus fort que lui – lui aussi se posait la même question.

– Notre seule peur ici, dit-il, c'est que tu fasses quelque chose de vraiment stupide. Toi aussi ça devrait te faire peur.

– T'as mon collier ?

– D'abord, il faut qu'on parle de ton manteau. Et plus précisément de ce qui se trouve sous ton manteau.

– Qu'est-ce que tu veux savoir ?

– Tu as des explosifs sur toi ?

– Voyons, c'est ridicule. Où est-ce que je me serais procuré une bombe ?

– Mon ami Theo dit que tu en as une.

– Ton ami Theo est un enfoiré.

– Peut-être. Mais ce n'est pas un menteur.

– Il ne sait pas de quoi il parle.

– C'est vrai, la plupart du temps. Mais de temps en temps il a tout juste. Voici comment on peut résoudre rapidement ce problème : le portable de Theo a un appareil photo intégré.

– Un quoi ?

Jack se rendit compte qu'un type qui vivait depuis plus de dix ans dans une voiture ne devait pas savoir qu'il existait des téléphones avec appareil photo intégré.

– Fais-moi confiance, son téléphone peut prendre des photos. Theo peut t'expliquer comment on s'en sert. Enlève ton manteau, prends une photo de ton torse et envoie-nous la.

Il y eut un silence. Jack était plutôt heureux que Falcon ne lui ait pas répliqué immédiatement d'aller se faire foutre.

– Autre chose ? demanda Falcon.

– Oui. Il nous faut le manteau.

Jack ne souhaitait pas fournir d'explication, mais Falcon devinerait sûrement qu'ils espéraient l'examiner pour trouver d'éventuelles traces d'explosifs.

– Voyons si j'ai bien compris, dit Falcon. D'abord, vous me dites que si je laisse tout le monde parler au téléphone, vous me donnerez de la nourriture et mon collier. J'essaie de respecter ma part du contrat, et ton pote fout tout en l'air. Et maintenant, pour avoir cette même bouffe et ce même collier que vous m'aviez déjà promis, tu veux que je me mette à me prendre en photo et que je te donne mon unique manteau ? C'est ça que tu me demandes ?

– J'essaie seulement de faire ce qui est juste envers tout le monde.

– Ben voyons. Vous n'arrêtez pas de remettre en cause les accords que nous avons passés, et j'en ai marre de toutes ces manœuvres.

– Le manteau, ça change tout.

– Pas en ce qui me concerne. Si je t'en donne plus, toi aussi tu dois m'en donner plus.

– Qu'est-ce que tu veux ?

– Je veux mon foutu collier. *Et* je veux que ce soit Alicia Mendoza qui me l'apporte.

Jack regarda Paulo, ne sachant pas comment répondre à ça. Paulo perçut l'hésitation de Jack ; il griffonna un message sur un bout de papier et le fit glisser vers lui. Jack lut : *HORS DE QUESTION... Mais ne jamais dire jamais.*

– C'est beaucoup en demander, dit Jack. Je ne vais pas te mentir. Ça va être dur, très dur de t'obtenir ça.

– Dur, mon cul.

– Je ne plaisante pas. Pour commencer, il faut que je trouve Alicia.

– Si tu essaies de me dire qu'elle est pas sur place avec toi, t'es qu'un menteur.

Jack ne répondit pas, mais il paraissait évident qu'il avait des progrès à faire en matière de bluff.

– Si Alicia doit prendre part à cette histoire, je suis sûr que je vais avoir besoin de l'autorisation du maire lui-même.

– C'est facile. Ton père est gouverneur de la Floride, non ?

– Il l'était.

– Ça reste un homme politique, tout comme le père d'Alicia. Ces types sont toujours en train de se rendre des petits services. Tu dis à ton père d'appeler le sien, et tu m'obtiens ce que je veux, compris ?

– Je vais essayer. Mais je ne peux rien te garantir.

– Ça va être beaucoup plus facile que tu te l'imagines, Swyteck.

– Qu'est-ce qui te fait dire ça ?

– Je vais te donner de quoi motiver Alicia : dis-lui que si elle me pose encore une fois un lapin, on va avoir besoin d'appeler le docteur.

Jack mit un moment à déchiffrer :

– Menacer les otages est une très mauvaise stratégie, Falcon. La Swat attend que tu leur fournisses une excuse pour enfoncer cette porte.

– Je menace personne, crétin. Mais oublie pas de lui répéter exactement ce que je viens de te dire. Elle, elle comprendra.

Jack regarda Alicia, qui ne montra pas la moindre réaction. Il n'était pas sûr du tout qu'elle comprenait ce que Falcon disait. Il n'était pas sûr du contraire, non plus.

−D'accord, Falcon. Je répéterai tes mots exacts à Alicia. Mais laisse-moi te dire tout de suite qu'il va me falloir beaucoup de temps pour obtenir ce que tu veux.

−Combien de temps ?

Jack regarda Paulo, qui sentit d'instinct que Jack avait besoin qu'on le guide. Il leva six de ses doigts.

−Six heures, dit Jack.

−Je t'en donne une, trancha Falcon avant de raccrocher.

37

JACK TRAVERSA LE PARKING QUI SÉPARAIT le poste de commande du fast-food. Il avait besoin de caféine. Il trouva surtout de la testostérone.

Les forces de l'ordre avaient investi tout le restaurant et l'espace environnant, et les membres de la Swat, assis à des tables, attendaient le feu vert. Jack connaissait bien ce genre d'ambiance typiquement masculine : peu de salles d'audience à Miami étaient suffisamment grandes pour qu'on y fasse tenir l'ego de l'avocat moyen. Mais il n'y avait rien de comparable à l'impression de virilité collective que donnait une équipe tactique toute harnachée. C'était une drôle d'idée – qui semblait d'ailleurs ne mettre personne mal à l'aise dans la salle à part Jack – mais, d'ici à quelques minutes, un de ces gars pourrait se retrouver à tirer une rafale de balles à pointes évidées dans le crâne d'un être humain. Cette possibilité dépendait uniquement des mots que Jack choisirait d'utiliser, des nuances de ton de sa voix, de la façon dont il mènerait sa prochaine conversation téléphonique avec Falcon. Sa responsabilité sembla soudain encore plus écrasante.

Jack passa devant la machine à café et se rendit directement aux WC. Devant le lavabo, il s'aspergea le visage d'eau, puis observa l'homme qui lui faisait face dans le miroir. Il avait besoin de se raser, indiscutablement. Il ôta le pansement qui recouvrait l'endroit où Falcon l'avait cogné avec la crosse de son pistolet : la peau autour de la coupure sur sa tempe droite était enflée et violacée. Ailleurs, sa peau manquait tout simplement de couleur. Les pattes d'oie semblaient avoir été gravées dans la cire, le stress inscrit partout sur son visage. Cela lui rappela le moment où son père avait signé l'ordre d'exécution de Theo ; il avait alors couru dans la salle de bains pour vomir.

— Ça alors, lui avait dit Theo quand il était arrivé au pénitencier, la gueule que tu tires est encore pire que la mienne.

Ce n'était pas une plaisanterie. Quand la vie ne tenait qu'à un fil, Theo semblait mieux résister que les autres. Jack espérait que ce soit toujours le cas.

— Tiens le coup, mon vieux.

Jack parlait à haute voix mais, dans sa tête, il entendait Theo.

Il se sécha les mains puis se dirigea vers la sortie. La porte des toilettes s'ouvrit avant qu'il ne l'atteigne, et un policier en civil entra. Jack reconnut l'inspecteur Barber, qu'il avait rencontré la nuit où ils avaient trouvé le corps d'une femme dans le coffre de la voiture de Falcon. Jack le salua vite fait, puis s'excusa et essaya de passer. Barber referma la porte et s'adossa contre, bloquant le passage.

— Vous bossiez avec Gerry Chafetz, non ? demanda Barber.

Drôle de moment pour parler de la pluie et du beau temps, mais Jack joua le jeu :

— C'était mon superviseur à l'époque où je travaillais pour le bureau du procureur, avant de devenir avocat.

— Chafetz a été un temps mon coéquipier, lorsqu'il était encore dans la police. Je l'ai appelé après que vous et moi on s'est parlé l'autre soir. Il m'a dit beaucoup de bien de vous.

— Ça fait plaisir de l'entendre.

Ils restèrent silencieux un moment, chacun prenant la mesure de l'autre. Jack sentait que Barber avait quelque chose à lui dire.

— Y a-t-il quelque chose dont vous souhaitez que nous discutions, inspecteur ?

– Chafetz me dit qu'on peut vous faire confiance.

– J'ose penser qu'il ne se trompe pas.

Barber plissa les yeux, comme pour souligner l'importance de ses dernières paroles.

– J'ai eu une conversation privée avec Paulo ce matin. Est-ce qu'il vous en a fait part ?

– Non.

– J'ai besoin d'obtenir certaines informations de Falcon, mais Paulo me dit que c'est vous qui lui parlez la plupart du temps.

– Je n'ai pas choisi, c'est Falcon qui veut que ça se passe comme ça.

Barber hocha lentement la tête, comme si la version de Jack corroborait ce que lui avait dit Paulo.

– Qu'est-ce que vous cherchez à savoir ? demanda Jack.

Barber hésita. Il semblait soupeser intérieurement le poids des paroles de l'ancien patron de Jack : cette recommandation suffisait-elle ? De toute façon, Barber n'avait pas d'autre choix.

– Il faut que je sache pourquoi le garde du corps du maire fouinait autour de la voiture de Falcon jeudi soir.

– Vous voulez dire le soir où cette femme a été assassinée ?

– Exactement.

– Qu'est-ce que le maire a à dire là-dessus ?

– Je n'en ai pas encore parlé avec lui.

– Pourquoi ça ?

– Quelques bonnes raisons. Je préfère les garder pour moi pour l'instant. À part une, que vous devez déjà connaître.

– De quoi s'agit-il ?

– Vous savez que le maire est très en colère depuis que Vincent Paulo a été appelé pour cette négociation, non ? Qu'il a peur que Paulo implique sa fille.

– Oh oui, dit Jack. Ce matin, la police m'a escorté directement jusqu'à la voiture du maire. Celui-ci m'a indiqué très clairement que Paulo n'était pas son choix personnel.

– Eh bien vous voyez, ce que vous me dites là est très intéressant.

– C'est-à-dire ?

– Il se trouve que, si le préfet Renfro a confié le boulot à Vince Paulo, c'est parce qu'elle a reçu un coup de fil du maire.

Jack eut besoin de quelques secondes pour réfléchir aux implications de ce que venait de dire Barber.

– Comment savez-vous ça ? demanda Jack.

– Je suis inspecteur de police, d'accord ?

Barber ne semblait pas disposé à fournir d'autre explication.

– Pourquoi est-ce que le maire chercherait à faire croire qu'il ne veut pas de Paulo si c'est lui qui l'a mis sur le coup ? demanda Jack.

Barber haussa les épaules lentement, de façon exagérée, comme pour dire : « Bonne question. »

– Trouvez un moyen pour que votre client nous explique ce que le garde du corps du maire faisait sur les rives du fleuve l'autre soir. Alors peut-être qu'on aura la réponse.

Jack y réfléchit, puis regarda son expression fatiguée dans le miroir une dernière fois.

– Oui, dit-il doucement, peut-être.

38

EN SORTANT DU RESTAURANT, Jack s'arrêta au bar à beignets. Il avait faim, et la boutique offrait un choix immense. À Miami, les beignets étaient aux bars à beignets ce que les tortues marines étaient à la soupe de tortue. Il y avait des *pastelitos*, des pâtisseries cubaines feuilletées qui se mangeaient tièdes, fourrées avec de la goyave ou une autre garniture. Certains avaient même du jambon ou du bœuf haché à l'intérieur, et le goût de la croûte sucrée se mariait étonnamment bien avec la viande salée. Il y avait des *capuchinos*, qui n'étaient pas des tasses de café mal orthographiées mais des biscuits mous en forme de cônes imbibés de sirop. Les *empanadas* et les *croquetas*, quant à elles, sentaient particulièrement bon, mais pas autant que celles que l'*abuela* de Jack faisait. Quoi qu'il en soit, il n'y avait pas un seul bon vieux *doughnut* dans cette boutique. C'était peut-être une mode. Il avait lu dans le *New York Times* ou dans un autre journal que les habitants de la grosse pomme ne juraient plus que par les *cupcakes*, des petits gâteaux. Miami paraissait encore plus en avance.

Jack acheta un *pastelito* à la noix de coco et sortit pour passer un coup de fil. Discuter des problèmes l'avait toujours aidé à réfléchir. Son *abuela* lui avait dit qu'il tenait ça de sa mère. Bien qu'il n'ait jamais connu sa mère – elle était morte à sa naissance –, il ne doutait pas que le confident préféré d'Ana Maria Fuentes ne devait pas beaucoup ressembler à

Theo Knight. Mais Theo n'étant pas disponible, Jack s'adressa à son père pour l'aider à faire le point. Jack n'était pas certain que l'ex-gouverneur soit en mesure de l'aider, mais Falcon lui avait dit de l'appeler. Au minimum, il pourrait mentir avec plus de conviction s'il pouvait dire qu'il avait effectivement parlé à Harry Swyteck.

– Tu me connais, dit-il à son père. Je n'ai jamais su mentir.

– Alors tu devrais abandonner la profession d'avocat et réintégrer le bureau du procureur.

À quoi d'autre Jack aurait-il pu s'attendre de la part d'un ancien officier de police ?

– Qu'est-ce que tu es drôle, papa.

– Désolé. Je sens la tension dans ta voix ; j'essayais maladroitement de te détendre un peu.

– Je comprends, c'est gentil.

– Tu as parlé à ta grand-mère ? demanda Harry.

– Non.

– Tu devrais prendre une minute pour le faire. Ils n'arrêtent pas de répéter ton nom à la télévision. Elle doit être morte d'inquiétude.

– J'essaierai. Peux-tu l'appeler pour moi, lui dire que je vais bien ?

– Est-ce le cas ?

– Quoi ?

– Est-ce que tu vas bien ? demanda Harry.

Jack mit un temps à répondre.

– Je vais mieux que Theo. À l'heure actuelle, c'est ça qui m'inquiète.

– Je sais que ça doit te paraître absurde de m'entendre dire ça, mais ton ami Theo est sacrément solide. Il s'en sortira.

Il avait raison. Ces mots semblaient plus qu'absurdes, venant de l'homme qui avait signé l'ordre d'exécution de Theo. Mais Jack ne tenait pas à revenir sur le passé.

– J'ai besoin de ton aide, dit-il.

– Bien sûr. Qu'est-ce que je peux faire ?

– J'essaie désespérément de comprendre ce qui se passe au sein de la police de la ville.

– Qu'est-ce que tu veux dire ?

À travers la baie vitrée du restaurant, Jack aperçut l'écran de télévision à l'intérieur. Les membres de la Swat s'étaient regroupés autour.

– Papa, allume la septième chaîne. Je te rappelle tout de suite.

– Qu'est-ce qui se passe ?

– Le maire parle en direct à la télé. Je veux entendre ce qu'il va dire. Et je veux que *toi* aussi tu l'entendes.

Jack coupa la communication et courut à l'intérieur. Il trouva un endroit à l'arrière, derrière les membres de la Swat tous vêtus de leur treillis. Le son était au maximum, de sorte que le haut-parleur accompagnait chaque inflexion de voix d'un grésillement métallique.

À l'écran, le maire se tenait devant l'hôtel de ville de Miami ; il venait tout juste de terminer sa déclaration et s'apprêtait à répondre aux questions des médias. Il portait le même complet foncé que lorsqu'ils s'étaient vus un peu plus tôt, mais il avait changé de cravate. Voilà comment les conseillers en communication gagnaient leur vie, se dit Jack : en persuadant les Mendoza de ce monde qu'une cravate rose n'allait pas du tout mais qu'une cravate rouge donnerait une impression de fermeté et de détermination.

– Le preneur d'otages a-t-il à nouveau demandé à parler à votre fille ? demanda un journaliste.

– Pas que je sache, répondit le maire.

– Mais est-ce qu'elle acceptera de lui parler s'il le demande ?

– Certainement pas.

– C'est votre fille elle-même qui vous l'a dit ?

– Le sergent Paulo et le préfet Renfro m'ont tous deux assuré qu'ils ne l'autoriseraient pas.

Un autre journaliste intervint, un vieux fouineur qui importunait systématiquement Jack à l'époque où Harry Swyteck était gouverneur, et où Jack était sa bête noire de par sa jeunesse et son caractère rebelle. Ce journaliste avait pour nom Eddy Malone.

— Monsieur le maire, pouvez-vous garantir aux familles de ces otages que vous ferez tout ce qui est en votre pouvoir pour permettre la libération de leurs proches ?

— Nous nous y engageons solennellement.

— Mais comment pouvez-vous garantir cela si vous n'acceptez même pas de considérer la possibilité que votre fille – qui est elle-même agent de police – parle à ce Falcon ?

— La meilleure façon de répondre à votre question, c'est de vous faire remarquer que ce n'est pas moi qui fixe les limites ici. Le sergent Paulo a géré de nombreuses situations de crise semblables, et il est convaincu que l'on ne doit pas stimuler les délires d'un criminel en accédant à ses demandes et en lui permettant de parler précisément à la femme qui l'obsède. Je ne fais que suivre son conseil sur ce point-là.

La bouche de Jack s'ouvrit d'elle-même, prêt à lâcher un « Quoi ? » involontaire. Le maire poursuivait :

— Je tiens d'ailleurs à ajouter que j'ai la plus grande confiance en Vince Paulo.

— Alors, répliqua Malone, vous n'êtes pas du tout inquiet du fait que le sergent Paulo revienne d'un long congé, et que par conséquent il puisse ne pas être le mieux placé pour gérer cette crise ?

— Si par « long congé » vous faites référence à sa cécité, la réponse à votre question est « non », sans la moindre réserve. Il ne serait pas en charge de cette affaire s'il n'était pas le plus à même de réussir à la dénouer. C'est aussi simple que ça. Je ne suis pas en mesure de répondre à plus de questions pour l'instant. C'est maintenant l'heure de laisser la police faire son travail. Je vous remercie.

Le maire fit un petit geste de la main, tourna le dos aux journalistes et rentra à l'intérieur de l'hôtel de ville.

Jack n'attendit pas d'entendre le résumé du présentateur télé. Il sortit son portable, s'apprêtant à rappeler son père, mais se ravisa. Il savait que la police brouillait ses conversations téléphoniques pour empêcher la presse et d'autres espions potentiels d'écouter ses conversations avec Falcon. À l'heure qu'il était, de nombreux gadgets technologiques devaient être accumulés dans le périmètre autour du motel, et il se demandait combien de personnes avaient accès à la ligne de son portable. Il se dépêcha de sortir et d'aller glisser une pièce dans le téléphone public fixé au mur.

– Tu as vu ça ? demanda Jack.

L'excitation de son fils semblait surprendre Harry.

– Oui, mais je ne peux pas dire que j'aie entendu quoi que ce soit qui m'ait surpris. Le maire ne semble évidemment pas tenir à ce que sa fille parle à un fou furieux, pas plus que moi-même je ne tiens à ce que tu parles à ce type.

– Crois-moi, les sentiments du maire à ce sujet sont bien plus radicaux que les tiens.

– Explique-toi.

Jack lui raconta la conversation qu'il avait eue avec le maire dans le garage, et la visite surprise de l'inspecteur Barber dans les toilettes du fast-food. Et pour finir :

– Le médecin légiste dit que la femme que j'ai retrouvée dans la voiture de Falcon a été battue à mort jeudi soir.

– OK, et alors ?

Jack jeta un regard par-dessus son épaule, s'assurant que personne ne traînait aux alentours. Il attendit que deux policiers en uniforme entrent dans le restaurant avant de reprendre :

– Qu'est-ce que tu penserais si je te disais que, précisément ce soir-là, le garde du corps du maire a été vu sur les rives du fleuve, près de la voiture de Falcon ?

– J'aurais envie de demander à ce type ce qu'il faisait là-bas.

– Supposons qu'on ne puisse pas l'interroger. Ni interroger le maire. Alors à qui peut-on demander ?

– À Falcon, j'imagine, bien qu'il soit cinglé.

– Oui. À moins que...

– À moins que quoi ?

– À moins qu'ils s'assurent que Falcon sorte de cette chambre de motel les pieds devant.

Harry marqua une pause. Il semblait réfléchir sérieusement à ce qu'insinuait son fils.

– C'est une accusation très grave, si c'est bien ce que tu as en tête.

– Absolument, dit Jack.

– Alors... c'est vraiment ce que tu crois ?

– Ça te paraît fou ?

Un autre silence s'ensuivit. Jack se dit qu'il allait entendre le sermon habituel d'Harry Swyteck, déplorant que le monde entier soit persuadé qu'il existe un « complot » universel. Mais finalement Harry lui dit :

– Laisse-moi faire quelques vérifications. Rappelle-moi dans deux heures.

– Non, ne fais rien.

– Je veux t'aider.

– Tu m'as déjà beaucoup aidé. Rien que le fait que tu sois prêt à mener ton enquête me prouve que je ne fais pas fausse route. Il vaut mieux que j'obtienne des informations sur place. Peut-être par le biais de Paulo. Ou même de Barber.

– L'un ou l'autre, mais je pense que tu devrais choisir.

– Tu as raison.

– Alors lequel des deux ? demanda Harry.

– Je n'en sais rien encore. Je vais voir comment les choses progressent dans les une ou deux heures qui vont suivre, et ensuite je suivrai mon instinct.

– D'accord. Fiston ?

– Oui ?

– Sois très prudent dans cette affaire.

– Compte sur moi, dit Jack avant de raccrocher.

39

VINCE SENTAIT L'ODEUR de la pluie qui allait tomber.

Il était sorti juste à l'extérieur du poste de commandement mobile pour respirer un peu d'air frais. Une brise venue du nord-ouest caressait son visage et ses cheveux. La pluie approchait, aucun doute là-dessus. Son nez le remarquait facilement, et ce n'était pas grâce à un sens olfactif surdéveloppé allant de pair avec la cécité. Les odeurs qui annonçaient la pluie à Miami étaient aussi indéniables que la vue de nuages noirs au-dessus des Everglades. Les yeux fermés, même ceux qui voyaient parfaitement pouvaient sentir l'arrivée d'un orage.

La pluie était la nouvelle meilleure amie de Vince. Leur relation s'était nouée dès le premier jour d'averse que Vince avait vécu en tant qu'aveugle, à peine quelques moments après qu'il fut sorti sur sa terrasse. Il se préparait aux exercices mentaux habituels : se souvenir de l'emplacement des parterres de fleurs, des haies et des trottoirs qui délimitaient sa promenade matinale. Mais la pluie bouleversa la donne. Plus précisément, ce fut le bruit de la pluie qui ramena le monde extérieur et l'ensemble de ses formes, de ses textures et de ses contours dans l'univers de Vince. Là où il n'y avait eu que l'obscurité, il y avait maintenant l'eau qui ruisselait le long d'un tuyau d'écoulement. Le clapotis des gouttes sur les feuilles larges et épaisses de l'amandier. Le sifflement des roues des voitures sur le pavé mouillé. Même l'herbe émettait sa propre expression de gratitude en s'imbibant de l'averse matinale. Une personne voyante n'aurait rien entendu de plus que le son de la pluie dans son sens le plus primaire, une sorte de bruit de fond. Pour Vince, il s'agissait d'une symphonie, et il se délectait de cette découverte : apprécier les belles nuances d'absolument chaque instrument. La nature et le vieux quartier de Vince joignaient leurs forces pour lui parler, pour lui dire que tout était encore là afin qu'il puisse s'en réjouir. Il entendait les « boum » de batterie sur sa boîte aux lettres, les « plouf » dans les flaques sur les trottoirs en ciment, et même les « ding » de l'eau qui dégoulinait le long du grillage en fer qui séparait son jardin de celui de son voisin. La pluie, la si merveilleuse pluie. Il souriait d'avoir trouvé cette nouvelle amie.

Elle, cependant, n'était pas l'*amiga* d'un négociateur. Elle compliquait énormément la tâche, surtout quand on avait affaire à un preneur d'otages ceinturé d'explosifs. Si les choses tournaient mal et qu'ils étaient forcés de le neutraliser, ils devraient viser la tête. Les tireurs d'élite travaillaient dans un monde où aucune marge d'erreur n'était possible. Un tir précis depuis le haut d'un bâtiment, à travers la fenêtre d'une chambre de motel à cent mètres de distance, c'était délicat mais pas impossible. Même pour un tireur d'élite, les conditions atmosphériques avaient de l'importance. Personne n'aimait la pluie – à part Vince, qui savait mieux que n'importe quelle personne voyante que, parfois, la seule façon de voir les choses clairement était de se retrouver au cœur de la tempête, que les réponses risquaient d'échapper éternellement à ceux qui restaient à l'abri en attendant la fin de l'averse.

Vince entendit des pas, puis la voix d'Alicia :
– J'ai besoin de te parler. À l'intérieur.

Ils rentrèrent dans le poste de commandement et, avant qu'il puisse demander de quoi il s'agissait, Alicia lui demanda :
– Tu as vu la retransmission de la conférence de presse ?

Un mois plus tôt, Vince l'aurait corrigée : non, il l'avait seulement écoutée. Il fallait croire qu'il vivait maintenant sa cécité avec plus de maturité :

—Oui, répondit-il.

—Alors tu as entendu ce que mon père a dit. Au sujet de l'assurance qu'il a reçue de ta part que, quelles que soient les circonstances, je ne parlerai pas à Falcon.

—J'ai écouté tout ce qu'il a dit.

—Tu lui as vraiment dit ça ?

—Non. Et je n'ai rien dit de tel au préfet non plus.

Il entendit Alicia soupirer, puis s'asseoir.

—Maintenant, si je dois lui parler, tout le monde dans la police va croire que tu as manqué à la parole que tu as donnée au préfet et au maire. Pourquoi est-ce qu'il te met le dos au mur comme ça ?

Vince sentait qu'elle était en colère, et il était absolument certain que la réponse qu'il pourrait lui donner ne ferait que l'énerver encore plus. Elle pourrait même la prendre comme une insulte. Il tenta une approche moins directe :

—Je t'ai raconté le rêve que j'ai fait après ton appel pour m'inviter au festival de jazz ?

Elle marqua une pause suffisamment longue pour qu'il comprenne qu'elle devait être en train de le regarder avec incrédulité.

—Vince, est-ce qu'on pourrait se concentrer sur le problème dont je te parle ?

—Non, c'est important. Il faut que je te raconte.

Elle poussa un petit soupir que Vince interpréta comme un consentement réticent.

—D'accord, dit-elle. Parle-moi de ton rêve.

—En réalité, je l'ai fait deux fois dans la même nuit. C'est étrange, car c'est un de mes rares rêves dans lesquels je suis aveugle. Et je suis marié avec toi.

Il s'arrêta. Il n'avait pas eu l'intention de marquer une pause si dramatique, mais soudain il n'était plus si sûr que faire part de ce rêve à Alicia soit une si bonne idée.

—On est mariés ?

—Oui. Et on amène notre fille au parc. Elle doit avoir quatre ans. Des gamins jouent, tout autour de nous. Je les

entends qui s'amusent, qui crient de joie en se suspendant à
la cage d'écureuil. Des bribes de conversations m'entourent.
J'entends des musiciens qui jouent sous le kiosque, au loin.
Je suis fatigué alors je dois m'asseoir sur un banc. Et tout d'un
coup un enfant arrive et s'assied sur mes genoux. Je suis quasiment sûr que c'est une fille, à cause de la longueur de ses
cheveux, mais elle ne dit rien. Elle se blottit contre ma poitrine. J'attends qu'elle dise quelque chose, mais elle reste
parfaitement silencieuse. Je ne sais pas quoi faire. Je crois que
c'est notre fille, mais sans le son de sa voix, je ne peux pas en
être sûr. Évidemment, je n'ose pas lui demander directement
si c'est bien elle. Qu'est-ce qu'elle penserait, si son propre père
n'arrive pas à la reconnaître alors même qu'elle est assise
sur ses genoux ? Alors on reste assis, cette petite fille sur mes
genoux et moi dans le noir, qui ne sais pas qui elle est, qui ne
sais pas quoi faire.

Silence. Un silence insupportable. Vince s'était dit que
raconter ce rêve à Alicia desserrerait le nœud d'émotions
qu'il sentait dans son estomac, mais c'était pire encore d'avoir
livré tout ça et de n'obtenir aucune réaction. À ce moment-là,
plus que jamais, cela le rendait malade de ne pas voir le visage
d'Alicia.

– Cet enfant ne te parlera, dit-elle finalement, que si tu lui
en laisses la chance.

– Dans mon rêve, c'est ce que je veux : qu'elle parle.

– Non. Elle restera assise et silencieuse, jusqu'à ce que tu
sois prêt. Jusqu'à ce que *toi* tu décides de ce que tu veux faire.
De ce que tu veux faire de nous.

Un nouveau silence. Puis Vince entendit des pas qui
approchaient. Il la sentait presque, debout juste devant lui,
regardant son visage. Il voulait tendre les mains vers elle, mais
il n'était pas sûr que c'était ce qu'elle voulait, et quelque chose
en lui ne lui laissait pas prendre le risque. Soudain, il sentit
les bras d'Alicia autour de ses épaules, et instinctivement il
la serra fort contre lui tout en glissant les mains dans son dos.

Ce n'était pas la réaction à laquelle il s'était attendu, mais c'était bien mieux encore que ce qu'il avait pu espérer. C'était tellement agréable.

Alicia le relâcha et s'écarta d'un pas.

– Vince, murmura-t-elle en s'efforçant de contrôler l'émotion qui l'envahissait, je suis contente que tu aies partagé ça avec moi.

Il fit un léger sourire pour qu'elle se sente à l'aise.

– Hé, dit-il, je ne t'ai pas raconté ce rêve pour qu'on fonde dans les bras l'un de l'autre.

– Ton timing est un peu étonnant, c'est vrai.

– En fait, j'avais vraiment l'intention de te faire comprendre quelque chose.

– Quoi donc ?

– Je veux que tu saches que mes sentiments pour toi n'ont pas changé, mais – façon de parler – ça ne fait pas de moi un aveugle pour autant.

– Je ne te suis pas.

Toutes traces de sourire disparurent de son visage, et il prit l'expression la plus sérieuse possible.

– Ne sois pas choquée par ce que je suis sur le point de te dire. Et, je t'en prie, ne me dis pas que je perds la tête.

– Je t'écoute, dit-elle d'une voix soucieuse.

– Je crois que je commence seulement à comprendre pourquoi on m'a chargé de cette négociation.

40

THEO COMPTAIT LES BALLES. Encore une fois.

Il avait essayé de tenir la comptabilité depuis que le premier coup de feu de Falcon avait pulvérisé le toit ouvrant de Jack. Viendrait l'heure où Falcon aurait à recharger son arme. C'est à ce moment-là qu'il serait le plus vulnérable. Theo devait néanmoins trouver un moyen de desserrer le fil autour de ses poignets et de ses chevilles. S'il y parvenait, il faudrait qu'il tente sa chance quand Falcon serait à court de balles et qu'il chercherait frénétiquement un autre chargeur. Treize coups, c'était la capacité standard. Certains types n'en chargeaient que douze pour réduire le risque d'enrayement. Compter le nombre de balles déjà tirées, cependant, n'était pas aussi évident qu'on pouvait le penser. Le deuxième tir de Falcon avait touché la fille dans la salle de bains. Un coup de feu pour chacun des policiers tués ou blessés, et on arrivait à un total de quatre. Une autre balle avait fait exploser le projecteur de la police. Ou bien avait-il tiré deux fois ? Theo n'arrivait pas à s'en souvenir, il n'avait pas bien distingué les tirs de Falcon de ceux des policiers qui avaient riposté.

— Où as-tu appris à tirer ? demanda Theo.

Falcon s'écarta des rideaux.

— Mêle-toi de ce qui te regarde.

— C'est quoi que t'as en main, au fait ? Un Browning ?

Un Browning Hi-Power, autant que Theo pouvait en juger :

une arme de prédilection pour beaucoup de militaires dans le monde entier.

Falcon ne répondit rien.

– Pour l'instant, tu n'as vraiment pas gaspillé de munitions, poursuivit Theo. La fille, deux flics, un projecteur. Et il t'a fallu quoi ? Cinq balles, quatre balles ?

Falcon se contenta de sourire, comme si cela l'amusait de voir si clair dans le jeu de Theo.

– T'inquiète, dit-il. Je crois bien que j'en ai une là-dedans sur laquelle y a ton nom d'écrit. Mais pourquoi ne pas s'en assurer ?

L'espace d'une demi-seconde, Theo crut que Falcon allait lui tirer dessus. Au lieu de ça, Falcon pressa avec son pouce droit le bouton qui libéra le chargeur. Le temps que celui-ci tombe par terre, la main de Falcon était déjà en train d'en sortir un nouveau de la poche de son manteau. Il l'inséra et l'enclencha d'une petite tape de la main au bas de la crosse, s'assurant ainsi que treize nouvelles balles étaient bien en place.

Deux secondes chrono pour effectuer une recharge tactique. Ce gars avait incontestablement l'habitude de manier des armes de poing.

– Tu peux recommencer à compter à partir de zéro, dit Falcon en ramassant l'ancien chargeur.

Un grand coup contre la porte surprit tout le monde dans la chambre.

– Qu'est-ce que c'est ? laissa échapper le présentateur météo.

– Chut ! ordonna Falcon.

Il attrapa le présentateur et le força à se lever, le plaçant devant lui comme bouclier humain. Si les Swat enfonçaient la porte et se mettaient à tirer, il serait le premier à morfler.

– Ne me prenez pas moi, utilisez le grand, dit Walt d'une voix tremblante. Ce sera plus facile de vous cacher derrière lui.

Theo se promit de ne pas oublier d'envoyer la candidature de ce type pour *Des héros comme vous et moi*, l'émission qui récompensait les actes de bravoure de citoyens ordinaires.

– Taisez-vous *tous* et ne bougez pas, ordonna Falcon.

Personne ne fit le moindre geste, sauf Falcon lui-même, qui semblait ne pas arriver à décider s'il valait mieux pointer son pistolet vers la porte ou vers la cervelle du présentateur. Ils attendaient tous un nouveau coup contre la porte, ou un autre bruit qui expliquerait cette intrusion.

Un grondement électronique puissant résonna quelques secondes dans le parking : l'enclenchement du haut-parleur de la police. On entendit la voix de Paulo :

– Falcon, on a déposé le bout d'une corde devant votre porte. Tirez dessus, et elle fera venir à vous un chariot. Il y a de la nourriture dans ce chariot.

Theo observait Falcon en train de réfléchir. Pas une seule pensée ne traversait l'esprit de ce type sans qu'il ne cligne exagérément de l'œil ou ne se morde la lèvre, comme si la crispation faciale allait de pair avec le bon fonctionnement de son cerveau.

Le haut-parleur s'enclencha à nouveau, et Paulo annonça :

– Dans le chariot, il y a aussi votre collier.

Cela suffit à décider Falcon. Il pressa son pistolet contre la tempe de Walt :

– Toi, dit Falcon, je veux que tu ouvres la porte.

– OK. Je ferai tout ce que vous voulez.

– Tu vas ouvrir la porte et tirer sur cette corde. Prends ce qu'il y a dans le chariot, et la corde, aussi. Laisse le chariot dehors. Si tu essaies de t'enfuir, je tire une balle dans la tête du grand malin et une autre dans ton dos.

– Vous n'aurez pas besoin de tirer sur quelqu'un. Économisez vos balles, OK ?

– J'en ai plein, des balles. Ne bouge pas avant que je te le dise.

Falcon retourna rapidement vers la salle de bains et dit :

– Je ne veux pas vous entendre faire le moindre bruit, compris les filles ?

– Elle ne pourrait rien dire même si elle le voulait, répliqua Natalia à propos de son amie blessée.

– Bien.

Falcon ferma la porte et pointa son pistolet vers Theo.

– Toi. Allonge-toi à plat ventre, contre le mur, loin de la porte.

Les chevilles et les poignets toujours liés, Theo se dressa sur ses genoux et rampa de l'autre côté de la pièce. Il s'allongea sur le ventre, mais en tournant la tête vers la gauche afin de garder un œil sur ce qui se passait.

Falcon repoussa les meubles entassés contre la porte. Il défit le fil électrique autour des poignets du présentateur, puis il recula jusqu'au mur du fond, ayant choisi un emplacement où il serait à l'abri des tirs de la Swat une fois la porte ouverte. Son pistolet pointait tantôt vers la tête de Theo, tantôt vers le dos de Walt.

– Maintenant ouvre la porte, dit-il à Monsieur Météo, et fais exactement ce que je t'ai expliqué.

Le présentateur fut lent à s'exécuter. C'était moins un acte de désobéissance que la conséquence d'une peur paralysante.

– Vas-y ! ordonna Falcon.

Walt prit une grande inspiration, puis expira, apparemment sans se rendre compte à quel point il faisait du bruit. Les liens autour de ses chevilles le forçaient à avancer vers la porte en traînant les pieds. Il tourna le verrou, saisit la poignée, puis s'immobilisa.

– Laissez-moi partir, je vous en prie.

Falcon ne répondit pas.

– J'ai une femme. Et des enfants.

Sa gorge se serrait et il avait du mal à prononcer ces mots, peut-être à cause de la peur, peut-être parce qu'il se trouvait dans une chambre de motel avec deux jeunes prostituées.

– J'en ai rien à foutre, dit Falcon.

– Je vous en prie. Je veux retrouver ma famille.

– Alors fais ce que je dis. Si tu essaies de t'enfuir en courant, en sautillant ou même en roulant par terre, toi et ton pote grande gueule vous finirez au cimetière. Alors ouvre cette putain de porte.

Theo apercevait la main de l'homme qui tremblait alors qu'il tournait la poignée et poussait la porte. La chambre s'éclaira, mais pas autant que Theo s'y attendait. Soit il avait mal évalué l'heure qu'il était, soit le ciel était totalement couvert.

– Tire la corde, dit Falcon.

Walt se pencha en avant, attrapa le nœud de la corde sur le pas de la porte et commença à tirer.

– Plus vite ! cria Falcon.

L'homme augmenta la cadence. Theo entendait le chariot rouler sur la chaussée. Le bruit devint de plus en plus fort jusqu'à ce que le chariot arrive devant la porte. Alors Walt cessa de tirer.

– Dépêche-toi, vide-le ! ordonna Falcon.

Tout se trouvait dans un unique sac. Walt le saisit et le posa au sol derrière lui.

– La corde ! cria Falcon. Je veux la corde !

Monsieur Météo la détacha du chariot et la posa à côté du sac.

– Ferme la porte !

Dès que la porte fut refermée, Falcon traversa précipitamment la pièce et poussa le présentateur par terre. Il sortit le couteau de la poche de son manteau, coupa environ soixante centimètres de corde et lui lia les mains derrière le dos. Puis il ferma le verrou et entassa à nouveau les meubles pour barricader l'entrée. Il s'apprêtait à ouvrir le sac quand le portable de Theo se mit à sonner. Falcon le sortit du fond de sa poche et répondit à la troisième sonnerie. Theo était suffisamment près pour entendre la voix de Jack à l'autre bout de la ligne. Il gardait toujours le volume de son portable au maximum, étant donné qu'il travaillait dans un bar bruyant, et Jack avait en plus une voix qui portait. Falcon était obligé de tenir le téléphone à au moins cinq centimètres de son oreille pour ne pas s'abîmer le tympan.

– Nous avons respecté notre parole, dit Jack. Maintenant il nous faut cette photo de toi dont nous avons parlé.

—Je te l'ai dit, je n'ai pas d'explosifs sur moi.

—Parfait. Alors tu n'as qu'à enlever ton manteau, enlever ta chemise et prendre une photo avec le téléphone. Ensuite mets ton manteau dans le chariot et envoie-le-nous. Quand nous aurons vu qu'il n'y a pas de bombe, tout le monde sera content.

—Va te faire foutre.

—Falcon, je ne serai plus en mesure de convaincre la police de répondre à tes demandes si tu ne respectes pas tes engagements.

—Va te faire foutre, je t'ai dit !

Falcon coupa la communication et fourra le téléphone dans sa poche. Son visage prit une expression complètement neutre. Mais il finit par se tourner vers Theo et lui crier :

—Qu'est-ce que t'as à me regarder comme ça ?

—Tu devrais écouter ce que te dit Jack. On peut compter sur lui.

—C'est un menteur. Ce sont tous des menteurs.

—Pour l'instant, je dirais que c'est toi qui fais figure de menteur.

—Qui t'a demandé ton avis ?

Falcon alla ouvrir le sac et regarda à l'intérieur.

Theo sentait l'odeur de la nourriture, même depuis l'autre bout de la pièce. Il ne s'était jusqu'alors pas rendu compte à quel point il avait faim.

—Et si on mangeait au lieu de causer ? demanda-t-il.

—Je ne toucherai pas à ces saloperies, répliqua Falcon. Ces enfoirés les ont probablement bourrées de poudre somnifère.

C'était bien un discours de paranoïaque, mais en même temps Theo se dit qu'il n'avait peut-être pas tort. Ce dernier sortit un hamburger du sac et ôta le papier autour. L'odeur était irrésistible, l'estomac de Theo en grogna d'envie. Falcon s'approcha de lui et colla le hamburger devant ses lèvres.

—Gros veinard, c'est toi qui vas tester cette bouffe pour moi.

Jamais de sa vie Theo n'avait refusé de la nourriture, sur-tout quand celle-ci était gratuite. Même dans le couloir de la mort, il s'était illustré en étant le seul à ne pas se rallier à une grève de la faim affectant la prison entière. Mais l'idée qu'une drogue ait pu être dissimulée dans ces hamburgers ne lui paraissait pas si ridicule.

– J'ai pas faim, déclara-t-il.

Falcon pressa le canon du pistolet contre le front de Theo.

– C'était pas une proposition. Mords.

Theo prit une énorme bouchée.

– C'est bien, dit Falcon. Mange, mon gros toutou.

Theo ne se fit pas prier pour mordre une deuxième fois dans le hamburger, qui paraissait succulent, même sous la menace d'un flingue. Il mâcha, avala, puis demanda à Falcon :

– Tu caches quoi sous ton manteau ?

– Rien.

– Alors prends une photo et montre à Jack que t'as rien.

– Non, j'aime bien l'idée que ces branleurs croient que j'ai une bombe.

– Si c'est pas une bombe... alors qu'est-ce que c'est que tu caches là-dessous ?

– Qu'est-ce qui te fait penser que je cache quelque chose ?

– Je l'ai senti quand on a lutté par terre. Tu as quelque chose là-dessous. Quelque chose avec des fils.

Theo et Falcon se regardèrent droit dans les yeux, et l'expression de ce dernier changea radicalement. Il paraissait moins nerveux, moins tourmenté et, tout d'un coup, plus distant et vague. Theo n'avait jamais lu une pareille expres-sion sur le visage de quelqu'un, pourtant il avait croisé les regards de personnages plutôt effrayants en son temps. Il avait la sensation étrange d'avoir pénétré dans une autre partie de l'univers de Falcon, et que Falcon ne savait pas exactement comment réagir à cette intrusion. La pièce sembla plus étouf-fante. Il transpirait et il ouvrit la fermeture Éclair de son manteau, même si Theo était certain qu'il ne faisait pas cela à cause de la température de la chambre. Theo se prépara – à quoi, il ne savait pas trop.

– Tu veux parler de ces fils-là ? demanda Falcon.

Il les empoigna et les tira hors de son manteau suffisamment pour que Theo puisse les voir.

– Oh putain ! s'exclama le présentateur.

– Doucement, dit Theo. S'il y a une bombe là-dedans, c'est pas le moment de commencer à tirer sur les fils.

Falcon agrippa les fils de sa main libre. Précautionneusement, il continua de défaire la fermeture Éclair de la main qui tenait le pistolet, gardant l'index sur la gâchette, son majeur coinçant le curseur de la fermeture contre la crosse du pistolet. Une fois ouvert, il écarta lentement le côté droit du manteau, comme un mannequin montrant la doublure d'un costume fabriqué sur mesure.

Theo vit la bosse formée par la poche intérieure, et les fils qui y menaient.

– Curieux ? demanda Falcon.

Les yeux de Monsieur Météo devinrent aussi larges que des soucoupes :

– Vous n'avez rien à nous prouver. Laissez ça tranquille, d'accord ?

Falcon resta parfaitement immobile pendant une minute qui parut très longue à Theo. Puis il leva la main. Les fils se tendirent, et la bosse dans sa poche glissa vers le haut.

– Le gars de la météo a raison, dit Theo. Laisse ça tranquille.

Il ne les écoutait pas. Il agissait comme un magicien qui sort un lapin de son chapeau au ralenti. Walt tremblait dans son coin.

– Arrêtez, arrêtez bon sang !

Falcon changea à nouveau d'expression, le regard vague laissant place à quelque chose que Theo imaginait être du pur amusement. Falcon tira brutalement les fils vers le haut. Walt cria, et Theo roula vers le mur – comme si cela aurait pu le sauver d'une explosion.

Qui ne se produisit pas.

Theo tourna la tête et vit une petite boîte noire en métal qui pendait au bout des fils.

– Qu'est-ce que c'est que ça ?

– C'est rien qu'un vieux générateur, répondit Falcon avec un sourire sardonique.

Theo avait l'estomac noué. En effet, ce truc ressemblait à une espèce de générateur à piles, ce qui était nettement préférable à une bombe, mais tout de même assez troublant. Falcon était apparemment un de ces sans-abri qui trimballaient leurs possessions les plus chères sur eux en permanence, peu importe qu'elles soient bizarres ou inutiles.

– Je me rendais pas compte, dit Theo, que ça pouvait être utile de transporter sa propre électricité.

Falcon retourna vers le sac et en sortit le collier de billes en métal, qu'il caressa entre ses doigts comme s'il s'agissait de pierres précieuses.

– Tu t'en rendras compte, dit Falcon.

Sa voix semblait venir d'un autre lieu, de la zone de son univers où Theo s'était involontairement introduit.

– Crois-moi, petit malin. Tu t'en rendras *personnellement* très vite compte.

41

On LISAIT TRÈS CLAIREMENT le soulagement sur le visage du sergent Paulo.

Jack partageait exactement son sentiment, de sorte que le regarder, pour lui, équivalait à se regarder dans un miroir. C'est Paulo qui avait eu l'idée d'insérer le petit mouchard électronique au fond du double sac en papier, caché entre les plis. Personne, cependant, ne s'était attendu à obtenir une aussi bonne nouvelle, aussi rapidement : *pas de bombe*. D'une certaine façon, cela paraissait étrange de se réjouir du fait qu'ils n'avaient affaire qu'à un tueur paranoïaque doublé d'un tireur exceptionnel bourré de munitions. Mais il n'y avait pas de petites victoires, surtout quand on gérait une prise d'otages.

– C'est qui, « le gars de la météo » ? demanda Jack.

– On pense que ça doit être Walt, répondit Paulo, le Magicien de la Météo de la septième chaîne. Il a quitté la station télé à vingt-trois heures trente la nuit dernière et n'est jamais rentré chez lui. Sa femme a signalé sa disparition ce matin.

– Sa femme ? s'exclama Alicia. Je croyais qu'il était homo.

– C'est ce que tout le monde pense, dit Paulo. C'est peut-être pour ça qu'il s'est retrouvé dans cette chambre de motel en compagnie de deux prostituées : un « métrosexuel » qui cherchait à se prouver quelque chose.

— Ce qui est plus pertinent, dit Jack, c'est que nous savons maintenant qu'il y a quatre otages : deux hommes et deux femmes. Theo va avoir du mal à gérer tout ce monde.

— Vous voulez dire que c'est *Falcon* qui va avoir du mal, rectifia Alicia.

— Non, je voulais dire Theo. Je connais mon ami. Il ne sortira pas de cette chambre sans que tout le monde sorte avec lui. Et maintenant on découvre qu'il est coincé là-dedans avec deux adolescentes et Walt le Magicien de la Météo. Or tout repose sur les épaules de Theo.

Personne ne semblait vouloir nier cela.

— Au moins il n'y a pas de bombe, dit Alicia.

— La manière dont il parle de son générateur est tout de même très curieuse, dit Paulo. Comme s'il pensait qu'un générateur est plus terrifiant que des explosifs.

— C'est ce que j'ai ressenti en l'écoutant, moi aussi, ajouta Jack. Mais je n'arrive pas à me l'expliquer.

— Ça doit être une question d'imagination, dit Alicia.

— Qu'est-ce que vous voulez dire ? demanda Jack.

Elle hésita, puis détourna le regard.

— Rien... Ce type, Falcon, il a l'habitude de délirer. Peut-être qu'il s'imagine que son petit générateur est capable d'inverser la charge magnétique des pôles terrestres ou de changer la force gravitationnelle de la lune.

— C'est vraiment ça que vous aviez à l'esprit ?

— Oui... quoi d'autre ?

Plusieurs réponses possibles se bousculaient dans la tête de Jack. La même intuition qui l'avait mis en alerte quelques heures plus tôt le démangeait à nouveau. Il aurait juré qu'Alicia n'avait pas osé leur faire part de ce qui lui avait vraiment traversé l'esprit.

— Dites-moi une chose, Alicia. Qu'est-ce qui vous inquiète le plus au sujet de Falcon ?

Elle lui lança un regard perplexe.

— Qu'il puisse tuer les otages, bien sûr.

— Laissez-moi poser une question un peu différente : qu'est-ce qui inquiète le plus votre père à propos de Falcon ?

— La même chose, j'en suis sûre.

— Comment le savez-vous ?

— Je connais mon père.

— Vraiment ?

— Oui, dit-elle avec un peu d'irritation dans la voix.

— Savez-vous ce que le garde du corps de votre père faisait au bord du fleuve, près de la voiture de Falcon, l'autre soir ?

— Non, je ne sais rien à ce sujet.

— Et vous, sergent ?

Jack avait espéré prendre Paulo par surprise et pouvoir ainsi lire quelque chose sur son visage. Mais Paulo était trop prudent pour se laisser avoir.

— Ce qu'il y a de drôle avec les gens qui ont quelque chose qui leur pèse sur le cœur, dit Paulo, c'est qu'ils sont souvent agressifs.

— Qu'est-ce que vous entendez par là ? demanda Jack.

— Laissez tomber votre contre-interrogatoire, maître. Si vous avez quelque chose à dire, dites-le.

— OK, dit Jack. Moi aussi je préfère la transparence, tant que ça marche dans les deux sens. Est-ce que l'un d'entre vous peut me dire ce que le garde du corps du maire faisait à cet endroit-là, ou bien allez-vous continuer à faire semblant de ne rien savoir ?

— Je suis sûre qu'il avait une bonne raison d'être là où il était, dit Alicia.

— Alors j'aimerais beaucoup l'entendre. Car une femme a été assassinée ce soir-là.

— Elle a été battue à mort avec un tuyau en plomb couvert d'empreintes appartenant à Falcon, répliqua-t-elle.

— Alicia, intervint Paulo.

Il la rappelait clairement à l'ordre : elle communiquait des détails confidentiels concernant l'enquête à un type qui se trouvait être (ou au moins avoir été) l'avocat de Falcon.

−Je m'en fiche, dit-elle. Je vois où vous voulez en venir, Swyteck, mais vous êtes complètement à côté de la plaque. Vous pensez qu'il y a quelque chose de louche. Vous pensez peut-être même que mon père ait envoyé son garde du corps sur les rives du fleuve pour s'assurer que Falcon ne me harcèle plus.

−Peut-être que oui, admit Jack.

−*Alicia*, dit Paulo.

−Non, autant clarifier les choses tout de suite. C'est ridicule. Même si mon père était le genre d'homme à agir de la sorte − et il ne l'est pas − vos insinuations ne tiennent pas debout. Si c'était Falcon qu'on avait retrouvé mort, alors ce que vous dites aurait un semblant de logique. Mais pour quelle bonne raison le garde du corps de mon père assassinerait-il une pauvre femme sans défense qui vit dans la rue depuis si longtemps que même le médecin ne peut pas identifier son corps ?

C'était une excellente question, mais à ce stade de la discussion, Jack n'était pas prêt à concéder quoi que ce soit.

−J'y travaille, dit-il.

−Vous feriez mieux de concentrer vos efforts sur l'aide que vous pouvez apporter à Vince afin de résoudre cette crise.

−*Là* je suis d'accord, approuva Paulo.

Une seconde plus tard, le téléphone de ce dernier sonna. C'était la ligne extérieure, pas celle de la négociation. Paulo répondit, puis couvrit le microphone et s'adressa à Jack :

−C'est Darden, le policier de Miami qui vous a accompagné à la banque aux Bahamas. Vous voulez bien m'excuser une minute ?

Jack ne bougea pas :

−Je croyais qu'on devait jouer la carte de la transparence...

Paulo était sur le point d'objecter, mais il se ravisa. Peut-être voyait-il là une occasion de regagner la confiance de Jack, en lui permettant de rester, mais sans aller jusqu'à enclencher la fonction haut-parleur. Il se trouva que la conversation fut courte, et que Paulo en passa la plus grande partie à écouter Darden. Il raccrocha au bout de deux minutes à peine.

– On a découvert quelque chose à la banque ? demanda Jack.

– C'est plutôt le contraire, en fait. Darden m'a transmis une information concernant monsieur Riley, le directeur, celui qui vous a laissé entrer ce matin.

– De quoi s'agit-il ?

– On a perdu sa trace.

Jack ne comprit pas tout de suite :

– Qu'entendez-vous par « perdu sa trace ? » Il s'est fait la malle ? Ou il lui est arrivé un malheur ?

– On ne sait pas encore. Mais selon la police des Bahamas, toutes les archives informatiques concernant le coffre de Falcon ont été détruites. Toutes les archives manuscrites, dont le registre des visites à la salle des coffres, se sont également volatilisées.

– On dirait qu'il va falloir que vous retrouviez monsieur Riley, dit Jack.

– Oui, renchérit Paulo. Je dirais même qu'on n'a pas d'autre choix.

42

THEO GUETTAIT LE COUP de pompe.

Si un quelconque somnifère avait été ajouté au hamburger, il en aurait ressenti l'effet à l'heure qu'il était. Mais rien ne se produisait. C'était comme cette fois où Jack avait décidé de jouer les rebelles en préparant des brownies à la marijuana, pour découvrir à la fin que les cent dollars qu'il avait filés à son jardinier colombien ne lui avaient servi qu'à se procurer un sachet d'origan. En réalité, c'est Theo qui s'en était rendu compte. Jack, lui, pensait réellement être défoncé. Pauvre Jack.

Comment ce type pourrait survivre sans moi ?

– Je veux sortir d'ici, dit Walt.

Il parlait à voix basse, à personne en particulier. Peut-être n'avait-il même pas eu l'intention de parler à voix haute.

– Qu'est-ce que t'as dit ? demanda Falcon, menaçant.

– Rien, c'est lui, répondit-il en hochant la tête vers Theo.

Dans d'autres conditions, les mains libres, Theo aurait attrapé ce petit fumier et l'aurait brisé en deux. Mais il valait mieux, pour lui-même comme pour les filles, qu'il garde son calme.

– Je veux une bière, demanda Theo. C'est tout ce que j'ai dit.

– Y en a pas.

– Et si on s'en faisait livrer ?

– Et si tu fermais ta putain de gueule ?

– Est-ce que vous pouvez au moins laisser les hommes aller eux aussi aux toilettes ? demanda Walt.

– Allez-y.

– Tu comptes pas nous délier ? essaya Theo.

– Non. Vous avez qu'à sautiller jusqu'à la cuvette et laisser Natalia la *jinitera* vous la tenir.

C'est exactement ce qu'ils firent, et quand ils eurent fini, un silence pesant s'abattit dans la pièce, comme le calme avant la tempête. Falcon avait enfin ôté son manteau, mais il n'avait pas l'air pour autant de vouloir accéder aux demandes de Jack : pas question de le remettre à la police pour qu'ils l'examinent. Le manteau était plié dans un coin, près du générateur. Theo observait l'appareil depuis quelques minutes. On aurait dit qu'il avait au moins cent ans, sauf que les générateurs portables n'existaient probablement pas il y a si longtemps. Mais ce truc devait bien avoir vingt-cinq ou trente ans. La boîte noire en métal était sale et éraflée, avec une méchante bosse dans un coin, comme si on l'avait jetée du haut d'un immeuble. Un des boutons de contrôle manquait : il ne restait plus qu'une vis qui sortait d'un trou rond. Il y avait deux compteurs – un pour les ampères et l'autre pour les volts, supposait Theo – et le verre qui couvrait l'un d'entre eux était fendu au point d'avoir l'aspect d'une toile d'araignée. À une époque, ce générateur avait dû beaucoup servir, peut-être même trop. Et Theo n'était pas sûr qu'il puisse encore fonctionner.

Et quelle était l'utilité des billes de métal dans le sac ?

Douze heures. C'était à peu près ce qu'avait déjà dû durer cette prise d'otages, selon l'estimation de Theo. Il se demanda encore combien de temps les flics laisseraient passer avant d'envoyer les Swat à l'assaut de cette porte. Un jour ? Deux ? D'après son souvenir, le tristement célèbre siège que le FBI avait tenu contre le ranch de la secte des Branch Davidians à Waco avait duré presque deux mois. Les choses étaient toujours plus compliquées quand on avait affaire à un malade mental. Falcon faisait désormais passer David Koresh, le gourou des Davidians, pour un type parfaitement équilibré.

– Je veux sortir d'ici, dit Walt.

C'était un geignement, à peine plus fort qu'un murmure. Il avait les traits tirés, les paupières closes, comme s'il était en train de prier pour que cette terrible situation s'évanouisse comme par magie. Il semblait avant tout sur le point de perdre la tête.

– Chut ! dit Falcon. Sinon tu seras le prochain sur le gril.

Le gril ? Theo ne comprenait pas. Est-ce que Falcon les prenait maintenant pour des hot-dogs ou des hamburgers ?

– On crève de chaud ici ! cria Natalia.

Elle et son amie blessée étaient toujours enfermées dans la salle de bains.

– S'il vous plaît, ouvrez la porte !

Falcon ne bougea pas.

Theo plaignait ces filles. On cuisait dans la pièce principale. L'ouverture de la porte d'entrée avait permis de laisser filtrer un souffle d'air frais quelques instants, mais on n'en profitait déjà plus, et ils s'étaient remis à respirer encore et toujours la même atmosphère. Un triangle de sueur collait la chemise de Theo dans son dos, alors il pouvait à peine imaginer ce que ces filles enduraient, coincées dans cette salle de bains minuscule avec des toilettes dont on n'avait pas pu tirer la chasse.

– Faut que t'ouvres la porte de la salle de bains, dit Theo.

Falcon fixait le sac en papier des yeux sans dire un mot.

– Hé, mon grand. Elles pourraient étouffer là-dedans.

Falcon ne détournait pas son regard du sac, comme s'il était en pleine transe.

– Elle va de plus en plus mal, ouvrez cette porte ! cria Natalia.

Falcon ne bougeait toujours pas. Theo s'apprêtait à gueuler, à le sommer de se réveiller, quand finalement il se leva et se dirigea vers le sac.

– Tu ne veux vraiment pas m'écouter, c'est ça ? dit Falcon.

Theo se demanda si c'était à lui qu'il parlait, mais il en doutait. Falcon semblait être à nouveau happé dans un de ses moments d'hallucination.

— Tu m'entends, Swyteck ? Je t'ai dit de demander à Paulo ce que je veux. Alors pourquoi tu ne m'écoutes pas ?

Il attendit quelques instants, puis répondit à sa propre question, s'exprimant à la manière de Jack :

— Je t'écoute, Falcon. Mais je ne veux plus jouer aux devinettes.

Falcon changea de nouveau d'expression et redevint lui-même :

— Tu joueras à tous les jeux que je veux. Dis-moi, Swyteck. C'est pas un secret. Qu'est-ce que je veux ? Qu'est-ce que je veux *vraiment* ?

Il fit semblant d'y réfléchir, comme s'il était Jack :

— Parler à Alicia Mendoza ?

— Non, non. Ça, c'est plus à l'ordre du jour. Ces conneries ont bien trop duré. Ce serait trop facile de résoudre les problèmes comme ça. Et c'est beaucoup trop tard.

À nouveau, il changea de personnage :

— Alors dis-moi simplement ce que tu veux.

Et de retour dans sa propre peau, tout en s'approchant du sac comme pour insister sur l'importance de ce qu'il allait dire :

— OK, voilà ce que je veux : je veux entendre Alicia me *supplier* de la laisser parler avec moi.

En réponse, Falcon rigola comme Jack aurait pu le faire :

— N'y compte pas trop, mon vieux.

Mais Falcon rétorqua à « Jack » :

— Oh si, j'y compte, Swyteck. Dans peu de temps, elle mourra d'envie de me parler. Elle en mourra tellement d'envie qu'elle n'oubliera jamais qui je suis, moi, Falcon. Et quand on en aura fini, elle me remerciera. Vraiment. Elle me dira merci.

C'était étrange de regarder un homme mener une conversation de façon si convaincante, comme si Jack était bel et bien dans la pièce, mais Theo comprit soudain que Falcon était beaucoup plus rusé que taré. Falcon s'en était rendu compte avant lui : il y avait un micro dans le sac, et à voir l'expression dans ses yeux, Theo ne doutait pas qu'il s'apprêtait à mettre ce sac en morceaux.

Mais avant que cela ne se produise, Theo voulait transmettre encore une information importante à Jack :

– Hé, Falcon.

Ce dernier regarda plus ou moins dans la direction de Theo, mais il était encore trop occupé par son dialogue à une voix avec Jack pour se soucier de lui.

– La fille dans la baignoire a besoin d'un docteur.

Falcon ne répondit pas.

– Tu m'as entendu ? dit Theo suffisamment fort pour que sa voix soit captée par le mouchard. Je te dis que la fille dans la salle de bains est blessée et qu'elle a besoin d'un docteur.

Falcon ramassa le sac en papier et vida la nourriture, les boissons et les billes de métal par terre. Il prit les billes et les posa dans le coin de la pièce, à côté du générateur. Puis, lentement, il déchira le sac le long de ses plis et étala le papier marron au sol comme un paillasson. Il se mit à le piétiner, très prudemment, comme un homme qui craint de marcher sur une mine.

– Un docteur ? demanda-t-il après avoir fait un deuxième pas. Tu dis que cette fille a besoin d'un docteur ?

Encore un pas et il ajouta :

– C'est vraiment dommage, parce que personne ne sait où est le docteur.

Il fit encore deux pas, se rapprochant petit à petit des coutures qui se croisaient au niveau du double fond :

– Mais si tu le trouves...

Il leva le pied comme s'il s'apprêtait à écraser un cafard :

– ... si tu réussis à coincer ce sale lâche, n'oublie pas de lui parler de *la bruja*.

Il abattit son pied avec une force terrible : le microphone miniature dissimulé entre les deux couches de papier éclata en faisant un « pop » que Theo entendit à l'autre bout de la pièce.

— La sorcière, ajouta Falcon pour le seul bénéfice de Theo.

43

TANDIS QU'IL S'ACCORDAIT un moment de réflexion à l'extérieur de son poste de commandement, Vince se demanda ce qui lui manquait.

Il ne se considérait pas comme un existentialiste mais, ironiquement, sa cécité le forçait presque à sortir de son propre corps pour s'observer lui-même. Parfois il voyait un Vince heureux qui s'adaptait à un monde qui ne dépendait pas de la vue. Il connaissait le parfum d'Alicia et la façon dont celui-ci s'estompait au fil de la journée. Il entendait les gens marcher autour de lui et pouvait même distinguer les pas lourds des membres de la Swat de ceux, plus légers, d'Alicia qui s'éloignait vers le restaurant, le laissant seul avec ses pensées. Il sentait la brise sur son visage et l'odeur de la laverie automatique plus loin dans la rue. Il entendait les hélicoptères au-dessus de lui, le grondement de la circulation à un pâté de maisons de là cependant qu'on déviait les voitures autour des barricades placées sur Biscayne Boulevard. Avec un petit effort de concentration supplémentaire, il pouvait tout d'un coup distinguer les bus des camions, les camions des voitures, les petites voitures des grosses cylindrées. Près de lui, un pigeon roucoula, puis un autre : on aurait dit qu'ils se disputaient un morceau de pain ou de pâtisserie que quelqu'un avait fait tomber sur le parking. Une portière claqua. Des hommes parlaient à une certaine distance. Non, pas que des hommes : il y avait aussi une femme, bien que Vince n'arrive pas à discerner les mots qui s'échangeaient. De nombreuses façons, il avait davantage conscience de son environnement, ou du moins de certains détails de son environnement, que la plupart des voyants.

Mais, en d'autres occasions, il s'observait et voyait un Vince idiot menant périlleusement sa barque dans un monde qui n'agissait sur lui que par le biais du son, de l'odeur, du goût et du toucher. Vince l'idiot ne se rendait pas compte que, dans une large mesure, il vivait sa vie uniquement dans une posture réactive ; il ne se rendait pas compte que les choses continuaient d'exister même si elles demeuraient cachées et ne cherchaient pas particulièrement à se manifester à lui.

Il se demanda où les zones de silence se trouvaient cette fois-ci, et quels secrets elles renfermaient.

— Paulo, dit le sergent Chavez.

Vince se tourna pour faire face au chef de la Swat.

— Oui ?

— J'ai le préfet Renfro en ligne. Elle veut qu'on fasse une téléconférence. Venez, c'est dans notre véhicule Swat.

Il prit Vince par le bras et essaya de le guider en direction de la fourgonnette. Vince résista, pas parce qu'il ne voulait pas suivre Chavez mais parce que ce dernier pensait apparemment que les aveugles devraient porter un anneau de cuivre dans le nez pour qu'on puisse les mener comme des veaux égarés.

— Ma main sur votre coude, ça suffira largement, dit Vince.

Ils entrèrent dans la fourgonnette par la porte latérale. Chavez dirigea Vince vers un des sièges avant, s'assit sur l'autre et referma la porte.

— Nous sommes là tous les deux, madame le préfet, dit Chavez en direction du microphone.

— Bien, répondit Renfro.

Sa voix résonnait dans le haut-parleur.

— Vous voulez déjà un autre point sur la situation ? demanda Vince.

−Non, à moins que quelque chose ait changé au cours des cinq dernières minutes.

−Rien n'a bougé.

−Bien, dit le préfet. Chavez et moi venons de discuter, et nous sommes tous deux parvenus à la même conclusion définitive. Je sais que ça ne vous plaira pas, mais il est temps de donner le feu vert aux tireurs d'élite.

−Quoi ?

−On va le descendre, dit Chavez comme s'il y avait besoin de traduire.

−Mais il vient d'admettre qu'il n'a pas de bombe, protesta Vince.

−Nous n'accordons aucune crédibilité à ses propos, dit le préfet. Il est clair que Falcon savait qu'il y avait un mouchard dans ce sac quand il a déclaré ne pas avoir de bombe.

−Je ne crois pas qu'il cherchait à nous tromper.

−Peu importe, dit Chavez. Le message que nous adressait Theo Knight était très clair : il y a quelqu'un dans cette salle de bains qui est blessé et qui a besoin de voir un médecin.

−Je suis d'accord, approuva Vince. J'étais en train de préparer dans ma tête mon prochain appel téléphonique. Laissez-moi essayer de convaincre Falcon de relâcher cette fille pour qu'on puisse l'emmener à l'hôpital.

−C'est ridicule, déclara Chavez.

−Laissez-le s'expliquer, dit le préfet. Paulo, comment suggérez-vous qu'on fasse sortir cette otage de là − celle qui est blessée ?

−On pourrait pousser un brancard jusqu'à la porte, comme on l'a fait avec la nourriture dans le chariot.

Chavez ricana :

−Falcon ne nous ferait pas confiance. Vu qu'on a déjà mis un micro dans le sac de bouffe, il s'imaginerait que notre brancard est une espèce de cheval de Troie et que, s'il le laisse entrer dans la chambre, des membres nains de la Swat spécialement formés pour ce genre de situation lui sauteront dessus.

– Peut-être qu'il laisserait un médecin venir la voir, suggéra Vince.

– Et peut-être que ça lui fera un otage de plus. Madame le préfet, vous et moi on en a déjà discuté, et on perd un temps précieux. Pour autant qu'on sache, cette fille est peut-être en train de mourir à l'intérieur.

Ils se turent tous un instant, puis le préfet reprit :

– J'en reviens toujours à la même conclusion, Paulo. Je ne peux pas vous laisser lui parler indéfiniment, sachant qu'un otage a besoin d'être médicalement secouru.

– Alors on est d'accord, on entre, dit Chavez. C'est le plan.

– Ce n'est pas un plan, dit Vince. Sauf si vous voulez vous retrouver avec des otages morts.

– Paulo a raison, dit le préfet. Je veux qu'on tente un tir de loin avant de songer à entrer en force. Peut-être qu'on pourrait l'amener à ouvrir la porte ou à se montrer à la fenêtre. Paulo, il faut que vous nous aidiez à attirer Falcon.

Soudain, ce fut comme si toutes les questions trouvaient leur réponse, comme si la vraie raison de sa participation était enfin proclamée au grand jour. Vincent Paulo n'avait pas été convoqué pour négocier la libération des otages. Son rôle très précis consistait à faciliter et à participer à l'exécution de Falcon. Et il eut le triste sentiment qu'il en avait été ainsi depuis le début, pour lui, l'idiot d'aveugle.

– D'accord, madame le préfet. Laissez-moi voir ce que je peux faire.

44

Près de la benne à ordures derrière le restaurant, Jack était sur le point de rappeler son père. Il avait composé les six premiers numéros lorsqu'une agent de police en uniforme l'interrompit :

— Il y a quelqu'un derrière la barricade qui insiste pour vous parler.

Cela semblait être une de ces drôles de coïncidences : Jack crut que son père venait d'arriver à l'instant même où il allait l'appeler.

— Qui est-ce ? demanda-t-il.

— Elle s'est présentée comme étant votre *abuela*. Je lui ai dit que vous étiez très occupé. Mais elle est – pour dire les choses gentiment – plutôt insistante. En fait, elle est du genre vieille folle, vous voyez ? Ne le prenez pas mal. Mon *abuela* à moi aussi est cinglée.

Pas autant que la mienne, pensa Jack. Il raccrocha le téléphone. Il y avait des priorités, et *Abuela* devait toujours être la première.

— Je vous suis.

Abuela était bien sûr la grand-mère maternelle de Jack, sa principale source d'information concernant la mère qu'il n'avait jamais connue. La mère de Jack était morte peu après l'accouchement. Son père s'était remarié alors que Jack portait encore des couches-culottes. La belle-mère de Jack était une femme bien, avec néanmoins un faible pour les gins martinis et une aversion irrationnelle du premier amour d'Harry et, par extension, de tout ce qui était cubain. En conséquence, Jack, un garçon à moitié cubain, fut élevé dans un foyer strictement anglophone, sans aucun lien avec la culture cubaine – un handicap que son *abuela* était bien décidée à corriger, même si ses efforts ne donnaient au mieux que des résultats mitigés.

–Jack Swyteck, *ven aca.*

Elle se tenait derrière la barricade striée, les bras croisés sur la poitrine, et elle fronçait les sourcils d'un air désapprobateur. Jack resta de son côté de la barrière. Ça n'allait pas être simple, et une forme de séparation officielle entre la fureur de sa grand-mère et lui-même ne pouvait pas faire de mal.

Il se pencha, lui déposa un baiser sur le front et dit :

–Qu'est-ce que j'ai encore fait ?

Sa passion pour les talk-shows radiophoniques avait amélioré sa compréhension de l'anglais (elle adorait les émissions avec des psys) mais, quand *Abuela* parlait, elle s'en tenait la plupart du temps au présent de l'indicatif :

–Ton père m'appelle pour me dire ce que tu fais.

–C'est moi qui le lui ai demandé.

–Puis j'allume les nouvelles à la télévision et j'entends ton nom. C'est comme ça que je dois apprendre ce que tu fais ?

–Je suis désolé. J'ai été très occupé.

–Trop occupé pour décrocher le téléphone et me dire que tu vas bien ?

–*Abuela*, je tente de négocier la libération d'otages.

–L'estomac vide, je suis sûre.

–Je n'ai pas vraiment beaucoup d'appétit à l'heure qu'il est.

–Alors tu ne manges rien ?

Jack eut tout d'un coup l'impression d'avoir cinq ans.

–J'ai mangé la moitié d'un *pastelito* à la noix de coco.

–Hmm. *Por lo menos, lo que comiste fue algo Cubano.*

Au moins tu as mangé quelque chose de cubain !

Il y avait un panier à pique-nique à ses pieds, et Jack sentit soudain la bonne odeur. Elle le souleva et dit :

– Je t'amène ceci.

Jack le lui prit des mains et lui fit un grand sourire.

– *Gracias.*

– Partage avec tes amis.

– C'est ce que je vais faire.

Elle le regarda d'un air réellement inquiet :

– Comment va Theo ?

Jack s'efforça de se montrer optimiste :

– Tu connais Theo. Il tiendra le coup.

Elle hocha la tête, puis revint à un sujet de conversation plus léger, comme si elle sentait que Jack avait besoin de ce répit. Elle souleva le torchon à carreaux blancs et rouges qui recouvrait le panier.

– Il y a quatre sandwichs cubains, tout frais, comme tu aimes. Les *papas fritas* sont *deliciosas* avec le *mojo* à l'olive verte et à l'ail. En dessert, il y a *tres leches,* et tu sais que c'est ma propre invention.

Jack sourit. Ça faisait un bout de temps qu'*Abuela* était devenue la risée des talk-shows hispaniques parce qu'elle les appelait pour affirmer qu'elle avait inventé *tres leches,* cette spécialité du Nicaragua. Mais Jack préférait ne pas se prononcer sur la question.

– C'est ce que tu as légué à la civilisation, dit Jack.

Elle se pencha en avant et l'embrassa sur la joue.

– Non, précisa-t-elle, à la civilisation j'ai légué toi.

Puis elle lui lança un regard sévère et ajouta :

– Ne fais pas l'idiot, d'accord ?

– Promis.

– Bien. Goûte ça.

Elle lui tendit une petite pâtisserie. Il mordit dedans ; c'était délicieux.

– J'adore les Torinos, déclara-t-il.

– *Aye, mi vida,* dit-elle en roulant les yeux. *Turones.*

– Désolé.

On aurait pu dire que Jack faisait un blocage psycho-
logique sur ce mot. Sauf que c'était la même chose avec à
peu près les deux tiers du vocabulaire espagnol. Mais son
cafouillage idiomatique l'amena à penser à quelque chose
d'important :

– *Abuela*, dis-moi un peu : est-ce que parfois à Cuba on
utilise l'expression *los Desaparecidos* pour parler des sans-
abri ? Les Disparus ?

– Pourquoi tu demandes ça ?

– Parce que Falcon est un sans-abri, et il a utilisé plusieurs
fois ce terme lors de nos discussions. Nous essayons de
comprendre ce que ça veut dire. Je pensais que c'était peut-
être une expression familière cubaine synonyme de SDF.

– Je n'entends jamais ça à Cuba. Mais tu sais que cet
homme n'est pas cubain, n'est-ce pas ?

– Si, il est bien cubain. J'ai consulté son dossier lorsque
j'étais son avocat. Il est venu de Cuba dans les années quatre-
vingt.

– Peut-être qu'il vient ici depuis Cuba, mais il n'est pas
cubain.

– Comment sais-tu ça ?

– Je regarde la télévision ce matin. Ils montrent des images
de la dernière fois, quand la police le fait descendre du pont
qui va à Key Biscayne. Il hurle en espagnol, il insulte la
police quand ils l'arrêtent et lui disent qu'il ne peut pas
parler à la fille du maire. Ce n'est pas de l'espagnol cubain.
J'ai l'oreille pour ces choses-là. Crois-moi. *Ese hombre no es
Cubano.*

Cet homme n'est pas cubain.

Abuela se trompait parfois, mais jamais sur ce qui avait
trait de près ou de loin au monde hispanique. Falcon n'était
pas cubain, Jack pouvait en être sûr.

– Merci, dit-il.

– Je t'en prie. Ce n'est rien du tout.

Elle avait l'air de croire qu'il la remerciait avant tout pour la nourriture. Ça n'était pas le cas.

–Oh si, dit-il alors que son regard se tournait vers le poste de commandement mobile, plus loin sur le boulevard barricadé. Je crois que c'est très important.

45

ALICIA FONÇA CHEZ ELLE : pas à sa petite maison de Coconut Grove, mais à la villa de style méditerranéen, protégée par un mur d'enceinte et un portail, où elle avait grandi. Les Mendoza vivaient dans la même maison depuis qu'elle avait sept ans. C'était loin d'être un palace, surtout comparé aux manoirs de mille mètres carrés que se faisaient bâtir les nouveaux riches qui envahissaient le sud de la Floride, mais c'était une belle, grande et vieille maison. Deux colonnes couvertes de bougain-villées violettes se dressaient comme des sentinelles à l'entrée de l'allée principale. Derrière le portail en fer forgé se trouvait l'allée circulaire où Alicia avait compris douloureusement à quel point c'était une mauvaise idée de faire du patin à roulettes sur un sol en briques.

Elle se gara sous le plus gros des nombreux chênes tenta-culaires qui donnaient de l'ombre à la propriété, et suivit le protocole habituel : une pression sur la sonnette pour prévenir quiconque à l'intérieur qui pourrait être en train de se balader en sous-vêtement, puis elle se servit de sa clé pour entrer. Elle traversait la cuisine quand sa mère vint à sa rencontre.

– Alicia, je ne m'attendais pas à te voir aujourd'hui, dit-elle avec un sourire chaleureux.

Graciela Mendoza était une beauté hispanique impression-nante, qui prenait excellemment soin d'elle-même, même si ce jour-là elle avait un look de militante écolo : un grand chapeau de paille et un jeans taché de terreau noir aux genoux. En fait, elle se passionnait pour le jardinage.

– Moi-même je n'avais pas prévu de passer, dit Alicia.

– Est-ce qu'ils ont résolu cette prise d'otages ?

– Pas encore. Il faut que j'y retourne, mais j'ai un truc à vérifier en urgence.

– Ici ?

– Oui.

Alicia savait qu'elle n'arriverait pas de toute façon à s'expliquer, alors elle n'essaya même pas :

– Mes vieilles affaires sont encore dans le placard de la chambre ? demanda-t-elle.

– Oui, bien sûr.

– Je sais que ça a l'air bizarre, mais il y a quelque chose que je dois retrouver.

– De quoi s'agit-il ? Je peux peut-être t'aider.

– Non, ça ira. Disons que je suis en mission pour mon boulot.

Ça doit paraître de plus en plus étrange, se rendit compte Alicia.

– OK, dit sa mère. Appelle-moi si tu as besoin de quelque chose.

– Merci, maman.

Elle se rendit directement dans son ancienne chambre, qui ne ressemblait plus au temple dédié à Alicia qui avait existé pendant des années après son départ. Ses parents s'étaient finalement décidés à la transformer en bureau, bien qu'on y trouve encore quelques décorations datant de sa jeunesse, dont un tableau en liège sur lequel étaient épinglés une profusion de noms et de numéros de téléphone essentiels à sa vie d'ado et qui n'avait plus le moindre intérêt pour l'Alicia adulte. Mais ce n'était pas le moment de s'adonner à la nostalgie. Elle ouvrit le placard, qui était une véritable capsule témoin historique remplie de médailles, de jouets, d'almanachs scolaires et d'autres souvenirs. Sa recherche avait un objectif très précis : Manuel Garcia Ferre.

Ferre avait créé certains des dessins animés préférés de son enfance. Peu d'Américains connaissaient les talents de cet homme, sinon les quelques amateurs de films étrangers qui se souvenaient peut-être de son film d'animation *La Manuelita*, qui avait représenté l'Argentine aux oscars en 1999. En vérité, très peu d'Argentins avaient eux-mêmes prêté attention à cette nomination. Alicia n'avait pas une connaissance poussée du pays de ses ancêtres, mais elle s'était rendu compte depuis longtemps que l'Argentine montrait trop peu d'enthousiasme envers ses propres contributions culturelles. Les Argentins ne se mirent à célébrer le tango (né dans les bordels) qu'une fois cette danse devenue populaire à Paris, et le pays s'acharna à décrier son plus grand compositeur de tango, Astor Piazzola, alors même que les Européens vantaient le génie de cet homme. L'Argentine avait coutume d'être tout aussi dédaigneuse avec son cinéma : bien que beaucoup de ses films soient de première qualité, ils arrivaient loin derrière les grosses machines hollywoodiennes et les productions européennes au box-office national. Mais le père d'Alicia, à des milliers de kilomètres de son pays natal, tenait à ce que sa fille connaisse les œuvres de Ferre, qui depuis des décennies enchantaient les enfants hispanophones. Il avait donné à Alicia des bandes dessinées, des cassettes vidéo de dessins animés autrefois diffusés sur Canal 13 à Buenos Aires et sur d'autres chaînes de télévision. C'était sa manière de la mettre en contact dès son plus jeune âge avec son pays d'origine et avec la langue natale de ses parents.

Alicia parcourait les étagères de haut en bas à la recherche de la boîte qu'il lui fallait. Évidemment, elle la trouva au dernier endroit où elle fouilla. Elle sortit la boîte en carton du placard, la posa par terre, ouvrit les rabats et fut instantanément transportée dans le temps. Les bandes dessinées se trouvaient sur le dessus. Sa préférée, *Las Aventuras de Hijitus*, racontait les aventures d'un orphelin qui combattait les forces du mal. Il suffisait à Hijitus de prononcer quelques paroles magiques pour se transformer en Súper Hijitus, un garçon en costume bleu qui pouvait voler grâce à une petite hélice sur sa tête.

Avec un léger sourire nostalgique, Alicia écarta les bandes dessinées. Si seulement Vince avait pu faire appel à Hijitus...

Sous les BD, elle trouva les cassettes vidéo, rangées au fond du carton comme autant de livres sur une étagère. Alicia ne se souvenait pas avoir jamais décidé consciemment de les garder, mais elle soupçonnait que, quelque part au fond de son cœur, elle avait projeté de les transmettre à ses propres enfants. Elle se laissa aller à se demander si Vince serait le père de ses enfants, et cela la rendait mélancolique de penser qu'il ne verrait jamais toutes ces images. Elle chassa ses pensées qui n'avaient rien à faire avec sa présente mission. L'important, c'était que tous ces vieux trésors soient encore là. Elle effleura du doigt le dos des cassettes, à la recherche d'un titre précis. Qu'elle ne trouva pas. Elle les passa à nouveau en revue, sachant que la cassette devait nécessairement être là.

Elle n'y était pas.

Elle frissonna légèrement, mais ses soupçons n'étaient pas encore confirmés. Peut-être qu'elle l'avait prêtée à une amie d'enfance et avait par la suite oublié. Peut-être que, pour une raison ou pour une autre, elle avait décidé de ne pas garder cette vidéo-là. Ni l'une ni l'autre de ces possibilités ne semblaient toutefois probables. Elle gardait sa collection aussi jalousement qu'un trésor.

Elle balaya la pièce du regard ; ses yeux se fixèrent sur le PC que ses parents avaient installé dans un coin de la pièce. Il était allumé, l'écran de veille où des nuages blancs cotonneux traversaient un ciel bleu éclatant n'attendait qu'Alicia. Elle s'installa, cliqua sur l'explorateur Internet et tapa quelques mots pertinents dans le moteur de recherche. Le résultat qui s'afficha lui convint parfaitement. Elle cliqua sur le lien qui la mena directement sur le site.

Sur l'écran, un arrière-plan noir se transforma en un ciel nocturne bardé d'éclairs. Sous la bande d'étoiles scintillantes, d'un côté de l'écran, un arbre mort dépourvu de feuilles se mit à trembler. Les orbites vides de deux citrouilles orange clignotèrent alternativement en noir et blanc. Une vieille maison bien inquiétante de style victorien apparut au centre de l'image. Les angles des portes et des fenêtres étaient irréguliers, comme si toute la structure risquait de s'écrouler d'un moment à l'autre. Une chauve-souris noire virevolta, aux prises avec le vent, entre la maison et l'arbre mort. Et en lettres orange vif, un titre s'inscrit sur le ciel noir :

La Covacha de la Bruja Cachavacha.

Puis la voix aiguë qui donnait encore la chair de poule à Alicia, la voix de la sorcière – *la bruja* – dit :

– *Bienvenidos a mi casa.*

Bienvenue dans ma maison.

Cette sorcière ne ressemblait ni à Elizabeth Montgomery ni à Nicole Kidman. Ses cheveux orange et son chapeau pointu suffisaient pour faire peur, sans compter qu'elle était terriblement laide, avec son long nez enflé et sa bouche édentée. Pour un personnage de dessin animé destiné aux enfants, elle était étonnamment macabre. Ce dont Alicia se souvenait plus particulièrement – ce qui, à vrai dire, l'avait poussée à venir jusque dans son ancienne chambre –, c'était l'étrange pouvoir magique que possédait cette sorcière.

Elle était capable de faire disparaître les gens.

Alicia avait toujours les yeux rivés sur l'écran du PC, cette fenêtre contemporaine ouverte sur son enfance passée, mais son esprit était ailleurs. Elle pensait davantage aux paroles de Falcon – « n'oublie pas de lui parler de la sorcière » – et à son apparente obsession pour « les Disparus ». Elle était encore loin d'avoir tiré les choses au clair, mais ce qu'elle avait découvert suffisait d'ores et déjà à la rendre perplexe.

Comment est-il possible que ce taré en sache tant sur mon enfance ?

46

Jack avait besoin que le sergent Paulo lui donne des réponses franches.

Sur le papier, la frontière séparant le bien du mal semblait facile à tracer dans une prise d'otages : le preneur d'otages = méchant ; le négociateur de la police = gentil. Dans la tête de Jack, cependant, la frontière commençait à s'estomper. Ce n'était pas tant Paulo qui se trouvait à la source de la confusion, que les gens autour de lui, sur place ou dans les coulisses. Le maire tenait deux discours quant à son soutien à Paulo en tant que négociateur en chef. La présence de son garde du corps près du fleuve le soir du meurtre restait inexpliquée. C'était dans la nature des chefs de la Swat de déborder de confiance en eux et en leur équipe, mais le sergent Chavez devenait si arrogant qu'il semblait avoir ses propres priorités. Par moments, même Alicia envoyait des signaux contradictoires. Pour Jack, la dynamique interpersonnelle commençait à ressembler à un procès compliqué où il représentait un accusé parmi d'autres, où tout le monde avait au début prétendu être dans le même camp, mais où au final la survie dépendait de la capacité de chacun à ne pas prendre de coups de couteau dans le dos. On n'en était pas encore arrivé à cette extrémité – pour l'instant, du moins –, mais Jack ne savait toujours pas à qui on pouvait faire confiance pour agir avant tout dans l'intérêt des otages.

Il paria sur le sergent Paulo.

Alicia était partie lorsque Jack retourna dans le poste de commandement mobile. Paulo était en train de se passer un rapide coup de rasoir électrique sur le visage. Un autre membre de l'équipe de gestion de crise était assis à côté de lui, mais il ne se fit pas prier pour faire une petite pause quand Jack demanda à rester quelques minutes seul avec Paulo.

L'agent referma la porte derrière lui. Paulo éteignit son rasoir. La balle était dans le camp de Jack.

– J'ai besoin de connaître le plan d'action, dit-il. Sans qu'on me fasse de cachotteries.

Jack fut en partie surpris de voir Paulo lui répondre en laissant de côté les faux-fuyants habituels de la police :

– Ils vont descendre Falcon.

– Si les choses devaient en arriver là, je suis sûr que personne ne vous en voudrait.

– Ce n'est plus seulement une possibilité. Vous vouliez connaître le plan : c'est ça le plan. Ils ont pris leur décision.

Il était intéressant de constater que Paulo parlait d'une décision qu'*ils* avaient prise.

– La Swat va entrer ? demanda Jack.

– Ils veulent d'abord tenter le coup avec les tireurs d'élite.

– Comment comptent-ils s'y prendre ?

– C'est mon boulot – notre boulot, en fait, étant donné que vous allez mener au moins un bout de la conversation.

– Qu'est-ce que je suis censé lui dire ? « Hé, Falcon, ça t'embêterait de te rapprocher un peu de la fenêtre, s'il te plaît ? Bien. Lève un peu la tête. Parfait. Garde la pose... »

– On attend de nous de trouver une ruse pour lui faire ouvrir la porte, afin que les tireurs aient un angle de tir dégagé. Le faire venir suffisamment près de la fenêtre pour qu'on puisse le voir, c'est une possibilité, mais pas la meilleure. Même un tireur professionnel perd de sa précision quand il vise à travers une vitre.

– Quelle est la différence ? C'est du verre transparent, pas une bouteille de Coca.

– Ça peut quand même influer sur la trajectoire de la balle, selon l'angle et la distance du tir. Et depuis ce matin on dirait qu'il va pleuvoir. Si la pluie se met à tomber, ça complique encore les choses. Même quand il fait beau, il vaut mieux partir du principe que la première balle ratera la cible. Mais maintenant qu'ils ont le feu vert, il ne faudra pas plus d'un dixième de seconde à nos tireurs pour tirer une deuxième balle.

Jack réfléchit avant de répondre. Il souhaitait que cette prise d'otages se termine aussi vite que possible, mais jusqu'à présent une partie de lui avait gardé l'espoir que Falcon déposerait les armes et se rendrait. Négocier dans le seul but de loger une balle dans la tête d'un homme changeait la teneur de la situation.

– Quand cette décision a-t-elle été prise ?

– On m'en a informé il y a cinq minutes à peine.

Quelque chose dans la voix de Paulo suggérait qu'il ne répondait pas directement à la question.

– Mais quand a-t-elle été *prise* ? demanda Jack.

– Pas avant qu'on ait appris qu'il y avait cette otage blessée, d'après ce qu'ils me disent.

Jack sentit une nouvelle fois que les paroles de Paulo étaient équivoques. Quitte à risquer un conflit, ce n'était pas le moment de laisser de côté les questions importantes :

– Vous croyez ce qu'ils vous disent ?

Un silence s'installa, et si Vince avait été une personne voyante, Jack sentait qu'ils auraient échangé un de ces longs regards ambigus par lesquels deux hommes tout aussi prudents l'un que l'autre se jaugent et décident quelle dose de sincérité leur relation peut tolérer. Étrangement, Jack avait le sentiment que c'était tout à fait ce que Paulo faisait, même si cela se passait à un niveau qui ne dépendait pas de la vue.

– Je suis un homme soupçonneux, dit Paulo. C'est dans ma nature.

– Alors vous vous posez des questions.

– Bien sûr.

—Ça vous est arrivé de vous demander quel était réellement l'objectif ici ?

—Je n'en ai qu'un, c'est de faire sortir ces gens en vie.

—Cela compte pour vous, que Falcon y survive ou non ?

—Oui, évidemment. Mais la sécurité des otages, c'est la priorité.

De la sincérité, c'est tout ce que Jack demandait :

—On peut arrêter les conneries une minute ?

L'expression de Paulo changea, comme s'il se rendait compte soudain qu'il n'exprimait que des platitudes :

—D'accord.

Jack avait une théorie, mais il ne savait pas vraiment comment la présenter. Il choisit un chemin indirect :

—Vous connaissez notre histoire, à Theo et moi ?

—En gros. Vous étiez son avocat. Vous l'avez sauvé du couloir de la mort.

—J'ai travaillé quatre ans à la Freedom Institute, et Theo y a été mon seul client innocent.

Paulo secoua légèrement la tête :

—Je ne sais pas comment vous y arrivez. Je veux dire, à défendre les coupables.

—On pourra discuter de ça devant une bière, quand cette histoire sera terminée. Le plus drôle, c'est que le client auquel je pense en ce moment n'est pas Theo.

—C'est Falcon ?

—Non. C'est un type appelé Dusty Boggs. Dusty se trouvait dans un bar, il s'est disputé pour savoir qui avait déposé une pièce avant l'autre sur le rebord du billard. Dusty disait que c'était son tour de jouer, l'autre gars disait que c'était le sien. Alors Dusty est sorti chercher son flingue dans sa voiture, il est retourné dans le bar et a tiré dans la tête du gars.

—Vous avez représenté Dusty ?

—Oui. C'était mon tout premier client. J'avais terminé la fac de droit quelques semaines avant, j'avais encore mon examen à passer pour pouvoir exercer. Mon patron et moi nous sommes rendus à la prison pour interroger Dusty. Je ne savais pas pourquoi, mais Dusty montrait plus de confiance en moi qu'en mon patron, bien que Neil Goderich soit un avocat expérimenté qui avait défendu plus d'accusés condamnés à mort qu'aucun confrère que j'aie jamais connu. Quoi qu'il en soit, à la fin de notre entretien, Neil a expliqué à Dusty qu'il le défendrait à son procès. Dusty a soudain eu l'air très en colère. Il a frappé des poings sur la table, s'est tourné vers moi et a déclaré : « Je veux que ce soit Swyteck ! »

– Avant même que vous ayez passé votre examen ?

– Ouais. Alors Neil a accepté de superviser mon travail, et j'ai défendu Dusty. Et ce pendant l'essentiel du procès, tout seul. Je croyais même m'en être assez bien sorti.

– Vous lui avez sauvé la mise ?

– Vous plaisantez ? Il a été jugé coupable de meurtre avec préméditation et condamné à mort. Mais voici ce à quoi je voulais en venir : Dusty a fait appel et devinez ce qu'il a avancé comme argument.

– Je n'en sais rien. Il a accusé le majordome ?

– Incompétence de son avocat. Il a affirmé que quelqu'un qui sortait tout juste de la fac de droit et qui n'avait même pas passé son examen n'était pas qualifié pour le défendre alors qu'il risquait la peine de mort. La cour d'appel lui a donné raison et a ordonné la tenue d'un nouveau procès. Mais le temps passait, et certains témoins ont commencé à disparaître tandis que d'autres sont allés jusqu'à changer leur version des faits. À la fin, nous avons pu négocier avec le bureau du procureur et Dusty a écopé de la prison à vie plutôt que de la chaise électrique.

– Il savait très bien ce qu'il faisait, ce Dusty.

– Exactement. Il savait qu'il n'avait aucune chance d'être acquitté, même avec un excellent avocat.

– Alors il s'est servi de vous.

– Il s'est servi de moi.

Jack avait répété les mots de Paulo très lentement, histoire de souligner son propos. Il laissa passer un moment de silence, donnant au sergent tout le temps de comprendre où il voulait en venir. C'était un sujet délicat, que Jack croyait cependant devoir aborder.

– Et vous, Vince, vous avez déjà eu l'impression qu'on se servait de vous ?

Paulo ne broncha pas. Il semblait simplement être en train de réfléchir à ce qui venait de lui être suggéré.

– J'ai cette théorie, dit Jack.

– Dites-moi.

– Je pense qu'il y a quelqu'un qui, depuis le début, tient à ce que Falcon soit éliminé.

L'idée ne sembla pas choquer Paulo :

– Je ne sais pas si j'irais aussi loin. Mais ils n'ont en tout cas pas l'air de tenir à ce qu'il reste en vie.

– Qui sont ces « ils » ?

Paulo ne répondit pas. Jack ne lâcha pas l'affaire :

– Il me semble qu'ils veulent sa mort presque autant qu'ils veulent la libération des otages.

– Je n'oserais jamais croire une chose pareille.

– Osez-le.

– Qu'est-ce qui vous fait dire ça ?

– Dès que je suis rentré des Bahamas ce matin, on m'a amené auprès du maire pour que j'aie une conversation privée avec lui. Il a insisté lourdement sur le fait qu'il voulait que je m'engage solennellement à ne rien faire qui puisse mettre en danger Alicia durant ces négociations, même si je devais pour cela désobéir aux instructions que vous pourriez me donner.

– Rien de surprenant. Pour ceux qui sont bien informés, ce n'est pas un secret que je n'étais pas son premier choix pour mener ces négociations. Je ne suis pas assez bête pour croire que le soutien qu'il m'a apporté à la conférence de presse de ce matin était sincère. Les forces de l'ordre veulent toujours présenter un front uni.

– Oubliez ce qui a été raconté à la population. Je vous parle de ce qui se passe au sein de la police. En interne, le maire a fait passer le message à tous ceux qui sont impliqués dans cette négociation que Vincent Paulo est la dernière personne qu'il souhaitait voir chargée de ça. Mais, selon mes sources, vous avez été choisi parce que Mendoza lui-même a appelé le préfet pour en faire la demande.

– Vos sources ?

Jack ne souhaitait pas impliquer l'inspecteur Barber à ce stade.

– N'oubliez pas de qui je suis le fils.

– Votre papa a l'oreille collée au mur dans cette affaire ?

– Seulement parce que je le lui ai demandé. Et les murs peuvent être assez fins pour un ancien gouverneur qui a autrefois appartenu à la police de Miami.

Paulo se mit à manipuler un crayon entre ses doigts tel un bâton de majorette : Jack avait l'impression de voir les rouages de son cerveau en train de tourner.

– Voyons si je suis bien votre logique, finit par dire Paulo. Quelqu'un veut la mort de Falcon depuis le début. Le maire dit au préfet de me charger de la négociation. Dès que l'occasion se présente, le préfet me dit de laisser le champ libre aux tireurs d'élite pour qu'ils descendent Falcon. Je suis en charge, sans toutefois être en charge.

Jack resta silencieux. Dans la bouche de Paulo, le constat paraissait très dur.

– Falcon serait mon Dusty Boggs, poursuivit Paulo. On se sert de moi et je suis censé échouer.

– Ce n'est qu'une théorie, dit Jack.

– Ils veulent une exécution, pas une négociation. Si la première balle tue Falcon, mission accomplie. Si ça tourne mal et qu'un otage meurt dans l'échange de coups de feu, ce sera ma faute. On mettra ça sur le dos de l'aveugle.

– Je ne dis pas que c'est la stricte vérité, répondit Jack. Mais cela vaut la peine d'y réfléchir.

– J'y ai réfléchi, dit Paulo d'un ton soudain très sérieux. Vous et moi, on est sur la même longueur d'onde.

C'était plus d'honnêteté que Jack avait osé en espérer, et il comptait en profiter pour aller au bout des choses :

– Pourquoi croyez-vous qu'ils veulent la mort de Falcon ?

– Le maire est un homme qui peut se montrer vindicatif. Peut-être qu'il cherche à faire passer un message : ne touchez pas à ma fille.

– À moins qu'il y ait autre chose là-dessous, dit Jack.

– Vous avez une théorie aussi ?

– Disons que j'y travaille.

– Eh bien, dépêchez-vous. Le temps presse pour nous.

– Le temps presse surtout pour Theo, rétorqua Jack.

– Peut-être qu'on peut en gagner un peu, dit Paulo tandis qu'un léger sourire gagnait ses lèvres. Ils ont leurs flingues, mais vous et moi nous sommes toujours les deux seules personnes à qui Falcon est prêt à parler. L'important, c'est que je sache que vous êtes prêt à m'épauler.

– C'est exactement ce que j'espérais vous entendre dire.

47

JACK PASSA LE COUP DE FIL depuis son portable. C'est ce que voulait le sergent Paulo. Ce dernier refusait d'être le pantin de qui que ce soit, et Jack était déterminé à l'aider à couper les fils. Si cela voulait dire appeler Falcon depuis le poste de commandement sur un téléphone portable qui n'était pas crypté, Jack était prêt à le faire, même s'il ne comprenait pas encore entièrement la stratégie de Paulo. Ils n'avaient pas le temps de débattre de chaque décision, et Jack se disait que la confiance qu'il accorderait à l'instinct du sergent servirait à sceller leur alliance.

Il y eut plusieurs sonneries, mais Jack savait que Falcon finirait par répondre. Il utilisait le portable de Theo, qui avait enregistré le numéro de Jack. L'écran indiquerait à Falcon que l'appel provenait bien de lui.

— Tu joues à m'appeler depuis des téléphones différents, Swyteck ? demanda Falcon.

— Ouais. Je me suis dit qu'il était temps de faire un peu bouger les choses.

— Moi qui croyais que c'était mes prérogatives.

— Nos prérogatives sont les mêmes. Finissons-en avec cette situation, faisons en sorte que ça se termine bien pour tout le monde.

— Tu l'as, mon fric des Bahamas ?

Jack avait espéré éviter ce sujet, et cette transition brutale le prit un peu au dépourvu.

– Bientôt, dit-il sans être crédible, même à ses propres oreilles.

– Tu cherches à gagner du temps, répondit Falcon.

– Non, j'y travaille.

– Tu me mens.

– C'est plus compliqué que tu ne l'imagines.

– Tu l'as piqué, avoue.

– Non. Je n'ai rien piqué.

– Tu as volé mon fric, et maintenant tu crois que tu peux me faire tourner en bourrique.

– Tu te trompes complètement.

– T'as volé mon fric, et t'as intérêt à me le rendre *tout de suite* !

– J'ai besoin d'un tout petit peu plus de temps.

– Du temps ? Tu crois que j'en ai, moi, du temps ? Le temps est écoulé, Swyteck. Dis-moi où est mon fric, sinon je jure que je vais...

– Il n'y était plus.

Jack avait préféré couper la parole à Falcon avant que celui-ci ait pu dire « tuer un otage », ce qui aurait déclenché une attaque immédiate de la Swat.

– Nous sommes allés à ta banque, comme tu me l'as demandé. Un directeur nommé Riley nous a rejoints sur place. Quand nous avons ouvert le coffre, l'argent n'y était plus.

– Tout l'argent ?

– Oui. Même Riley n'en revenait pas. La seule chose qu'il y avait dans le tiroir était un mot, écrit à la main en espagnol.

– Vraiment ?

La voix de Falcon avait baissé d'un ton. Il semblait sincèrement intrigué.

– Qu'est-ce qui était marqué ? demanda-t-il.

– Ça disait : « *Donde están los Desaparecidos ?* » Où sont les Disparus ?

La réaction de Falcon fut un silence total. Jack attendait une réponse et, après quelques instants sans le moindre bruit, il se demanda si Falcon n'avait pas raccroché.

– Falcon ?

Falcon répondit d'une voix douce, calme, un ton que Jack n'avait jamais entendu lors de leurs précédentes conversations, un mélange de plaisir et de soulagement ponctué par une touche de joie pure :

– Elle est venue, dit-il. J'arrive pas à y croire. Elle est *enfin* venue.

– Qui ça ?

Aucune réponse.

– Falcon ? Qui est venue ? De qui tu parles ?

Le silence à l'autre bout de la ligne était soudain plus épais, et Jack se rendit compte qu'aucune réponse ne viendrait. La conversation avait pris fin. Falcon n'était plus là. Jack plia son téléphone et le posa sur la table devant lui. Il le fixa des yeux un moment, tâchant de comprendre l'échange qui venait d'avoir lieu.

– Ça ne s'est pas vraiment déroulé selon nos plans, n'est-ce pas ? demanda Paulo.

– Non, dit Jack qui regardait dans le vide. Pas selon *nos* plans.

48

FALCON RANGEA LE PORTABLE dans sa poche et se remit à faire les cent pas. Durant ses années sans toit, il avait souvent fait de longues promenades le long du fleuve, ou de Miami Avenue, ou de Biscayne Boulevard. Être enfermé dans une minuscule chambre de motel lui donnait la sensation d'être un animal en cage. Marcher l'aidait à faire le vide dans sa tête, à calmer la tempête, à faire taire les voix. Ce que Swyteck venait de lui apprendre lui avait coupé le souffle. Libre de marcher dans la rue, il aurait pu se rendre jusqu'à Fort Lauderdale avant d'avoir pu tirer toutes les conséquences de ce rebondissement.

L'argent avait disparu.

L'argent. Les Disparus. Le jeu de mots fit naître une expression amusée sur son visage.

– Ça te dirait de partager la bonne nouvelle avec nous ? l'interpella Theo.

Falcon se retourna et vit son propre reflet dans la glace en pied fixée à la porte du placard. Il avait effectivement l'air de quelqu'un qui venait d'apprendre une bonne nouvelle. Mais elle ne concernait que lui.

– Ne parle que quand on t'adresse la parole, ordonna Falcon.

– Cette fille a toujours besoin d'un médecin, dit Theo.

– Tais-toi ! Tu t'imagines que j'ai oublié ? Évidemment qu'elle a besoin d'un médecin.

– Alors qu'est-ce que tu comptes faire ?

– Qu'est-ce que tu veux que je fasse ? Le docteur n'est pas là.

– Alors laisse-la sortir pour qu'elle puisse en voir un.

– Impossible.

– Bien sûr que ça t'est possible, dit Theo. Tu n'as qu'à ouvrir la porte. Je la porterai jusqu'au parking, aussi loin que tu me l'autoriseras, pas plus, et ensuite je reviendrai.

– C'est ça, tu reviendras...

– Je t'autorise à me tirer dans le dos si je tente quelque chose.

Falcon s'était remis à arpenter la chambre avec fureur. La dernière conversation téléphonique avec Swyteck lui avait enfin permis d'y voir clair, et puis voilà qu'il avait fallu que l'autre grande gueule mentionne à nouveau la fille et brouille ainsi ses pensées. Ce n'était pas sa faute si elle avait besoin d'un docteur. Ce n'était pas sa faute si le docteur n'était pas là. Il y avait des limites à ce qu'il pouvait faire, à ce qu'il pouvait supporter, à la culpabilité qu'il pouvait endosser.

– Qu'est-ce que tu veux de moi ? hurla-t-il.

Il n'attendait pas que Theo ou quiconque lui réponde. Les démons qu'il avait gardés enfermés au plus profond de lui-même prenaient le contrôle et s'apprêtaient à jaillir telle une éruption volcanique. Il s'approcha du mur et se mit à y asséner des coups de pied digne d'un champion de foot.

– Pourquoi... donc... a-t-il... fallu... que tu sois... *enceinte* ?

Un coup de pied dans le mur ponctuait chaque rupture dans la phrase. Il ne remarqua même pas l'horreur sur le visage des otages, n'entendit pas la fille crier qu'il était complètement à côté de la plaque, que ni elle ni son amie blessée n'étaient enceintes. C'était comme s'il n'y avait plus d'otages dans la chambre, comme si Falcon était lui-même transporté dans un autre lieu, à une autre époque. Dans sa tête il voyait d'autres visages, ceux qui le hantaient depuis plus d'un quart de siècle.

– Plus vite ! cria El Oso.

Il était assis à l'arrière de la voiture avec la future mère, la prisonnière 309. Elle était allongée sur le dos, le ventre gonflé, les jambes pliées, les pieds qui se tordaient de douleur sur les genoux d'El Oso. Elle portait une ample robe en coton, relevée au-dessus des hanches. Elle ne se souciait plus de protéger sa pudeur.

– Vous devez rouler plus vite ! gémit-elle.

– Plus que deux minutes, dit le conducteur.

Elle poussa un hurlement digne de la chambre de torture. Ce genre de cri venant d'un homme placé sur le gril, c'était quelque chose qu'El Oso entendait quotidiennement, qui faisait partie de son boulot. Mais, venant d'une femme en plein travail, cela l'affectait d'une manière à laquelle il ne se serait jamais attendu.

– Il faut que je pousse, dit-elle.

– Non, c'est impossible !

Elle se mit à respirer fort par la bouche, inspiration-expiration, essayant de suivre un rythme qui lui permettrait de maîtriser la douleur. Son visage était rouge et brillait à cause de la sueur. Ses jambes tremblaient et ses yeux grossissaient comme s'ils étaient sur le point d'être éjectés de leur orbite. Chaque nid-de-poule sur la chaussée déformée provoquait chez elle une nouvelle grimace.

– Il faut vraiment que je pousse.

– Pas encore ! dit El Oso.

Elle souleva son dos pour se retrouver allongée sur le côté gauche, et plia les genoux pour se mettre en position fœtale. Cela sembla légèrement la soulager.

– C'est ici qu'on tourne, précisa le conducteur.

– Tiens bon encore quelques minutes, dit El Oso à la femme.

Les pneus de la voiture crissèrent dans le virage. Des graviers s'envolèrent : ils quittaient la route goudronnée pour s'engouffrer dans une allée longue et étroite. Il était près de minuit, il n'y avait aucun lampadaire, ils fonçaient comme un train de marchandises dans un long tunnel noir. Un nouveau crissement de pneus. La voiture s'arrêta brusquement. Le conducteur bondit hors du véhicule et ouvrit la porte arrière. Il saisit la femme par les aisselles tandis qu'El Oso la prenait par les jambes. Ensemble, ils la portèrent vers un escalier de secours à l'arrière d'un immeuble résidentiel délabré. Dans leur précipitation, ils renversèrent une poubelle, ce qui provoqua la fuite d'une bande de rats vers le caniveau. Ils montèrent les marches métalliques branlantes jusqu'au deuxième étage.

– Où est-ce que vous m'emmenez ? demanda la femme d'une voix qu'étranglait la douleur.

Aucun des deux hommes ne répondit. Arrivés en haut de l'escalier, ils se tenaient devant l'entrée arrière d'un appartement. Une lumière brillait à travers la fenêtre de la cuisine, mais la porte, taillée dans un bois solide, était fermée. El Oso tenait toujours les jambes de la femme des deux mains, alors il frappa en donnant un coup de pied si puissant, si impatient, que le bout en acier de sa botte militaire fendit le bas de la porte.

– On est là, laisse-nous entrer ! cria-t-il.

Le verrou tourna, et la porte s'entrouvrit de quelques centimètres. El Oso la poussa de l'épaule, tirant pratiquement la femme et le conducteur à l'intérieur. La vieille femme qui avait déverrouillé la porte se retrouva soudain coincée derrière, le dos contre le mur. Avant qu'elle ne puisse dire un mot, El Oso lui cria :

– Regarde ailleurs, femme !

Sans protester, elle détourna les yeux de la femme enceinte que les hommes portaient à l'intérieur.

– Emmenez-la dans la chambre du fond, dit la vieille femme.

El Oso et le conducteur la transportèrent à travers la cuisine et le long du couloir mal éclairé jusqu'à la chambre. À chaque pas elle semblait peser de plus en plus lourd, et les deux hommes étaient si épuisés qu'ils la laissèrent tomber sur le matelas.

– Je vous en prie, faites sortir ce bébé ! cria la femme.

La vieille attendait toujours dans la cuisine.

– Je peux venir maintenant ? demanda-t-elle.

– Attends ! dit El Oso.

Il sortit un voile noir de sa poche et le mit sur la tête de la prisonnière. Elle résista, essaya de l'enlever, mais El Oso la saisit par les poignets.

– Soit tu gardes cette cagoule, soit tu meurs et ton bébé aussi.

– D'accord, comme vous voulez, dit-elle d'une voix tremblante. Je vous en prie, allons-y !

– Nous sommes prêts ! cria El Oso en direction de la cuisine.

La sage-femme entra précipitamment dans la pièce et alla directement vers la prisonnière. Tout ce dont elle avait besoin pour l'accouchement était disposé soigneusement sur une table à côté du lit.

– Enlevons-lui sa culotte, dit-elle.

Les hommes soulevèrent le bassin de la future mère, et la sage-femme fit glisser sa culotte le long de ses jambes. Celle-ci était trempée par le liquide provenant de la membrane déchirée.

– Elle est prête à pousser, dit la sage-femme.

– Sans blague ! cria la femme, sa voix à peine étouffée par la cagoule noire.

– Vos contractions sont-elles très espacées ?

– J'en sais rien. Non. Dépêchez-vous, je vous en prie. J'arrive à peine à respirer avec cette foutue cagoule sur la tête.

La sage-femme demanda à chacun des deux hommes d'attraper un des pieds de la femme et de lever ses jambes en l'air. Puis elle inséra sa main jusqu'au poignet dans le vagin.

– Je sens la tête. Apparemment vous avez déjà dû pousser.

– J'ai essayé de me retenir.

– Poussez encore une bonne fois et je pourrai attraper une épaule.

Le corps de la femme se crispa. Une nouvelle contraction allait se produire.

– Ça fait tellement mal !

– Poussez ! Poussez ! enjoignit la sage-femme. Ignorez ce que vous raconte votre cerveau et poussez cette douleur hors de vous !

El Oso ne le voyait pas, mais il savait que sous la cagoule noire se trouvait le visage grimaçant d'une femme en plein supplice. Elle hurla à nouveau, et la sage-femme lui assura qu'elle se débrouillait très bien. La tête d'El Oso commençait à tourner.

– Poussez ! répéta la sage-femme.

La femme se dressa sur ses coudes, de sorte qu'elle était à moitié assise, cherchant la meilleure position pour expulser le bébé et faire cesser cette torture. Le hurlement qu'elle laissa échapper alors fut suffisamment assourdissant pour être entendu par tout le quartier : le sommet du crâne du nouveau-né apparut entre ses jambes.

El Oso ne garda qu'un souvenir confus des moments qui suivirent. Il entendit la femme crier, luttant pour se libérer de quelque chose de bien trop large pour émerger d'un autre être humain. Il entendit la sage-femme la féliciter, l'engueuler, l'encourager, la sommer de ne pas s'arrêter de pousser. El Oso ne s'y attendait absolument pas – après tous les supplices auxquels il avait assisté, toute la douleur qu'il avait infligée –, mais il sentit ses propres genoux faiblir, et il dut détourner le regard pour surmonter la dernière étape de l'accouchement.

Puis le bébé laissa échapper son premier cri, et El Oso vit la sage-femme qui coupait le cordon ombilical. La mère s'effondra sur le matelas, sa poitrine se gonflant à chaque respiration. La sage-femme lava le bébé dans une bassine d'eau tiède, ce qui ne permit pas de calmer ses pleurs. Elle nettoya les yeux et les narines du bébé et essuya tout son corps. Ensuite, elle enveloppa le nouveau-né – qui semblait en parfaite santé – dans une couverture douce et voulut s'approcher de la mère, qui portait encore la cagoule noire.

– Donne-moi ça, dit El Oso.

Elle s'arrêta net.

– Vous n'allez quand même pas l'empêcher de tenir son enfant dans ses bras ?

– Donne-moi ça, j'ai dit, répéta sévèrement El Oso.

La prisonnière se redressa complètement et poussa un nouveau cri en expulsant le placenta. La sage-femme se précipita auprès d'elle pour récupérer le sang et les restes de membrane, mais la mère ne se souciait pas de son propre corps.

– Que faites-vous avec mon bébé ? s'écria-t-elle.

L'autre homme la saisit par les poignets et lui lia les bras derrière le dos pour l'empêcher de se défaire de la cagoule.

– Je veux mon bébé !

– Nous ne châtions pas les innocents, déclara El Oso. On prendra soin de ton bébé.

– Non, laissez-moi mon bébé !

El Oso se tourna vers la sage-femme et dit :

– Ton travail ici est terminé.

– Non. Elle a une déchirure, il faut la recoudre. Et il faut la nettoyer pour prévenir une infection.

– Ça ne sera pas nécessaire, dit El Oso.

– Je n'ai besoin que de quelques minutes.

– Ça n'a aucune importance. Viens avec moi.

La mère tenta de se lever du lit, mais l'autre garde l'en empêcha.

– Où emmenez-vous mon bébé ? cria-t-elle.

El Oso ne répondit pas. Il se contenta de regarder le garde et lui dit d'attendre auprès de la prisonnière jusqu'à ce qu'il revienne. Puis il prit la sage-femme par le bras :

– Viens.

– Non ! hurla la prisonnière.

– Bâillonne-la, ordonna-t-il au garde.

La prisonnière était plus qu'épuisée, mais elle résista de toutes ses forces. El Oso rendit le bébé à la sage-femme et la conduisit vers la porte. La mère continuait de crier et de lutter alors que le garde la bâillonnait. El Oso, la sage-femme et le bébé pleurant dans ses bras, quittèrent la chambre et marchèrent ensemble le long du couloir. Elle ouvrit la serrure de la porte qui menait à l'escalier de secours, et ils étaient presque sortis de l'appartement quand ils entendirent un dernier cri venu de la chambre, un appel désespéré et clair bien que la tête de la femme soit couverte d'une cagoule, bien que le garde soit sur le point de fourrer un chiffon dans sa bouche.

El Oso n'oublierait jamais cette voix :

– Je m'appelle Marianna Cruz Pedrosa ! cria la prisonnière 309.

El Oso hésita une fraction de seconde, échangea un regard avec la sage-femme, puis ferma la porte.

Le bébé ne cessa pas de pleurer jusqu'à la voiture. El Oso s'installa derrière le volant, et la Ford Falcon toute neuve disparut dans la nuit.

49

Au milieu de l'après-midi, il se mit à pleuvoir.

Doucement, au début. Puis, comme cela arrivait souvent en Floride, il tomba des torrents d'eau qui tambourinaient sur le toit en aluminium du poste de commandement mobile. C'était un de ces moments aberrants où Vince ne se réjouissait pas d'entendre la pluie qui venait l'aider à visualiser l'espace autour de lui. Aujourd'hui, elle n'était pas son amie. C'était également vrai de Megan Renfro, le préfet de police. Au téléphone, elle était en train de passer un savon à Vince parce qu'il avait laissé Jack appeler Falcon sur son propre portable, une ligne non cryptée.

— Je sais que ce n'était pas juste une négligence de votre part, dit-elle. Vous l'avez fait exprès.

— Nous devions impérativement arriver à joindre Falcon. Je me suis dit qu'il y aurait plus de chance qu'il réponde s'il voyait le nom de Swyteck s'afficher sur son écran.

— J'aimerais vous croire, mais je n'y arrive pas. Vous avez utilisé le portable de Swyteck, car vous vouliez que quelqu'un qui ne fasse pas partie des forces de l'ordre entende cette conversation. Les médias, par exemple.

— Pourquoi est-ce que je voudrais que les médias puissent espionner nos négociations ?

— Parce que vous n'êtes pas d'accord avec notre décision d'éliminer Falcon. Vous pensez que vous pouvez encore le persuader de libérer cette fille blessée. Et si vous réussissez d'une manière ou d'une autre à convaincre les médias que la négociation demeure une solution viable, les journalistes se déchaîneront contre la police si nous utilisons les armes pour entrer.

Vince ne réfuta pas cette accusation, du moins pas directement.

— La négociation *est* encore une solution viable.

— Pas selon mon jugement. Alors arrêtez d'essayer de nous mettre le dos au mur en divulguant ainsi des éléments à la presse. Votre boulot, c'est de faire en sorte que Falcon soit en position pour que nos tireurs puissent l'abattre d'une balle.

— Vous voulez vraiment tenter le coup alors qu'il pleut des cordes ?

— Il faut qu'on s'efforce de réunir les meilleures conditions possibles. Il est évident que, plutôt que de tirer quand Falcon est derrière la fenêtre, il serait préférable de l'amener à ouvrir la porte. Si vous n'y arrivez pas, alors la Swat entrera.

L'autre téléphone de Paulo se mit à sonner. Il vit sur l'écran qu'il s'agissait de Falcon.

— C'est lui, dit-il au préfet.

— Répondez. Et n'oubliez pas, amenez-le à ouvrir cette porte.

Renfro raccrocha et Vince répondit sur son portable :

— Quoi de neuf, Falcon ?

— Je viens d'avoir une conversation sympathique avec Jack Swyteck.

— C'est ce qu'on m'a dit.

— Je ne suis pas fâché au sujet de mon fric.

— Content de l'apprendre.

— L'honnêteté de Swyteck me plaît.

— Si je l'ai laissé vous parler, ce n'est pas pour qu'il vous mente.

Falcon ricana tranquillement.

— J'en suis pas si sûr. Mais c'est vrai que, parmi vous, il semble bien être le type le plus direct.

Falcon ne se doutait pas à quel point les tireurs d'élite de la police pouvaient être « directs » eux aussi, mais Vince ne s'empressa pas de le lui expliquer.

– Il faut qu'on s'occupe de l'otage qui est blessée. On dirait qu'elle a vraiment besoin de voir un médecin.

– Peut-être, oui, répondit Falcon.

– Si elle a effectivement besoin de secours médical, il faut qu'on trouve une solution.

– D'accord. Mais vous devez ça à Swyteck. Un peu d'honnêteté mérite d'être récompensée.

– J'aime vous entendre dire ça, Falcon. Mettons-nous d'accord une bonne fois pour toutes : décidons que, dorénavant, nos rapports seront placés exclusivement sous le signe de l'honnêteté.

Silence à l'autre bout de la ligne. Puis le ton de Falcon changea légèrement :

– Passons pas de contrats que vous pourrez pas respecter. Contentez-vous de me dire ce que vous voulez faire à propos de la fille.

– Dans quel état elle est ?

– J'en sais rien. Je suis pas médecin. C'est bien là le problème, d'ailleurs.

– Est-ce qu'elle est consciente ?

– Oui. La plupart du temps.

– Est-ce qu'elle saigne ?

– Non. Plus.

– Mais elle a perdu du sang ?

– Ouais.

– Beaucoup ou un petit peu ?

– Moyen.

– C'est une blessure par balle ?

– Légère. Une balle lui a éraflé la cuisse. C'est pas comme si elle allait mourir. Elle a mal, c'est tout.

– Ça me soulagerait énormément si j'entendais ce diagnostic prononcé par un médecin.

—Pas de chance, parce que la dernière fois que j'ai demandé, personne ici n'avait mis les pieds à la fac de médecine.

—Et si on laissait un docteur vous rendre visite dans la chambre pour examiner la fille ?

—Hors de question.

—Ça peut marcher, Falcon. J'ai déjà fait ça dans des situations semblables.

—J'en doute pas. Vous avez envoyé un gars de la Swat affublé d'une blouse blanche. Au premier coup d'œil, il me prescrit deux balles dans le cœur et un enterrement le lendemain matin.

—Je ne joue pas à ce genre de jeu.

—C'est ce que vous m'avez raconté quand j'étais sur le Powell Bridge et que vous m'avez promis que je pourrais parler à Alicia Mendoza si je descendais du lampadaire.

—Je ne suis pas responsable de ce qui s'est passé la dernière fois.

—Ah bon ? C'est moi, peut-être ?

—La situation était différente.

—Pas en ce qui me concerne. Mais oubliez ça. Je ne laisserai aucun médecin entrer à l'intérieur de la chambre.

Vince serra le poing puis le relâcha, histoire d'évacuer un peu de stress tandis qu'il cherchait les mots justes :

—D'accord, je ne vais pas insister. On va trouver une autre solution. Dites-moi, est-ce que la fille est encore capable de marcher toute seule ?

—Ça m'étonnerait. Elle est assez faible.

C'était exactement la réponse que Vince espérait.

—Vous pourriez éventuellement l'amener jusqu'à la porte ?

—Ouais, sans problème. Elle a pas l'air bien lourde.

—OK, écoutez-moi. Voilà comment ça peut marcher. Nous sommes d'accord pour dire que la franchise de Swyteck mérite un peu de bonne volonté de votre part, n'est-ce pas ?

—Un peu, oui.

– Bien. Alors voilà ce qu'on peut faire : si elle est seulement blessée à la jambe, vous pouvez la transporter jusqu'au seuil de la chambre. Ouvrez la porte, et déposez-la sur le seuil. Vous n'aurez qu'à refermer la porte et laisser la fille là.

– Et alors ? Qu'est-ce qui se passera ensuite ?

– On enverra quelqu'un la récupérer.

– Pas de flics.

– Non. Des secouristes avec un brancard.

– Non, ce seront des gars de la Swat déguisés en secouristes. Oubliez ça.

– Vous avez ma parole.

– Votre parole ne vaut rien. Pas après ce qui s'est passé sur le Powell Bridge.

– Vous devez me faire confiance.

– Jamais. Si vous voulez que quelqu'un vienne chercher la fille, envoyez quelqu'un que je pourrai reconnaître – quelqu'un dont je sais que c'est pas un flic.

Vince réfléchit. Le silence qui s'ensuivit dura bien plus longtemps qu'il n'aurait voulu, mais bien moins longtemps qu'il lui sembla en fait durer. Une image récurrente et perturbante traversa soudain son esprit : la porte grêlée au bout du couloir, la secousse inattendue de la grenade qui explosait, la déflagration lumineuse, puis l'obscurité. L'obscurité sans fin. Vince n'arrivait pas à croire qu'il était en train de prononcer ces mots, mais ce fut comme un réflexe de sa part :

– Et si c'est moi qui viens la chercher ?

La proposition sembla prendre Falcon au dépourvu :

– Voilà qui est original : un flic aveugle qui veut jouer les escortes.

– Ce serait parfait, dit Vince. Vous n'auriez pas à vous inquiéter que je défonce la porte et que je dégaine.

– C'est juste.

– Alors ça marche ? Vous amenez la fille devant la porte, et je viens la chercher.

– Laissez-moi y réfléchir.

Vince ne voulait pas trop insister, mais Falcon ne semblait pas avoir conscience de l'urgence de la situation.

– Il ne reste pas assez de temps. Il faut qu'on se mette d'accord au sujet de la fille, sinon les choses vont dégénérer.

– Serait-ce une menace ?

– J'essaie juste d'être honnête avec vous, comme on a dit qu'on le serait.

– Je vous rappellerai.

– Attendez. Je ne plaisante pas avec vous. Il faut à tout prix que nous réglions ça maintenant.

– Arrêtez de faire du forcing avec moi.

– C'est la meilleure proposition que je puisse vous faire.

Vince s'attendait à ce qu'on lui raccroche au nez, mais il sentait que Falcon était encore au bout de la ligne. Il lui accorda quelques instants pour se décider, mais trop de temps nuirait à l'impulsion qu'il avait réussi à donner aux choses :

– Alors, ça marche ?

Falcon laissa échapper quelque chose entre le soupir et le grognement.

– D'accord. Vous pouvez venir.

– Bien.

– Mais que Swyteck vous accompagne.

– Pourquoi ça ?

– Comme je vous l'ai dit, je fais pas confiance aux flics, même à ceux qui n'y voient rien.

– Je ne comptais pas conduire une charge de cavalerie.

– Non, je suis sûr que vous éviterez ça, vu qu'il y aura un civil dans la ligne de mire.

– Cette fille blessée est elle-même une civile.

– C'est une prostituée colombienne, ricana Falcon. Ça peut paraître dingue, mais je serai plus rassuré si c'est la vie du fils d'un ancien gouverneur qui est en jeu.

– Je ne peux pas vous garantir que Swyteck sera prêt à m'accompagner.

– Il viendra, s'il veut reparler à son pote Theo.

Vince s'apprêtait à répliquer, mais il entendit le déclic signalant la fin de la conversation. Falcon avait replié son portable.

50

ALICIA AURAIT DÛ rouler plus vite.

Plus d'une heure s'était écoulée depuis qu'elle avait quitté le poste de commandement mobile pour se rendre chez ses parents. Vince ne l'avait pas appelée, mais elle avait quand même l'impression de l'avoir abandonné, comme s'il était important pour elle d'être auprès de lui. C'était elle qui l'avait convaincu au départ d'accepter cette mission et, après tout, il était... Elle coupa court à ce raisonnement, qui allait aboutir à « après tout il était aveugle ». Elle savait que Vince n'acceptait aucune forme de pitié, et si elle se mettait à penser de la sorte, elle pouvait aussi bien tirer définitivement un trait sur sa relation avec lui.

Elle approchait du barrage policier sur Biscayne Boulevard. L'orage avait chassé la plupart des curieux qui traînaient dans la rue, mais un grand nombre d'entre eux s'étaient abrités, souvent plus haut, pour mieux suivre les événements depuis les fenêtres d'immeubles résidentiels ou de bureaux. Les seuls à braver le mauvais temps étaient les membres des forces de l'ordre et, plus nombreux encore, les journalistes téméraires, qui semblaient adorer les grands vents, les pluies torrentielles, les tsunamis et tout ce qui rendait plus difficile leur mission : transmettre les nouvelles dans les salons confortables des quidams affalés devant leur écran. Alicia s'arrêta au barrage et baissa sa vitre. La pluie froide tombait si fort que, le temps que l'agent en uniforme vérifie son badge et l'autorise à passer, la manche de sa chemise était complètement trempée. Elle remonta sa vitre et augmenta la vitesse de ses essuie-glaces tout en avançant le long de Biscayne Boulevard. Des voitures de patrouille, des fourgonnettes et de nombreux véhicules de police remplissaient toujours le parking qui servait de lieu de rassemblement. Alicia choisit une place aussi proche que possible du poste de commande mobile et coupa le moteur.

Elle saisit la poignée de la portière et s'arrêta net. Pourquoi Vince ne l'avait-il pas appelée ? Elle avait près de vingt-cinq minutes de retard. Vince était confronté à un preneur d'otages qui avait l'habitude de demander publiquement à parler à la fille du maire. À coup sûr, une question de stratégie l'impliquant ou du moins la concernant avait été soulevée au cours de ces soixante-dix dernières minutes. Pourtant son portable et son BlackBerry étaient restés silencieux. Peut-être Vince voulait-il prouver quelque chose – qu'il n'avait plus besoin d'elle. Peut-être qu'il considérait que sa présence était devenue inutile, voire gênante.

Ou peut-être Vince devait-il maintenant faire face aux mêmes questions, aux mêmes soupçons qu'elle.

Le BlackBerry d'Alicia se mit à sonner et à vibrer dans son sac, ce qui la tira de ses pensées. Sans même regarder, elle était certaine qu'il s'agissait de Vince, que ce coup de fil allait démontrer une fois pour toutes qu'il estimait son jugement et que, malgré leur histoire personnelle et la tragédie qui l'avait marquée, ils faisaient encore équipe. Elle sourit alors même qu'elle sortait le téléphone, s'apprêtant à une salutation succincte. Mais il ne s'agissait pas de Vince. Ni même d'un coup de fil. C'était un e-mail, qui venait d'un serveur qu'elle ne reconnaissait pas. Le nom de l'expéditeur n'était pas un vrai nom, mais une combinaison apparemment arbitraire de chiffres et de lettres. Ce qui était écrit dans la case « objet » lui coupa le souffle : « C'est uniquement par amour que je vous recherche », lui rappelant aussitôt l'e-mail qu'elle avait reçu la nuit où on lui avait volé son sac. D'une main tremblante, elle fit défiler l'écran vers le bas pour lire le corps du message.

Et maintenant je ne doute pas de vous avoir trouvée,

disait le message.

Rejoignons-nous dans le hall de l'Hôtel Intercontinental. Aujourd'hui à 16 h. Venez seule, s'il vous plaît. Mais, je vous en prie, venez.

Alicia relut le message et frissonna tout autant que la première fois. Elle jeta un coup d'œil à sa montre : quinze heures quarante. Elle pouvait arriver à l'Hôtel Intercontinental avant seize heures, mais seulement si elle partait tout de suite. Elle réfléchit, décida de suivre son instinct. Elle redémarra la voiture et glissa le BlackBerry dans son sac, juste à côté de son pistolet Sig Sauer.

Le téléphone laissait échapper un son strident dans l'oreille de Jack. C'est seulement en écartant son portable à une quinzaine de centimètres de sa tête qu'il put distinguer la voix de Zack, l'ami de Theo, qui criait pour être entendu malgré le grondement d'un moteur d'hydravion.

— Je ne comprends rien à ce que vous dites ! cria Jack lui aussi, bien qu'il fût au milieu du parking relativement calme sur lequel se trouvait le poste de commandement mobile.

Deux flics de la police de Miami qui passaient par là se demandèrent si Jack les interpellait.

— Une seconde, cria Zack.

Tout d'un coup, on n'entendit plus le bruit du moteur. Il reprit la ligne :

— Ça va mieux ?

— Beaucoup mieux.

— Devinez qui est assis à côté de moi en ce moment même, dit Zack sans toutefois attendre de réponse : Notre pote Riley.

– Vous voulez dire Riley, le directeur de la banque ?

– En personne.

– Je croyais qu'on avait perdu sa trace.

– Disons qu'il avait préféré se planquer.

– Comment l'avez-vous retrouvé ?

– J'ai pas ménagé mes efforts. Ça fait dix ans que je fais des allers-retours avec les Bahamas. J'ai pas mal de contacts là-bas. Disons que même notre ami Theo Knight aurait été fier de moi, vu la manière dont je me suis débrouillé.

Jack décodait parfaitement les propos de Zack : prière de ne pas poser de questions. Il imaginait Riley attaché, bâillonné, pendu la tête à l'envers à une corde au-dessus d'une cuve d'acide bouillonnant pour décourager toute tentative d'évasion, à la Adam West dans le vieux feuilleton télé *Batman*.

– Est-ce que Riley sait où est passé l'argent qui se trouvait dans le coffre de Falcon ?

– Mon ami, vous ne pouvez vous imaginer tous les secrets dont ce type a connaissance.

– Ça veut dire que oui ?

– Ça veut dire que la réponse est si longue et si compliquée que vous feriez mieux de lui poser la question directement.

– OK, amenez-le ici, au poste de commandement mobile. Je l'interrogerai avec le sergent Paulo.

Zack hésita :

– Euh, c'est pas pour rien que ce type avait décidé de se planquer. L'amener à la police n'est peut-être pas une très bonne idée.

– Il cherche à fuir la justice ?

– Non. Simplement il ne croit pas que les flics peuvent le protéger.

– Alors de qui a-t-il peur ?

Le silence de Zack laissa entendre que c'était là encore une question à ne pas poser.

– Son entrée aux États-Unis a été validée par les services d'immigration ? demanda Jack.

—Ça dépend de ce que vous voulez dire par «validée».

—Zack, j'espère que...

—Arrêtez-vous tout de suite. C'est de Theo Knight qu'on parle, OK ? Si c'était vous ou moi qui étions coincés dans une chambre de motel avec un dangereux maniaque, Theo nous aurait libérés il y a déjà un bon moment. À l'heure actuelle, on serait dans son bar, en train de jouer au billard et de boire des bières en riant de toute cette mésaventure. Theo serait prêt à tout pour nous. Vous comprenez ce que je dis ?

Jack considéra les choses sous cet angle. Zack parlait de ce qui comptait vraiment – l'amitié, la loyauté et le genre de fraternité qui transcendait le hasard de la loterie génétique –, et ce qu'il disait sonnait juste.

—D'accord, dit Jack. Alors dites-moi exactement comment vous voulez qu'on s'y prenne.

—Il faudra que vous nous accordiez cinq minutes de votre temps. Il y a des choses que vous savez et moi non, et vice versa. Si on s'y met ensemble, Riley pourrait être la clé qui nous permettra de tirer cette affaire au clair. C'est comme quand ce type, Gorge profonde, a expliqué au journaliste du *Washington Post* comment percer le mystère de ce qui se passait avec le président Nixon et le scandale du Watergate.

—Suivre la piste de l'argent ?

—Ouais. La piste de l'argent.

—Et vous êtes en train de me dire que monsieur Riley est notre carte au trésor ?

—C'est une bonne façon de voir les choses. Alors, maintenant, rappliquez.

—Je ne peux pas m'éloigner d'ici. Du moins pas longtemps.

—J'amènerai pas Riley à votre poste de commandement. Le plonger dans une mer de flics, c'est le meilleur moyen de le décourager définitivement de parler.

—Est-ce qu'on pourrait se donner rendez-vous à mi-chemin ? La station à côté de l'université, j'ai oublié son nom, ça vous irait ?

– Celle qui est à côté du chantier ?

– Voilà.

– Je peux y être dans dix minutes.

Jack regarda sa montre :

– Soyez-y dans cinq, dit-il avant de raccrocher.

Entourée de murs scintillants et d'imposantes colonnes en marbre vert du Brésil, une vieille dame attendait dans le hall ouvert, haut de deux étages de l'Hôtel Intercontinental. S'il s'était agi d'une journée typique du sud de la Floride, des rayons de soleil auraient brillé à travers les verrières et auraient baigné le hall d'une lumière chaude et naturelle. Mais la pluie et les sombres nuages de cet après-midi donnaient au marbre un aspect froid et lugubre. Une énorme sculpture moderne dominait le centre du hall et, dans son ombre, la vieille dame se choisit un confortable fauteuil en cuir. De là, elle avait une vue parfaite sur la grande entrée de l'hôtel. Elle observa chaque personne qui passait les portes à tambour. Elle n'attardait pas son regard sur les hommes – seules les femmes plutôt jeunes retenaient son attention, plus particulièrement les jolies Hispaniques de moins de trente ans. Miami en regorgeait, et ce hall d'hôtel ne faisait pas exception. Une des grandes compagnies de paquebots de croisière était en train de faire inscrire sur le registre de l'hôtel des centaines de clients qui faisaient étape ici cette nuit. À cause de ces longues files d'attente confuses, la vieille dame craignait de rater la personne avec laquelle elle avait rendez-vous.

Un serveur enleva les verres à cocktail vides que des clients avaient laissés sur la table à côté d'elle.

– *Algo tomar ?*

Quelque chose à boire ? Même à Miami, les serveurs ne se hasardaient pas en général à présumer que la langue natale de leurs clients était l'espagnol. La vieille dame se demanda pourquoi il n'avait pas eu d'hésitation avec elle :

– Non, *gracias*, dit-elle.

Alors que le serveur se tournait pour s'occuper de la table voisine, elle comprit soudain pourquoi il lui avait adressé la parole en espagnol. Elle serrait contre elle son sac, d'où dépassait un épais dossier sur lequel était écrit en gros : LA CACHA, CASO NUMERO 309. La Cacha, dossier numéro 309.

Le serveur avait dû apercevoir ces mots. Ou peut-être pas. Elle se laissait gagner par la paranoïa. Elle n'avait tout simplement pas l'air d'une Suédoise ! Elle retourna cependant le dossier de façon à ce que l'inscription soit cachée contre sa poitrine. Elle le serrait fort contre elle, pleine d'espoir. Du coup, presque sans y penser, elle glissa la main dans son sac et saisit un vieux morceau d'étoffe blanche qui était lié à son histoire personnelle et à ses années de souffrance.

Finalement, elle aperçut une belle jeune femme qui franchissait une des portes. Son pouls s'accéléra. Elle se leva pour mieux voir à travers la foule. La jeune femme montait l'escalier de marbre, et il semblait de plus en plus qu'il s'agissait bien d'*elle*.

La vieille femme se dirigea vers elle, se faufilant à travers une foule d'obstacles humains. Un groupe de pilotes, de stewards et d'hôtesses de l'air tiraient leurs valises à roulettes vers l'accueil. Elle heurta l'un d'eux et faillit tomber par terre. L'homme voulut l'aider à se stabiliser, mais elle était bien trop pressée pour attendre son secours. Elle se remit en marche et se fraya un passage à travers le hall. Puis elle s'immobilisa instantanément.

Elle venait de croiser le regard de la jeune femme, qui elle-même se figea.

La vieille dame n'avait jamais été aussi certaine de ne pas se tromper. C'était bien *elle*.

Il y eut un moment de confusion, d'agitation, alors qu'un bus débarquait ses passagers devant l'hôtel. Une vague de touristes, une de plus, traversa le hall. Les clients se précipitaient vers la file d'attente longue et chaotique qui aboutissait au bureau des réservations. La vieille femme tenta d'avancer tout en gardant un œil sur la demoiselle, mais elle la perdit brutalement de vue.

– Alicia ! cria-t-elle.

Où était-elle passée ?

– Alicia Mendoza !

La vieille femme avançait rapidement dans la foule, mais elle ne croisait que des visages inconnus. Les gens commençaient à la regarder comme s'il y avait quelque chose d'anormal chez elle. À bout de souffle, elle dut s'arrêter. Du haut de l'escalier, elle aperçut Alicia qui se précipitait vers la sortie. Elle sentait qu'elle devait courir après, mais ce serait inutile. En désespoir de cause, elle glissa la main dans son sac et en sortit un bâton de rouge à lèvres qu'elle lança du haut des marches de toute la force de son bras. Le bâton vola à travers le hall et, comme une fléchette qui atteint le cœur de la cible, il toucha Alicia en plein dans le dos.

Elle s'arrêta net, se tourna et croisa le regard de la vieille femme. Puis elle vit le bâton sur le sol et le ramassa.

Elle sembla le reconnaître. Il s'agissait de son rouge à lèvres.

La vieille dame s'apprêtait à descendre les marches, espérant qu'elle voudrait bien lui parler. Mais avant qu'elle ne puisse faire le moindre mouvement, Alicia sortit par la porte à tambour. La vieille femme ne put que la suivre des yeux à travers la baie vitrée : Alicia courut sur le parking jusqu'à sa voiture, sauta derrière le volant et démarra en trombe.

51

Au centre de Miami, les chantiers n'étaient dépassés en nombre que par les embouteillages. Jack passa devant sept ou huit immeubles en construction avant de se retrouver bloqué dans la circulation. Il laissa sa voiture sur une aire de livraison près de Flager Street et suivit le trottoir. Il tourna une ou deux fois au mauvais endroit, puis finit par arriver jusqu'au chantier qui indiquait la proximité de la station de transport en commun où Zack et lui étaient censés se retrouver.

Aucune ville sur terre n'avait plus de gratte-ciel en construction que Miami – ni New York, ni Tokyo, ni même Hongkong. Une grande partie de ces immeubles seraient bel et bien construits ; une autre, peut-être plus grande encore, ne dépasserait pas le stade du chantier envahi par les mauvaises herbes, comme celui qui servait de repère à la destination de Jack. Le réseau de transport en commun du centre-ville consistait en un métro aérien à pneus en caoutchouc roulant sur une voie en béton. En montant les escaliers qui menaient au quai de la station, Jack avait une vue dégagée sur un terrain vague fermé par un grillage. La plus grande partie du grillage était couverte de nylon vert, mais tout le côté qui donnait sur la rue avait été converti en une sorte de galerie architecturale où étaient exposés des dessins impressionnants représentant l'immeuble de soixante-dix étages qui allait être érigé. Le panneau sur le portail proclamait fièrement que soixante pour cent des futurs appartements avaient déjà été vendus. La grande question était donc : à qui ? La spéculation sur les immeubles résidentiels à Miami était l'équivalent de la roulette à Las Vegas, et Jack se disait que ces appartements avaient dû être achetés en gros par précisément le genre d'investisseurs qui planquaient leur fric dans des établissements aussi discrets que la Greater Bahamian Bank & Trust Company, avec précisément l'aide de personnages comme Riley.

Quand Jack arriva, cependant, Riley n'était nulle part en vue. Zack et ses deux mètres quinze étaient adossés seuls contre un panneau publicitaire illuminé.

– Où est Riley ? demanda Jack.

– Désolé, dit Zack en s'avançant vers lui. Vous êtes peut-être le meilleur ami de Theo, mais tous les avocats me rendent nerveux. Vu la façon dont vous parliez au téléphone, je m'attendais à moitié à ce que vous débarquiez avec une escorte de flics. J'ai laissé Riley en sûreté.

L'image d'une cuve d'acide bouillonnant refit surface dans l'esprit de Jack.

– Où ça ?

– Dans mon hangar. Il va bien, vous inquiétez pas. Franchement, il est soulagé d'avoir quitté les Bahamas. Tant que les gens qui sont après lui ignorent qu'il s'est fait la malle...

– Qui sont ces gens ?

– Je ne sais pas exactement. Quelqu'un s'est introduit chez lui hier matin, l'a menacé avec un flingue et lui a dit de fermer sa gueule au sujet du coffre de Falcon. J'ai insisté assez lourdement pour que Riley m'en dise plus, mais honnêtement je suis pas sûr que même lui sache de qui il s'agissait.

– Dans les îles, on ne suit pas toujours le modèle suisse selon lequel il faut « bien connaître son client ». En fait, même en Suisse on ne suit pas souvent ce modèle. Le secret bancaire comporte plus d'exceptions que de règles.

– Je connais rien à tout ça. Mais si vous aviez grandi là où Theo et moi on a grandi, il y a une chose que vous sauriez : personne chante aussi bien qu'un canari effrayé.

Jack n'était pas certain d'avoir déjà entendu ce proverbe, mais il en comprenait le sens général.

– Qu'est-ce que Riley vous a raconté pour l'instant ?

– Pour commencer, votre pote Falcon s'est chargé lui-même de louer ce coffre, il a rempli tous les papiers.

– On le savait. Sa signature figurait dans les registres de la banque.

– Ouais, mais ce que vous ignoriez, c'est qu'il s'est occupé de ça il y a des années, probablement avant de s'être mis à vivre dans la rue. Et il y a autre chose : Falcon n'a jamais ouvert ce coffre, pas une seule fois.

– Vous voulez dire après qu'il y a mis les deux cent mille dollars ?

– Non. Je veux dire *jamais*.

– Comment c'est possible ?

– C'est ce que j'ai demandé à Riley. Mais il a dit que Falcon a loué le coffre sans même y jeter un coup d'œil. Qu'il n'a jamais rien placé dedans.

– Alors comment l'argent a-t-il fait pour y atterrir ?

– Selon Riley, un autre type s'est pointé à la banque deux mois après. Il avait une clé et une procuration signée par Falcon qui lui donnait le droit d'ouvrir le coffre. C'est ce qu'il a fait. On ne sait pas ce qu'il a mis dedans, mais Riley dit qu'il était venu avec un attaché-case.

– Assez gros pour contenir deux cent mille dollars en liquide ?

– Ouais. Le type s'appelait Bernard Sikes. Une identité complètement bidon, bien sûr.

– Et donc ce Sikes – ou quel que soit son vrai nom – aurait laissé deux cent mille dollars en liquide dans un coffre de banque vide loué par Falcon ? C'est bien ce que vous me dites ?

– Exactement.

–Pourquoi il aurait fait ça ?

–Qu'est-ce que j'en sais ? dit Zack en haussant les épaules. Pourquoi ne demanderiez-vous pas à Falcon ?

–C'est sans doute ce que je vais faire. Mais de toute évidence ce n'est pas la fin de l'histoire. Il y avait deux cent mille dollars dans le coffre quand j'y suis allé avec Theo. J'ai pris dix mille pour payer la caution de Falcon. Alors qui est passé après moi pour prendre le reste ? Riley ?

–Non, dit Zack. Il jure que c'est pas lui.

–Sikes ?

–Non plus. Riley dit que c'était une femme. Une vieille, en plus. Dès le départ, Falcon avait demandé à la banque que seules trois personnes soient autorisées à accéder au coffre : lui-même, Sikes et cette femme.

–Son nom ?

–Marianna Cruz Pedrosa.

Jack fouilla dans sa mémoire, mais ce nom ne lui évoquait rien.

–Est-ce que les Bahamiens sont parvenus à la retrouver ?

–C'est là que ça devient intéressant. Ce n'est pas Riley qui me l'a appris, mais un pote à moi qui est flic là-bas.

–Qu'est-ce qu'il vous a appris ?

–Comme vous vous en doutez, il y a pas mal de personnes qui portent ce nom-là sur cette planète. Mais les policiers là-bas ont vérifié tout un tas de bases de données informatiques, et il y a une femme qui a vraiment retenu leur attention.

–Pourquoi ?

–Une Marianna Cruz Pedrosa est portée disparue depuis plus de vingt-cinq ans. Au milieu des années soixante-dix, elle était professeur à l'université de La Plata en Argentine. Elle et son mari ont été kidnappés dans leur maison en plein milieu de la nuit. Personne n'a plus jamais eu de leurs nouvelles. C'est comme s'ils s'étaient évaporés.

Jack resta silencieux un moment.

—Non, déclara-t-il finalement. Je parie qu'ils ont disparu.

—Évaporés. Disparus. C'est la même chose.

—Pas exactement.

Pour Jack, les morceaux du puzzle que représentait Falcon commençaient enfin à se mettre en place.

52

VINCE N'OBTENAIT PAS LA RÉPONSE qu'il souhaitait de la part de ses supérieurs. Il écoutait le préfet Renfro sur le haut-parleur du téléphone, et celle-ci n'était pas enthousiaste à l'idée que Vince – avec ou sans Swyteck – ait à s'approcher d'une manière ou d'une autre du motel pour récupérer l'otage blessée. Vince était prêt à présenter une ribambelle d'arguments pour défendre cette idée, mais il était le seul. Le véhicule qui servait de poste de commandement commençait à ressembler moins à un centre de négociations qu'à un lieu de rassemblement pour la Swat. Le sergent Chavez, deux membres de son équipe tactique ainsi que son meilleur tireur d'élite se tenaient près de la porte, comme s'ils attendaient seulement que le préfet dise : « Allez-y ! » La police du comté avait une négociatrice présente dans le véhicule mais, à en juger par son attitude, celle-ci se rangeait derrière son collègue de la Swat. Et leur directeur – l'équivalent local du shérif du comté – participait par téléconférence, il partageait lui aussi l'avis du préfet Renfro, à cent pour cent.

– Écoutez, dit le directeur, ce type a déjà tué un policier et il en a blessé un autre. Il semblerait qu'il ait aussi blessé une otage. Ça n'a aucun sens de lui envoyer un négociateur accompagné d'un civil dans l'espoir qu'il se soit calmé. Ce type est un tueur.

– On ne lui envoie personne, précisa Vince. Il est d'accord pour amener la blessée devant la porte. Ensuite Swyteck et moi allons la chercher. À aucun moment on ne met les pieds à l'intérieur de la chambre.

– J'aime bien la première partie de ce plan, dit Chavez. Quand il ouvrira la porte pour déposer la fille sur le seuil, on pourra tenter un tir.

– Quelles sont les chances que ce tir le neutralise ? demanda Renfro.

Chavez s'en remit à son tireur d'élite, qui répondit d'un ton monocorde et précis, sans la moindre trace d'arrogance. Il s'agissait simplement du meilleur jugement possible de la part d'un professionnel hautement qualifié qui comprenait parfaitement la gravité de son travail.

– Le sujet se tient dans l'embrasure de la porte, expliqua-t-il. La fille est à terre. Les mouvements du sujet seront sans doute rapides, voire imprévisibles, étant donné qu'il s'agit d'un homme très troublé souffrant de paranoïa. En tout cas il sera agité. Le premier étage de l'immeuble situé juste en face offre la meilleure ligne de mire. La distance est d'à peu près cent mètres. Le léger angle devrait avoir un impact négatif mineur sur la trajectoire de la balle. Il nous faut compter avec de la pluie et du vent. À moins que l'averse se transforme en ouragan, je dirais que nous pouvons être quasiment sûrs de notre coup.

– Je ne voudrais surtout pas qu'on ne le touche que légèrement, dit Renfro. Le pire serait qu'il rentre dans la chambre et se jette sur les otages comme un animal blessé.

– Compris, affirma le tireur d'élite. Moi, je vous parle d'un coup fatal en pleine tête.

– Rien n'est garanti, hésita Vince. Toute tentative de le descendre à distance mettra en péril la vie des otages.

– On lance une attaque dès que le tireur presse la gâchette, intervint le directeur de la police du comté. Si cette première balle ne lui règle pas son compte, nos hommes s'en chargeront.

– Sans vouloir vous vexer, dit Vince, ça ne sera guère efficace, à moins que votre équipe aille plus vite que les balles de Falcon.

Le chef de la Swat prit la parole :

– Vous seriez étonné de constater notre rapidité d'action. Nous avons étudié les plans du bâtiment. Il y a un couloir réservé au personnel d'entretien qui longe l'arrière des chambres de cette aile est du motel. Nous pourrions transpercer ce mur-là. Il n'est fait que de Placoplâtre fixé sur des lattes. Nous devrions pouvoir positionner une équipe à deux chambres de distance, maximum, sans que Falcon se doute de rien.

– S'il vous entend trouer un mur, c'est la catastrophe, dit Vince.

– Il ne nous entendra pas.

– Et s'il ouvre la porte en traînant un otage avec lui ?

– Alors nous réagirons en conséquence, dit Chavez.

– Qu'est-ce que ça veut dire ?

– Ça veut dire que nous avons déjà eu affaire à ce genre de situation. Nous nous adapterons.

Vince aurait pu contester cette idée, mais il savait qu'il était seul dans son camp. En fait, il n'était pas en total désaccord avec leur stratégie. Il espérait que c'était parce qu'ils devaient avoir raison. Mais il craignait que ce soit dû à la manière tragique dont les choses avaient tourné la dernière fois, son face-à-face désastreux avec un monstre qui s'était emparé d'une petite fille de cinq ans, puis de la vue de Vince.

– On peut compter sur vous, Paulo ? demanda le préfet.

Vince tarda à répondre.

– Paulo, vous êtes prêt à nous aider ?

– Ouais, dit-il sans grand enthousiasme. Je marche.

– Bien, dit le préfet. Alors faites comme on a dit. Demandez à Falcon d'amener la fille devant la porte, et garantissez-lui que Swyteck et vous-même viendrez la chercher. Des questions ?

Aucune voix ne s'éleva dans le véhicule.

– Excellent, conclut Renfro. Bonne chance à tous.

Vince coupa la communication. Les membres de la Swat se dirigèrent vers la porte. Avant de sortir en dernier, Chavez posa la main sur l'épaule de Vince :

—Il faut voir le bon côté des choses, Paulo. Falcon sera mort avant de s'être rendu compte que vous lui avez menti.

Vince n'aurait su dire s'il s'agissait d'une mauvaise blague ou si Chavez était simplement un connard fini. Il préféra lui donner le bénéfice du doute en ne répondant pas. Il se tourna et suivit le chemin familier qui menait à son fauteuil, et il allait s'asseoir quand il entendit un grésillement radio dans son casque. Il ajusta l'oreillette et une voix se fit clairement entendre :

—Sergent Paulo, vous êtes là ?

Vince ne reconnut pas la voix de son interlocuteur.

—Ici Paulo. Vous êtes ?

—Agent Garcia, contrôle du périmètre.

—Allez-y.

—On a un petit souci ici, au coin de Biscayne et de Seventeenth Street.

Ce type doit être un bleu, se dit Vince. Il ne comprenait pas pourquoi on demandait au négociateur principal de se soucier du contrôle du périmètre, mais il préféra ne pas répondre trop brutalement :

—Je suis sûr que vous serez à la hauteur, Garcia.

—En fait, monsieur, c'est un peu compliqué. J'ai quelqu'un ici qui insiste pour vous parler.

—Qui est-ce ?

—Elle refuse de me donner son nom. Elle me dit que de toute façon ça ne vous dirait rien. Mais elle prétend qu'elle peut vous être d'une grande aide.

Vince était fatigué, terriblement stressé, et cette interruption paraissait vraiment inutile, au point qu'il craignait de se mettre en colère.

—Dites-lui que nous n'avons pas besoin d'aide, merci.

—Elle dit qu'elle sait qui est Falcon.

—Vraiment...

—Oui. Je me doute bien que vous êtes sceptique. Moi-même, je n'y croyais pas trop et je ne vous aurais pas embêté. Mais elle a quelque chose à vous remettre.

– Quoi donc ?

L'agent marqua une pause, comme s'il prenait le temps de s'assurer qu'aucun curieux n'écoutait ses propos :

– On dirait bien deux cent mille dollars. En liquide.

Le flic débutant eut soudain l'entière attention de Vince :

– Amenez-la ici immédiatement. Dites-lui que je serais ravi de lui parler.

53

ALICIA SE RENDIT DU CENTRE-VILLE de Miami à Coconut Grove en un temps record. La dernière fois qu'elle était si pressée de rentrer au 311 Royal Poinciana Court, elle avait dix-sept ans, il était trois heures du matin et ses faux papiers d'identité avaient fonctionné à merveille dans les clubs de South Beach. Cette après-midi, les circonstances n'avaient vraiment rien à voir. Bien sûr, elle n'habitait plus dans la charmante villa de style méditerranéen, bien que ses parents lui aient répété un millier de fois, d'un millier de façons, qu'ils se sentaient eux-mêmes davantage chez eux quand Alicia leur rendait visite. Elle les comprenait parfaitement. C'était dans cette vieille demeure qu'elle avait grandi. L'endroit était empli de souvenirs de fêtes d'anniversaires, de nuits passées avec les copines, de goûters après l'école, de genoux écorchés, de conversations entre filles au sujet des garçons. Cette maison était comme une boîte géante où l'on trouvait tous les espoirs et tous les rêves qui avaient tracé le chemin de la petite fille à papa jusqu'à la femme qu'elle était devenue. Dans le jardin, elle avait marqué mille buts dans les cages gardées par son père. Dans le salon, elle avait failli tuer sa mère parce que celle-ci avait essayé de lui « arranger » sa coiffure cinq minutes avant l'arrivée de son cavalier pour le bal de fin d'année. C'était un cliché de dire qu'une maison ne faisait pas nécessairement un véritable foyer, mais celle-ci débordait de l'amour infini et de l'inévitable excès d'attention parentale que seul un enfant unique peut comprendre et supporter. L'espace d'un moment, alors qu'elle était assise en face de sa mère à la table de la cuisine, Alicia eut l'impression d'être redevenue une petite fille.

Mais, quelque part, elle avait aussi l'impression d'être un **flic**.

— Pourquoi cet air si sérieux ? demanda sa mère.

Alicia n'arrivait pas à démêler les émotions contradictoires qui l'empêchaient de parler. Elle posa son sac à main sur la table. Elle sortit son portefeuille sans que sa mère puisse voir le bâton de rouge à lèvres qui se trouvait aussi à l'intérieur. Elle ouvrit son portefeuille, qui ne contenait aucun billet.

Sa mère ne put taire son mécontentement :

— Alicia, combien de fois t'ai-je dit de ne pas te balader sans argent ?

— Maman, s'il te plaît.

— Tu devrais toujours avoir un peu de liquide sur toi. Comment ferais-tu si tu crevais sur la route, par exemple, ou en cas d'urgence ?

— En cas d'urgence, j'ai un pistolet neuf millimètres avec un chargeur plein. Maman, j'aimerais que tu m'écoutes, s'il te plaît.

Alicia utilisait rarement ce ton-là avec ses parents.

— D'accord, dit sa mère d'une voix très troublée. Je t'écoute.

De la poche à photos de son portefeuille, Alicia sortit une moitié de billet de banque coloré qu'elle gardait dans un étui en plastique transparent. Elle posa le billet entre elle et sa mère.

— Tu sais ce que c'est ?

Sa mère n'eut qu'à jeter un bref coup d'œil pour voir de quoi il s'agissait :

— Un billet de banque argentin. Vingt pesos. Mais pourquoi est-ce qu'il est déchiré au milieu ?

Alicia tira le billet de l'étui et, appuyant ses coudes sur la table, elle le tint à hauteur des yeux de sa mère. Le rebord droit et lisse entre le pouce et l'index de la main droite, et le rebord inégal, déchiré, de la main gauche.

—Il y a six ans, quelques jours à peine après mon vingt et unième anniversaire, une femme m'a donné ça.

—Qui était-ce ?

—Je ne l'avais jamais rencontrée auparavant. Elle m'a abordée sur le campus à la fin d'un de mes cours et m'a demandé si elle pouvait me dire un mot. Je n'étais pas pressée, et elle semblait gentille. Alors nous nous sommes assises à une des tables de pique-nique sur la pelouse et nous avons commencé à discuter.

—De quoi ?

—Au début, de pas grand-chose, on aurait dit. Elle m'a raconté qu'elle avait un ami dont la fille pensait s'inscrire dans cette fac au printemps, et elle voulait savoir si je me plaisais ici, comment était la vie sur le campus, ce genre de choses. La conversation se centrait sur moi – trop en fait, et au bout d'un moment ses questions très personnelles ont commencé à me mettre mal à l'aise. J'ai inventé une excuse pour prendre congé, et c'est là qu'elle m'a avoué qu'elle n'était pas venue explorer le campus pour la fille d'un ami. Elle m'a dit qu'elle avait fait le voyage depuis l'Argentine dans le seul but de me parler.

La mère d'Alicia parut tout d'un coup plus inquiète que curieuse :

—Pourquoi donc serait-elle venue de si loin juste pour te parler ?

—C'est ce que je lui ai demandé. Elle m'a dit qu'elle connaissait ma famille en Argentine.

—Ah oui ? La mienne ou celle de ton père ?

C'était une question toute simple, mais Alicia regrettait soudain d'avoir lancé cette conversation. Elle l'avait évitée pendant des années, par respect, par amour, et probablement aussi à cause d'un tas d'autres émotions qu'elle ne démêlerait peut-être jamais. La peur avait joué un grand rôle : la peur de la vérité. Mais c'était trop tard pour faire marche arrière. Elle chercha en elle et trouva la force de répondre :

—Ni l'une ni l'autre.

Sa mère laissa échapper un petit rire nerveux :

—Qu'est-ce que tu veux dire, « ni l'une ni l'autre » ?

—Elle m'a expliqué qu'elle ne cherchait pas à me blesser ni à me troubler, qu'elle ne voulait pas faire de moi une victime de plus en bouleversant ma vie.

—Une victime de quoi ? demanda Graciela qui s'irritait. On dirait que cette femme n'allait pas bien dans sa tête.

—C'est exactement ce que je me suis dit. Je ne voulais pas en entendre plus, mais ce qui est intéressant, c'est qu'en fait elle ne m'a jamais rien révélé directement. Pourtant, je voyais où elle voulait en venir. Avec du recul, je me dis qu'elle préférait me laisser comprendre les choses petit à petit par moi-même, plutôt que me balancer des révélations douloureuses en pleine figure.

—Mais *quelles* révélations ?

Alicia posa le billet déchiré sur la table.

—Avant de s'en aller, elle a sorti ce billet de son sac et l'a déchiré au milieu. Elle en a gardé une moitié, et a insisté pour que je prenne celle-ci, celle où il était écrit quelque chose à la main.

Alicia retourna le billet. Sur la face avant, un message à l'encre bleue était inscrit en espagnol. Il disait ceci : « L'armée vole nos enfants. Où sont les Disparus ? »

La mère d'Alicia ne laissa transparaître aucune réaction.

—J'ai gardé ce billet et, ensuite, au fil des mois, j'ai fait quelques recherches.

—Quel genre de recherches ?

—Ayant grandi à Miami, je me suis rendu compte que je ne savais pas grand-chose sur le pays de ma naissance. Il se trouve que je suis née à l'époque de la « guerre sale » en Argentine, dont j'avais entendu parler sans jamais m'y être vraiment intéressée.

—Beaucoup de choses ont été écrites là-dessus.

—Je sais. Mais ce n'est qu'après ma rencontre avec cette femme, après qu'elle m'a donné ce billet déchiré, que je me suis mise à me renseigner sur *los Desaparecidos* – les Disparus. J'étais frappée d'apprendre à quel point les gens avaient peur de parler de ce que l'armée faisait subir en secret aux opposants au régime. Certains de ces Disparus étaient des extrémistes, des gauchistes...

– Des terroristes. Comme ceux qui ont fait sauter cette bombe qui a tué la première femme de ton père et leur fille.

– Oui, je sais ça. Mais d'autres étaient des gens ordinaires qui osaient élever la voix contre le gouvernement : des syndicalistes, des réformateurs, des défenseurs des droits de l'homme, des nonnes, des prêtres, des journalistes, des avocats, des enseignants, des étudiants, des acteurs, des travailleurs, des femmes au foyer, etc., qui n'avaient parfois rien fait. Mais on les accusait ou on les soupçonnait de s'adonner à la subversion ou de conspirer contre le « mode de vie chrétien occidental ». C'était comme l'Allemagne nazie, sauf que, dans le cas de l'Argentine, le reste du monde est resté les bras croisés jusqu'à la fin. Même à l'intérieur du pays, quasiment personne n'a eu le courage de dire ou de faire quoi que ce soit, à part les mères des enfants disparus. Elles tenaient des réunions secrètes dans les églises, elles s'organisaient, elles défilaient sur les grandes places des villes en portant une petite étoffe blanche sur leur tête et en brandissant des photographies de leurs enfants disparus. Elles risquaient leur vie pour clamer au peuple que des gens disparaissaient et que la dictature militaire était responsable.

Alicia s'arrêta pour reprendre son souffle, puis fit un geste en direction de la moitié de billet argentin sur la table.

– Et une des façons que ces femmes avaient de faire passer le mot au reste de la population, c'était d'écrire des phrases comme ça sur les billets. Ainsi le message circulait à travers le pays.

– Tout ça, c'était il y a très longtemps, dit sa mère d'une voix tremblante. Et ça ne concerne en rien notre famille.

– C'est sans doute parce qu'elle insinuait le contraire que je me suis sentie si en colère contre cette femme et que je lui ai dit de ne plus jamais me contacter. Et tu sais quoi ? Elle m'a promis de respecter mon souhait. Elle m'a dit qu'elle ne se manifesterait plus jamais. Sauf...

—Sauf quoi ?

Alicia sortit le bâton de rouge à lèvres de son sac. Elle le déboucha, mais à l'intérieur il n'y avait plus de rouge à lèvres. Il y avait une moitié de billet argentin. Alicia la déroula et l'aplatit sur la table, à côté de l'autre. Les rebords déchirés, irréguliers, se complétaient parfaitement, comme des pièces de puzzle.

—Elle m'a promis de ne jamais plus me contacter, reprit Alicia, sauf si elle pouvait prouver que tout ce qu'elle avait à me dire était vrai.

—C'est une preuve, ça ? demanda sa mère d'un ton méprisant.

—Il s'agit du bâton de rouge à lèvres qu'on a volé dans mon sac. On me l'a rendu aujourd'hui.

—Qui te l'a rendu ?

—La même femme qui était venue me voir il y a quelques années.

—Elle t'a volé ton rouge à lèvres ?

Le regard d'Alicia se durcit.

—Le tube est vide, tu vois.

—Oui, je vois. Elle te l'a pris. Pourquoi elle ferait une chose pareille ? Elle doit être complètement cinglée.

—Non. Ce qu'elle a fait est en fait très malin.

—Voler du rouge à lèvres, c'est malin ?

—C'est ingénieux... d'avoir trouvé ce moyen pour prélever de ma salive.

Sa mère marqua une pause. Elle voyait enfin où tout cela menait.

—Qu'est-ce que tu crois qu'elle va pouvoir prouver grâce à ma salive, maman ?

Le visage de sa mère perdit toute couleur. La famille Mendoza n'avait jamais fait grand cas des histoires de biologie, et Alicia souffrait de voir sa mère sur le point de s'effondrer émotionnellement. L'espace d'un instant, il sembla ne plus y avoir d'oxygène dans la pièce.

– Les gens sont malades. Les choses qu'ils sont prêts à dire et à faire rien que pour faire souffrir les autres.

– Non, maman. Ce n'est pas de ça qu'il s'agit.

Sa mère déglutit, elle semblait avoir du mal à articuler :

– C'est... Je ne comprends pas ce qui se passe. Je t'aime, Alicia. Je t'aime de tout mon cœur.

– Je sais.

– Alors qu'est-ce que tu veux que je fasse, ma chérie ?

– Une seule chose, maman.

Les yeux de sa mère s'emplirent de larmes, qu'elle retenait tant qu'elle pouvait.

– Quoi ? Dis-moi, je t'en prie.

– Est-ce que c'est toi qui vas me dire la vérité, maman ? Ou est-ce que je dois aller la voir *elle* ?

54

AUX YEUX DE JACK, le sergent Paulo gardait encore une grande part de mystère. Habituellement Jack cernait vite les gens, mais n'importe qui aurait été d'accord pour dire que Paulo était un type compliqué, et Jack ne le côtoyait que depuis quelques heures. On pouvait cependant compter sur une situation de crise pour faire rapidement naître une certaine familiarité entre les personnes : difficile de ne pas se révéler aux autres quand l'enjeu et la tension atteignaient de tels niveaux. En tout cas, Jack comprenait assez Paulo pour ne pas douter du sérieux de celui-ci quand il lui demanda de venir au poste de commandement pour rencontrer la vieille dame qui avait l'argent de Falcon et écouter ce qu'elle avait à dire.

Paulo était seul avec elle quand Jack entra dans le véhicule. Elle était assise, le dos droit ; les doigts de ses deux mains étaient entrelacés et formaient une boule serrée qui reposait sur ses genoux. Elle tenait un mouchoir, qui appartenait peut-être à Paulo. La première impression de Jack fut qu'elle était plus jeune que son *abuela*, mais il l'aurait facilement imaginée en train de jouer aux cartes avec une demi-douzaine de vieilles dames hispaniques autour de la même table, comme *Abuela*, papotant et buvant du café pendant des heures, peut-être même chuchotant à l'oreille de Jack des informations sur la jolie nièce d'une de ces dames qu'il devait à tout prix rencontrer. Ses cheveux étaient courts, élégants, gris pour la plupart.

Derrière ses lunettes à monture métallique, ses grands yeux sombres paraissaient aussi sincères que tristes. Bien que son visage soit ridé, sa peau olive respirait la santé et une certaine jeunesse, comme si les plis de sa peau étaient dus davantage à l'inquiétude qu'à l'âge.

— C'est donc vous l'avocat qui avez représenté ce monstre ? demanda-t-elle alors que Jack s'asseyait à la table.

— Je m'appelle Jack Swyteck. J'ai été l'avocat de Falcon pendant une courte période, mais je ne suis pas ici pour le représenter. Je suis ici parce qu'il détient en otage mon meilleur ami, et je fais tout ce qui est en mon pouvoir pour aider le sergent Paulo à obtenir sa libération ainsi que celle des autres otages.

— Madame comprend tout cela, dit Paulo. Nous en avons longuement parlé avant que je vous appelle.

— Est-ce vrai que vous connaissez Falcon ? demanda Jack.

— Oui, dit-elle. C'est pour ça que j'ai contacté le sergent Paulo.

— Je ne voudrais pas avoir l'air sceptique, mais pourquoi avoir tant attendu ?

— J'ai cherché à joindre le sergent Paulo dès que j'ai vu le visage de Falcon à la télévision.

— Les chaînes de télé régionales ont diffusé des images de cette prise d'otages toute la journée, et la tête de Falcon fait la une des médias depuis au moins deux jours, depuis que le corps de cette femme a été retrouvé dans le coffre de sa voiture.

— Je suis arrivée à Miami il y a seulement quelques heures.

— CNN en a parlé, de même que les infos nationales.

— J'étais en Argentine. Et là-bas on n'en parlait pas aux nouvelles.

— Oui, ça se comprend, reconnut Jack.

— J'étais dans ma chambre d'hôtel quand j'ai vu un flash spécial à la télévision donnant les dernières nouvelles concernant une prise d'otages dont le responsable était un homme appelé Falcon. Bien sûr, ce nom a retenu mon attention. Et quand j'ai vu sa photo, j'ai pris mon sac et j'ai accouru jusqu'ici.

– Vous voulez dire le sac qui contenait l'argent de Falcon ? demanda Jack.

– Oui.

– Et que faisiez-vous à Miami avec tout ce liquide ?

– N'allons pas trop vite, coupa Paulo. Jack, il me semble que vous feriez bien de demander d'abord à cette dame comment il se fait qu'elle connaisse Falcon.

Jack commençait à sentir que Paulo voulait qu'il s'intéresse à certaines choses et pas à d'autres. En tant que membre de la police, Paulo avait le droit de garder certaines informations pour lui, sans les partager avec un civil, et Jack n'allait pas en faire une maladie.

– Bien, consentit Jack. Donc, dites-moi, madame, depuis quand connaissez-vous Falcon ?

– Il m'a contacté pour la première fois il y a plusieurs années de cela. Par le biais d'une lettre. Il se présentait sous le nom de Falcon. Il me conseillait de prendre contact avec une jeune femme de vingt et un ans du nom d'Alicia Mendoza, vivant à Miami. Elle pourrait m'aider dans mes recherches.

– Quelles recherches ?

– Cela ne concerne qu'Alicia et moi.

Le ton de sa voix et l'expression crispée de son visage ne laissaient aucun doute sur le fait qu'il s'agissait d'une affaire très intime. Jack décida d'aller de l'avant, sans insister sur ce point sur lequel il reviendrait peut-être plus tard.

– Avez-vous contacté Alicia ?

– Oui. Je suis venue à Miami et je lui ai parlé en personne.

– Pourquoi ?

– Je vous l'ai dit, cela ne concerne qu'Alicia et moi.

Elle jeta un regard vers Paulo et ajouta :

– N'est-ce pas, sergent ?

À l'évidence, cette dame et Paulo étaient parvenus à un accord au sujet des informations qu'elle accepterait de partager avec Jack.

– Jack, pourquoi ne l'interrogez-vous pas sur sa deuxième rencontre avec Falcon ? suggéra Paulo.

—Je ne l'ai *rencontré* ni la première ni la deuxième fois, corrigea-t-elle aussitôt.

—OK, dit Jack. Alors parlez-moi de la deuxième fois où il est entré en contact avec vous.

—Je n'ai eu de ses nouvelles que très récemment. Il y a un peu plus d'une semaine, j'ai reçu une enveloppe au courrier. À l'intérieur, il y avait une clé et suffisamment d'argent pour acheter un billet d'avion à destination de Nassau. Il me disait de me rendre à la Greater Bahamian Bank & Trust Company et d'ouvrir le coffre numéro 266. Il me disait d'emporter tout le contenu du coffre, en utilisant impérativement le nom de Marianna Cruz Pedrosa.

—Et vous avez fait ce qu'il vous a dit, sans vous poser de questions ?

—Bien sûr, étant donné qu'il faisait référence à Marianna.

—Vous n'êtes donc pas Marianna Cruz Pedrosa ?

—Non.

—Mais vous la connaissez ?

—*Si.*

—Savez-vous où elle se trouve ?

La voix de la femme était si lourde de tristesse que même des réponses courtes semblaient lui demander un terrible effort :

—Non.

Jack avançait doucement, par respect pour la souffrance qu'il sentait chez cette femme :

—Que pouvez-vous me dire à son sujet ?

Elle prit une profonde inspiration, puis laissa échapper l'air comme s'il s'agissait de son dernier souffle.

—*Era mi vida.*

Elle était ma vie.

Ces mots firent frissonner Jack. Sa propre *abuela* utilisait souvent ce terme affectueux pour manifester à Jack combien il comptait pour elle, de sorte qu'il arrivait à se faire une idée de la profondeur des sentiments de cette femme. Il avait néanmoins l'impression qu'il ne faisait qu'effleurer la surface du mystérieux triangle composé par cette femme, Marianna et Falcon. Apparemment, ce triangle douloureux, formé en Argentine, croisait la trajectoire de la vie d'Alicia Mendoza à Miami. L'avocat qu'il était voulait poursuivre en posant un millier de questions pour résoudre immédiatement toute cette affaire. Qui était cette Marianna ? Que lui était-il arrivé ? Pourquoi Falcon avait-il donné tant d'argent à cette vieille femme, au nom de Marianna ? Pourquoi la vieille femme avait-elle apporté l'argent avec elle à Miami ? Mais à chaque instant qui passait, la détresse de la vieille dame semblait encore augmenter, et Jack ne pouvait qu'à peine entrevoir la gravité de sa perte, la profondeur de sa souffrance. Il fallait montrer un peu d'humanité en levant le pied, ne serait-ce que légèrement, afin que cette femme puisse reprendre ses esprits.

– Est-ce qu'on pourrait juste revenir un peu en arrière pour clarifier quelque chose que vous avez dit ? demanda Jack.

– Bien sûr, dit-elle tout en s'essuyant une larme à l'aide du mouchoir.

– Vous avez insisté sur le fait que vous n'aviez jamais rencontré Falcon, qu'il avait communiqué avec vous seulement par écrit. Alors comment avez-vous fait pour reconnaître sa photo à la télévision cet après-midi ?

La tristesse quitta son visage et fut remplacée par une expression de combativité stoïque qui masquait une profonde colère.

– Je ne l'ai pas reconnu au début, parce qu'il avait tant vieilli. Mais son regard n'avait pas changé. J'ai vu ses yeux sur l'écran et je me suis rendu compte que je connaissais ce monstre, que je l'avais connu à l'époque où il était encore jeune. Même s'il portait un autre nom alors.

– Quel était ce nom ?

– À l'époque, il s'appelait El Oso.

– L'Ours ? demanda Jack. Ce n'est pas un nom...

– Un surnom, dit-elle. Aucun des hommes dans sa position n'utilisait leur véritable nom.

– Alors, qui est ce El Oso ?

Ses paupières frémirent, cependant qu'elle empêchait le reste de son corps de trembler.

– C'est pour ça que je suis venue vous voir, dit-elle d'une voix qui perdait son timbre. Vous avez affaire à un homme terriblement dangereux.

55

THEO LE SENTAIT JUSQUE DANS SES OS : quelque chose de décisif était sur le point de se produire.

Il avait entendu la fin de la dernière conversation téléphonique de Falcon avec le négociateur. D'après ce qu'il avait compris, ils étaient parvenus à un accord selon lequel Jack viendrait lui aussi chercher la fille blessée. Theo trouvait certes que c'était une très bonne idée de sortir cette fille de cette chambre étouffante. Il espérait cependant que Jack n'était pas assez idiot pour s'associer à une opération de récupération de tous les otages.

Falcon, quant à lui, démontrait qu'il était tout sauf stupide.

– Vous, les deux ploucs, dit-il en faisant un geste vers Theo et Walt.

Ils étaient assis par terre l'un à côté de l'autre, dos au mur, poings et chevilles toujours liés.

– C'est à nous que tu parles ? demanda Theo.

– Ouais, tous les deux.

Cette fois-ci, il les visa de son pistolet, ce qui fit gémir le présentateur. Que Falcon tire sur un otage, c'était la plus grande crainte de tout le monde ; mais c'était sur le visage de Monsieur Météo que cette peur s'exprimait le plus nettement.

– Qu'est-ce que tu nous veux ? demanda Theo.

– Vous allez porter la blessée dehors et la déposer sur le seuil de la chambre.

—Ça fait partie de l'accord que tu as négocié ?

—En quoi ça te regarde ?

—Je t'ai pas entendu dire au téléphone que tu allais nous envoyer faire une expédition dehors, moi et le beau gosse.

—Tout ce que je peux te dire, c'est qu'il est hors de question que ce soit moi qui ouvre cette porte. Tu crois que je me doute pas qu'ils ont posté des tireurs d'élite ?

—Des tireurs d'élite ? fit Walt avec angoisse.

Il se pencha vers Theo et lui murmura :

—Et s'ils se trompent et tirent sur nous ?

—Alors, t'auras pas à raconter à ta femme ce que tu faisais avec ces deux filles la nuit dernière, dit Theo.

Cette réponse apaisa presque le présentateur. Presque.

—Interdit de parler entre prisonniers ! cria Falcon.

Prisonniers ? *Ça y est, c'est reparti*, se dit Theo. *Et maintenant il va nous répéter qu'il faut surtout pas qu'on boive de l'eau.*

—Il va falloir que tu nous détaches si tu veux qu'on porte la fille, dit-il à Falcon.

L'expression sur le visage de Falcon suggérait qu'il n'avait pas réfléchi à cette étape-là de son plan. Son regard allait et venait dans la pièce, comme s'il ne savait pas où se trouvait la solution.

—OK, oubliez ça. Vous irez pas tous les deux. Un seul d'entre vous portera la fille.

Cette fois-ci, il pointa son pistolet uniquement vers Walt, ce qui fit sursauter ce dernier.

—C'est toi qui vas la porter, dit Falcon.

—Je n'y arriverai pas tout seul, protesta le présentateur.

—Moi si, dit Theo.

—On t'a rien demandé, lui répliqua Falcon.

—Cette fille est peut-être encore en vie, reprit Theo, mais c'est un poids mort. Si tu veux faire ça bien, et surtout vite, laisse-moi m'en occuper.

Le mot « vite » sembla retenir l'attention de Falcon.

—D'accord, grande gueule. Je te confie la mission. Mais si t'essaies de te barrer...

—Je sais, je sais. Je me prends une balle dans le dos.

—Et ce sera qu'un début.

Falcon tira le collier de sa poche, frotta les petites perles en métal entre elles dans sa main et ajouta :

—Tu t'imagines pas ce qui arriverait à ceux que tu laisserais derrière toi.

Jack hésita avant d'appuyer sur le bouton d'appel automatique de son portable. Il lui était tout d'un coup venu à l'esprit que, si le plan d'action de Paulo ne réussissait pas, ce serait peut-être la dernière fois qu'il composerait le numéro du portable de Theo.

Sur la liste préenregistrée du téléphone de Jack, Theo était *numero uno*. Jack aimait croire que cela en disait moins sur la pauvreté de sa vie amoureuse que sur le genre d'ami que Theo était pour lui. Vous avez passé une mauvaise journée au tribunal et vous avez besoin d'un type qui sait mixer un vrai bon cocktail ? Appuyez sur le bouton 1 pour joindre Theo. On a foutu le feu à votre Mustang classique et vous voulez retrouver le connard qui a fait ça ? Appuyez sur le 1 et attendez que Theo décroche. Votre client est un tueur à gages qui manque de respect envers son avocat ? Encore une fois, faites appel à lui. Theo était prêt à tout pour aider Jack, de sorte que Jack avait le sentiment de ne pas en faire assez pour son ami en cette heure cruciale. La plupart des gens se seraient contentés de suivre les ordres de la police et de laisser les flics faire leur travail en restant derrière les barricades. Mais ce n'était pas dans le style de Jack. Sans compter le fait qu'il se sentait coupable d'avoir lui-même mis Theo dans cette situation. Il était donc particulièrement heureux de prendre une part plus active aux efforts pour sauver les otages.

Il appuya sur le bouton 1, et rapidement la voix de Falcon se fit entendre :

– Tu viens la chercher, cette fille, Swyteck ?

– C'est ce que tu veux ?

– J'aurais pas pu être plus clair : toi et Paulo. L'avocat et son aveugle.

Son ébauche de plaisanterie faisait bien rire Falcon.

– C'est censé être drôle ? demanda Jack.

– Pff... les avocats ! Aucun sens de l'humour.

– C'est difficile de rire quand on connaît la vérité.

– De quoi tu parles ?

– Je sais qui tu es.

– Tu m'en diras tant.

– Et je suis au courant pour Marianna Cruz Pedrosa.

– Au courant de quoi ? C'est qu'un nom bidon sur une liste de gens qui ont accès à mon coffre.

– Non. J'en sais beaucoup plus que ça.

– Tu sais surtout bluffer.

– Je sais qui est El Oso.

Jack aurait donné cher pour voir la réaction de Falcon, mais ce n'était pas nécessaire. Le silence à l'autre bout de la ligne était criant.

– Qu'est-ce que tu connais d'El Oso ? demanda finalement Falcon.

– J'en connais suffisamment.

– Suffisamment... c'est-à-dire ?

– Suffisamment pour que tu ne touches pas à mon ami Theo. À moins que tu veuilles que je fasse part de ce que j'ai découvert à la presse.

– Qu'est-ce qui te fait croire que j'en aurais quelque chose à foutre ?

– Le fait que tu as changé ton nom, que tu as menti en disant que tu étais originaire de Cuba, que tu as choisi de vivre dans une épave de bagnole. Le fait que tu as grimpé en haut d'un pont et qu'on t'a arrêté parce que tu voulais parler à la fille du maire, puis que tu t'es barricadé dans une chambre de motel avec des otages. Et malgré tout ça, tu n'as jamais mentionné ton sombre passé à personne. Ou devrais-je parler de ton *sinistre* passé ?

La voix de Falcon monta d'un ton cependant que l'agitation s'emparait à nouveau de lui :

— J'en parlerai en temps et en heure.

— À moins que je te devance et que je gâche ton coup d'éclat.

— T'as intérêt à fermer ta gueule !

— Pas de problème. Tant que tu gardes Theo et les autres otages en vie.

Il ne répondit pas immédiatement, mais Jack entendait la colère à travers sa respiration.

— Ne me dis pas ce que je dois faire, Swyteck. J'aime pas ça.

— Personne ne te donne d'ordre. Je te dis juste que, si tu fais du mal à un otage, tu perdras ton théâtre, ta plate-forme, ta tribune – appelle ça comme tu veux.

— Qu'est-ce qui te fait dire que j'ai besoin d'une tribune ?

— Aucune de tes autres demandes n'a le moindre sens. Et moi je ne pense pas que tu sois aussi cinglé que tu veux bien le faire croire.

Le ton de Falcon changea à nouveau, se fit moins agressif. Il éprouvait du respect pour les capacités de déduction de Jack.

— Je t'aime bien, Swyteck. Au fond de moi, je t'aime vraiment bien.

— Tu m'en vois très honoré.

— C'est pour ça que je veux que toi et Paulo vous veniez chercher la fille.

— D'accord. Mais ensuite ?

— Ensuite...

Il ne semblait pas pressé de terminer sa phrase. Jack crut qu'il avait perdu la communication.

— Falcon ? Ensuite, qu'est-ce qui se passera ?

— Ensuite, il sera temps de lever le rideau.

Falcon raccrocha.

56

LE TRAJET DU RETOUR VERS LE POSTE de commandement mobile fut quasiment insupportable pour Alicia. Au moins une demi-douzaine de fois, elle dut réfréner son envie de prendre l'autoroute I-95 et de filer le plus loin possible. Elle n'avait aucune destination particulière en tête. Elle voulait simplement partir. Mais la fuite était rarement une bonne solution. Et tant que les vies de quatre otages seraient en jeu, fuir était tout simplement hors de question.

Elle alluma l'autoradio et entendit la fin du bulletin d'information diffusé en début d'heure, que le journaliste lisait à toute allure :

— La prise d'otages qui force la police à négocier avec le sans-abri accusé de harceler la fille du maire de Miami vient d'entrer dans sa dix-huitième heure, sans qu'on puisse observer le moindre signe extérieur de progrès. L'homme armé retient toujours au moins quatre otages dans une chambre de motel, dont Walter Finkelstein, mieux connu sous le nom de Walt, le Magicien de la Météo, le pittoresque présentateur du bulletin météo de la chaîne Action News à Miami. Nous vous donnerons plus d'informations dans l'heure qui suit.

Alicia éteignit la radio. Autant qu'elle sache, la police n'avait pas encore officiellement communiqué l'identité des otages. Il commençait donc à y avoir des fuites. Avec une certaine angoisse, elle se demanda quels autres secrets finiraient par atterrir dans les mains de la presse.

Elle arriva au point de rassemblement juste avant la nuit et trouva à se garer non loin du PC mobile. Il continuait de pleuvoir, mais plus avec cette intensité qui avait rendu la route vers Coconut Grove si dangereuse. Néanmoins, le ciel complètement couvert et ses menaçants nuages noirs avaient précipité le crépuscule. La nuit arrivait tôt en décembre, et par un temps de chien comme ce jour-là, elle tombait même en avance, ce qui renforça l'inquiétude d'Alicia. Elle n'était pas experte en négociation, mais Vince oui. Il était la preuve vivante que, dans le cadre d'une prise d'otages, la tombée du jour préfigurait souvent une entrée en action – pour le meilleur ou pour le pire.

Esquivant les grosses gouttes, Alicia courut ouvrir la porte du véhicule de commandement. Son entrée fut plus brutale qu'elle ne l'aurait souhaité.

– C'est moi, dit-elle en voyant la surprise sur le visage de Vince.

– Te revoilà, dit-il. Je commençai à penser que tu nous avais définitivement abandonnés.

– Non, c'est juste que... j'ai dû m'occuper de quelque chose. Je peux te parler seul à seul une minute, Vince ?

Elle lança un regard vers le second négociateur de la police du comté, qui fut assez gentil pour déclarer qu'il avait besoin d'aller se recharger en expresso. Il enfila son coupe-vent déjà trempé et sortit affronter la pluie, laissant le poste de commandement à Alicia et Vince.

– Qu'est-ce qui se passe ? demanda Vince.

Alicia poussa un fauteuil en face de lui et s'assit suffisamment près pour qu'il puisse sentir sa présence. Elle ressentit l'envie de prendre ses mains dans les siennes, mais elle préféra se retenir. Le lieu ne s'y prêtait pas.

– Vince, qu'est-ce que tu sais à propos de la « guerre sale » en Argentine ?

Cette question ne sembla pas le surprendre autant qu'elle l'aurait imaginé.

– Jusqu'à cet après-midi, répondit-il, je dirais que je n'en savais quasiment rien.

– Toi et moi, nous étions donc comme la plupart des Américains. Sauf que ta réponse sous-entend que tu viens d'apprendre quelque chose à ce sujet.

– Oui, deux ou trois choses.

– Qu'est-ce qui s'est passé pendant mon absence ?

– Quelqu'un nous a apporté des informations. Une nouvelle source.

– Qui ça ?

– Une vieille dame qui a vidé le coffre de Falcon aux Bahamas.

– Elle a volé son argent ?

– Non. Il semble qu'il lui avait autorisé l'accès au coffre. Il lui a donné cet argent.

– Pourquoi ça ?

– Elle dit connaître Falcon. Elle nous en a beaucoup appris à son sujet.

Alicia savait exactement qui était la femme dont Vince lui parlait, et elle était contente qu'il ne puisse pas voir sa réaction.

– Qu'est-ce qu'elle t'a raconté ?

– Des tas de choses. Il paraît qu'il a passé la plus grande partie de la guerre sale à torturer des prisonniers dans l'un des centres secrets de détention – il y en avait plus de trois cents – que la dictature militaire avait ouverts à travers le pays pour s'occuper des dissidents. Falcon s'appelait alors El Oso.

– Comment l'a-t-elle connu ?

– Sa fille était détenue là-bas.

– Je vois.

– Ah bon ? fit Vince.

Alicia ne savait pas exactement comment interpréter le ton de Vince, mais il n'attendit pas qu'elle lui réponde :

– Ce qui est intéressant, c'est que ce centre de détention s'appelait La Cacha. C'est le nom que les gardes lui avaient donné. Un diminutif de La Cachavacha. Apparemment, il y avait un dessin animé célèbre en Argentine dont le titre était

La Bruja de la Cachavacha. Ça racontait l'histoire d'une sorcière qui pouvait faire disparaître les gens.

– Je connais ce dessin animé, dit Alicia.

– Il faut croire qu'El Oso et ses potes ne manquaient pas d'humour. J'imagine que c'est à ça que Falcon faisait référence quand il nous parlait de la sorcière des Disparus.

– Qu'est-ce que tu t'imagines ? Tu l'as vu, tu lui as parlé. Il est fou.

– Non, il n'est pas fou. Je dirais plutôt que c'est un sociopathe.

– Tu as appris ça de ta source ?

– Elle n'a pas utilisé ce mot, mais elle nous a raconté des histoires. Et contrairement à ce qu'on dit, l'habit peut faire le moine...

– Quel genre d'histoires elle vous a raconté ?

– Des histoires assez terrifiantes.

– *Quoi ?* demanda Alicia d'un ton plus pressant qu'elle ne l'aurait voulu.

– Pour résumer, sa fille était enceinte de sept mois quand on l'a emmenée à La Cacha. Crois-le ou non, à l'époque, dix-huit autres femmes enceintes ont été détenues et torturées là-bas. Personne ne l'a revue, mais des rumeurs ont circulé selon lesquelles elle aurait survécu suffisamment longtemps pour donner naissance à son bébé.

– On sait ce qui est arrivé à l'enfant ?

– Je ne pourrais pas te le dire.

– Tu ne lui as pas demandé ?

– Elle ne voulait pas en parler.

– Tu n'as pas insisté ?

– Ça ne semblait pas vraiment concerner la prise d'otages. Et quand je dis qu'elle ne voulait pas en discuter – elle ne voulait *vraiment* pas en discuter.

– Ça ne t'a pas posé problème ?

– En fait, on a conclu un marché. Elle était d'accord pour nous raconter tout ce qu'elle savait sur Falcon, mais elle gardait pour elle les détails plus personnels sur sa fille.

– Elle avait quelque chose à cacher ?

– Peut-être. À moins que ce soit simplement trop douloureux pour elle d'en parler. Quoi qu'il en soit, je respecte toujours les accords que je passe avec mes sources. Elle nous a fourni plein d'informations utiles sur Falcon, et en retour elle ne nous a fait qu'une seule demande.

– Laquelle ?

– Elle m'a demandé de te remettre quelque chose.

– À moi ? s'exclama Alicia, feignant une grande surprise. Qu'est-ce qu'elle veut me donner, l'argent ?

Vince secoua la tête. Il posa deux dossiers sur la table. Alicia pouvait voir ce qui était inscrit en espagnol sur celui du dessus. Traduit, cela donnait : ministère de la Santé, Buenos Aires, Hôpital Durand. À l'attention du docteur Di Linardo. Seule une partie de ce qu'il y avait d'écrit sur la couverture du second était visible. Mais, cette fois-ci, le label était en anglais : Association américaine pour le progrès scientifique, Washington, D.C. Une sorte d'abréviation suivait : Conadep.

Alicia n'avait jamais vu ces dossiers auparavant et n'avait jamais eu affaire de près ou de loin à un docteur Di Linardo ni à aucun des organismes nommés.

– Qu'est-ce que c'est que ça ? demanda-t-elle.

– Je n'en sais rien. Je ne manque pas de curiosité mais, évidemment, je n'ai rien lu.

– Et cette femme ne t'a rien dit sur ça ?

– Non. Ça faisait partie de notre accord. Elle me parle de Falcon, je te remets les dossiers. Elle a insisté sur le fait que leur contenu devait rester entre elle et toi.

Alicia avait les yeux rivés sur les documents, mais elle ne fit aucun commentaire.

– Qu'est-ce qui ne va pas ? demanda Paulo.

– Rien.

– Allons. Cette vieille dame m'a dit que ces documents contenaient des informations d'une nature très personnelle, mais elle m'a également juré que tu ne m'en voudrais pas de te les donner.

– Je ne m'en prends jamais aux messagers, Vince.

– Alors quel est le problème ?

Alicia n'arrivait pas à détourner le regard de ces deux dossiers, mais elle entendait à nouveau cette petite voix dans sa tête – celle-là même qui lui avait dit de s'embarquer sur l'autoroute et de rouler le plus loin possible.

– J'ai peur qu'il y ait là plus que je ne tiens à en apprendre, dit-elle à mi-voix.

57

L<small>E SERGENT</small> C<small>HAVEZ ÉTAIT ENGAGÉ</small> dans une confrontation entre équipes Swat, et il était déterminé à la gagner.

En tant que représentant en chef de l'unité tactique de la police de Miami, Chavez se trouvait à l'intérieur de la four-gonnette de la Swat en compagnie du chef de l'unité tactique du comté. Le préfet Renfro, représentant la ville, et le direc-teur de la police du comté participaient tous deux au débat par téléphone. Paulo n'avait pas été convié.

– Je croyais qu'on avait réglé cette question il y a plusieurs heures de ça, dit le directeur. S'il faut entrer, c'est à la Swat du comté de mener la charge.

– Les choses ont changé, répliqua Chavez. On ne s'apprête pas à lancer un assaut direct. Il ne sera déclenché que si le tireur d'élite de la police de Miami manque la cible.

– En quoi est-ce que ça change quelque chose ? demanda le directeur.

– Le timing de l'assaut est lié à celui du tireur. C'est mon tireur qui va s'y coller. Je suis en communication directe avec lui. Nous parlons ici d'une coordination au dixième de seconde près. Ça n'aurait aucun sens de tenter de coordonner l'équipe d'assaut d'une division de la Swat au tireur d'élite d'une autre division de la Swat – ça se ferait aux dépens de la précision et de l'efficacité. Et si, pour une raison ou pour une autre, on a besoin de l'intervention d'un négociateur... eh bien, Paulo lui aussi est de la police de la ville.

– Ce que dit le sergent me paraît relever du bon sens, monsieur le directeur, intervint le préfet.

Chavez était prêt à fournir d'autres arguments mais, à sa grande surprise, cela ne fut pas nécessaire.

– D'accord, dit le directeur. On servira de renfort. C'est la ville qui mènera l'opération.

Chavez mit rapidement fin à la conversation, avant que le directeur ait eu le temps de changer d'avis. Alors qu'ils se dirigeaient vers la porte, il tendit la main au coordinateur de la SWAT du comté, mais la poignée de main qu'il reçut en retour ne fut guère enthousiaste. Chavez s'en fichait éperdument. Pour lui, c'était déjà quasiment « mission accomplie », même si le premier coup de feu n'avait pas encore été tiré. Il descendit de la fourgonnette et se dirigea vers le restaurant. Avant d'informer son équipe, cependant, il passa un rapide coup de fil :

– C'est fait, dit-il sans préambule. Mon équipe entre en premier. La Swat du comté nous secondera si nécessaire.

– Parfait, lui répondit-on. Je ne saurais vous dire à quel point j'apprécie ce que vous faites.

– C'est rien.

– Non, c'est *essentiel*. Ce Falcon est un psychopathe et un assassin. Si votre tireur rate son coup et que la Swat doit lancer un assaut, je ne veux pas que les types qui entrent soient tellement paralysés par la peur de perdre un otage qu'ils n'osent appuyer sur la gâchette.

– La sécurité des otages vient toujours en premier.

– Absolument. Cela étant dit, je veux être sûr que, si une équipe doit enfoncer cette porte, il y aura au moins un gars parmi eux qui aura assez de sang-froid, assez de couilles et assez de talent pour descendre ce cinglé même au milieu de la panique et des cris des otages. Vous me comprenez ?

Chavez aurait pu se lancer dans un long discours sur l'importance cruciale qu'il y avait à savoir quand *ne pas* tirer, mais il décida de la fermer et d'accepter le compliment qu'on lui faisait.

– Oui, monsieur. Je vous comprends parfaitement.

La jeune blessée était un poids mort dans les bras de Theo. Elle n'était qu'à demi consciente.

À l'intérieur de la chambre, il faisait de plus en plus sombre à mesure que les minutes passaient. Theo avait perdu la notion du temps, mais de toute évidence on approchait de la tombée de la nuit. Le jour ne pénétrait plus dans les interstices laissés par les rideaux, et ils se seraient retrouvés dans le noir complet si une lueur très blanche, artificielle, n'avait pas remplacé la lumière naturelle du jour. Il supposait que la police avait dirigé ses puissants projecteurs vers la porte et la fenêtre.

Les deux autres otages, Natalia et le présentateur, étaient assis par terre, dos à dos. Leurs chevilles et leurs poignets étaient toujours liés et, les mains derrière les hanches, ils étaient attachés ensemble au niveau de leurs coudes. Theo se tenait devant la porte, qui restait fermée bien que le tas de meubles ait été repoussé pour dégager la sortie. Ses chevilles étaient entravées par un fil électrique d'environ soixante centimètres, l'équivalent bricolé des chaînes qu'il avait portées dans une autre vie, dans le couloir de la mort. Debout, il faisait une tête de plus que son geôlier. Falcon arriva derrière lui et pressa le canon du pistolet contre sa nuque.

—J'hésiterai pas à te descendre, dit Falcon d'une voix très calme.

C'était réciproque, mais Theo garda ça pour lui.

—Alors songe même pas à te faire la malle, ajouta-t-il.

—T'inquiète, dit Theo.

—Je t'interdis de te pencher, je t'interdis de te décaler brusquement d'un côté ou de l'autre. Je vais rester juste derrière toi, et tu vas me servir de bouclier humain, mon grand.

La fille remua dans les bras de Theo, et celui-ci dut basculer légèrement sur ses pointes de pieds pour garder l'équilibre.

—Ne bouge pas tant que je te l'ai pas dit ! gueula Falcon en lui poussant la tête avec son pistolet pour bien se faire comprendre.

Theo s'immobilisa, ce qui le força à tenir la fille dans une position assez inconfortable.

—Je vais nulle part, dit-il. Reste tranquille.

Le pistolet resta en place, juste sous le cerveau de Theo, cependant que celui-ci écoutait attentivement. Il y avait très peu de bruits, le calme avant la tempête. Il entendait la respiration laborieuse de la blessée. Il entendait le grondement distant des hélicoptères qui planaient quelque part au-dessus du motel. Il entendait Falcon fouiller dans sa poche pour en sortir le portable, puis composer le numéro.

—On s'apprête à sortir, dit Falcon. Si j'ouvre la porte et que je vois quelque chose qui me plaît pas, ou si même je *sens* quelque chose qui me plaît pas, je flingue ton ami Theo.

Theo entendit le clac du portable qu'il repliait, ayant terminé sa conversation avec Jack. Deux choses étaient désormais certaines.

Falcon était prêt à entrer en action.

Et Theo aussi.

58

THEO LAISSA LES IMAGES de son plan défiler dans sa tête une dernière fois.

C'est au moment où il se baisserait pour déposer la blessée sur le seuil de la porte qu'il aurait une chance. Accroupi comme un joueur de ligne au football américain, il pourrait balancer sa jambe droite en arrière avec la force d'une mule. Falcon ne verrait rien venir. Theo serrerait la fille contre lui et roulerait au sol, s'écartant de la ligne de mire. Les flics verraient Falcon s'écrouler et ils enverraient immédiatement la Swat pour sauver les deux autres otages. Voila le plan, mais Theo était avant tout très réaliste : rien ne se déroule jamais selon le plan.

– Ouvre la porte, lui ordonna Falcon.

– Comment ? J'ai la fille dans mes bras.

– Tiens-la bien avec ton bras droit, passe ses genoux au-dessus de ton avant-bras gauche. Ça te libérera une main.

Il fit ce qu'on lui disait. Et Falcon ne se trompait pas, il arriva facilement à libérer une de ses mains sans faire tomber la fille. Il tourna le verrou, qui se désenclencha avec un bruit aussi menaçant que celui d'un fusil qu'on réarme.

– Lentement, tranquillement, dit Falcon.

Theo tendit le bras vers la poignée, referma la main dessus et tourna vers la droite.

– Encore plus lentement, ajouta Falcon. Maintenant ouvre.

Il poussa la poignée. Les gonds grincèrent et la porte s'ouvrit. Dans le sud de la Floride, le code de l'urbanisme requérait que les portes s'ouvrent vers l'extérieur, pour empêcher les ouragans d'entrer. Cette fois-ci, on s'attendait à ce que l'ouragan vienne de l'intérieur de la chambre. Malgré ça, alors qu'il se tenait dans l'embrasure de la porte, Theo se sentit soudain tout petit. La nuit était tombée et les projecteurs déchiraient l'obscurité comme des rayons laser géants. L'un d'entre eux, dirigé droit vers Theo, l'aveugla momentanément. S'il n'avait pas eu la fille dans les bras, il se serait couvert les yeux. Il n'arrivait pas à voir très loin – c'était sans doute un des effets recherchés – mais il sentait, ou du moins espérait, qu'autour de lui la présence policière était massive.

– Tirez, dit Chavez dans son micro sans fil.

Il parlait à voix basse, mais d'un ton très pressant.

Il entendit dans son oreillette la réponse du tireur d'élite :

– C'est un homme de couleur, un des otages. Pas de possibilité de tir.

Chavez et son équipe tactique se trouvaient dans la chambre 105, à deux portes de Falcon et des otages. Ils pensaient que c'était le plus près qu'ils pouvaient approcher de Falcon sans risquer qu'il s'en aperçoive. Toute l'équipe arborait la tenue de combat noire de la Swat, à quoi s'ajoutaient les casques en Kevlar, les gilets pare-balles, les protège-cuisses, les lunettes pour la vision nocturne et, bien sûr, pour chacun des membres, un fusil d'assaut M-16 et un pistolet calibre 45. La porte d'entrée était ouverte pour permettre une sortie rapide. Les hommes se tenaient en position, prêts à entrer en action dès que le tireur d'élite presserait la gâchette : la détonation serait le signal qui leur donnerait le départ.

– Vous voyez Falcon ?

– Négatif. L'homme noir porte la blessée dans ses bras, mais il n'y a aucun signe de... Correction : voilà Falcon. Il se tient derrière l'otage noir.

– Alors tirez.

— Toujours impossible.

— Si vous voyez Falcon, c'est qu'il y a une possibilité.

— Trop risqué. Il se sert de l'otage comme d'un bouclier.

— Et les tireurs nord-sud ? Ils auraient un angle de tir pour toucher le côté de la tête ?

— Négatif. L'otage se tient sur le seuil de la porte. Falcon est encore à l'intérieur.

— Alors laissez tomber. On lance l'assaut.

— Si vous lancez l'assaut maintenant, Theo Knight meurt.

— Alors tirez, bon sang !

TIREZ.

L'espace d'un bref instant, Falcon crut qu'il entendait à nouveau des voix dans sa tête, mais cette voix-là ne ressemblait à aucune de celles qu'il connaissait, et elle venait d'un endroit qui semblait bien trop réel : plus précisément, d'une des chambres voisines.

— Marche arrière ! cria Falcon en attrapant Theo par le col de sa chemise et en le tirant à l'intérieur.

59

VINCE ÉCOUTAIT ATTENTIVEMENT Jack lui décrire l'action, telle qu'elle se déroulait sur l'écran de télévision du poste de commandement relié aux caméras à l'extérieur : Falcon se repliant dans la chambre du motel avec Theo et la blessée qu'il gardait toujours en otages. Le téléphone de Vince se mit à sonner quasi instantanément. Il répondit tout aussi rapidement, et en prit plein les oreilles : Falcon n'avait jamais été aussi hystérique.

— Vous avez essayé de me baiser, Paulo !

— Personne n'essaie de vous baiser.

— J'ai entendu votre gars de la Swat ou votre tireur d'élite ou une saloperie comme ça dans la chambre voisine. Il donnait l'ordre de tirer ! Vous avez intérêt à rappeler ces mecs-là, sinon c'est moi qui vais tirer. Je blague pas. Quelqu'un va crever ici !

— Calmez-vous, d'accord ?

— Que je me calme ? Vous essayez de me faire flinguer, et après vous me dites de *me calmer* ?

— Écoutez, Falcon. Si la Swat ou qui que ce soit d'autre s'est positionnée près de vous, je n'y suis pour rien. Laissez-moi vérifier ce qui se passe, et s'il le faut je les ferai reculer.

— J'y crois pas une seconde. Vous m'avez fait exactement le même coup sur le pont. Vous mentez comme vous respirez.

— Pour peu que ç'ait de l'importance : je ne vous ai pas menti sur le pont. Quand je vous ai dit que vous pourriez parler à Alicia si vous descendiez du lampadaire, dans ma tête notre accord était scellé. Quelqu'un d'autre – quelqu'un de plus haut placé – nous a court-circuités.

– C'est jamais votre faute, hein, Paulo ?

– Je sais, vous vous dites que je suis plein d'excuses, mais je vous jure que je ne vous mens pas.

– Et moi je vous jure que je vous crois pas.

Vince se rendait compte que cette conversation ne menait nulle part, un peu comme ces discussions de cour de récré style « même pas vrai ». Il lui fallait tenter autre chose.

– Falcon, laissez-moi prouver ma bonne foi, d'accord ?

– Comment ?

– D'abord, mettons-nous d'accord sur le fait que vous ne ferez pas de mal aux otages. Si vous pouviez me promettre ça, nous pourrions alors parler de ce que vous voulez vraiment.

– Vous savez ce que je veux vraiment.

– Je le saurai quand vous me le direz.

– Vous le savez depuis le début.

– Dites-le moi clairement, Falcon. Dites-moi ce que vous voulez, et je verrai si je peux vous l'obtenir.

– Peu importe ce dont il s'agit ?

– Tant que c'est raisonnable. Mais ne faites pas de mal aux otages.

Falcon laissa le silence s'installer, il aimait torturer Vince.

– Je veux parler à Alicia, dit-il finalement.

– D'accord. À mon avis, ça doit être possible.

– En personne.

Vince ne voulait pas utiliser le mot « non », même si la réponse était : « Non, hors de question ! »

– Et si on commençait par une conversation téléphonique ?

– Non, je veux...

Falcon s'interrompit. Et il reprit :

– Vous savez quoi, Paulo ? Je vous prends au mot : passez-moi Alicia.

– Malheureusement, elle n'est pas ici en ce moment.

–Allez-vous faire foutre avec vos mensonges ! Ça vous arrive de tenir une promesse de temps en temps ? Ça vous arrive de faire autre chose que bluffer ?

Vince ne savait pas comment le convaincre de sa bonne foi. Mais vu le ton employé par ce dernier, il était trop tard pour que Vince restaure sa crédibilité.

–Si vous ne me croyez pas, parlez à Swyteck. Allez-y, il vous le confirmera.

Vince tendit le téléphone à Jack, qui avait écouté la conversation grâce au haut-parleur. Il aurait aimé le préparer à prendre le relais, mais là encore le temps manquait.

–Il ne te fait pas marcher, Falcon, dit Jack. Alicia n'est pas ici, mais on s'efforce de la retrouver.

–Il est temps qu'elle accepte de me parler. Il est plus que temps.

–Qu'est-ce que tu veux lui dire ?

–Contente-toi de la ramener ici. *Maintenant !*

Jack pressa la touche « muet » et s'adressa à Vince :

–Où est Alicia, nom de Dieu ?

–Elle a quitté le poste de commandement à toute vitesse après que je lui ai remis les dossiers apportés par la vieille dame. J'avais senti que quelque chose n'allait pas, mais elle ne voulait pas me dire quoi. Sincèrement, je n'ai pas la moindre idée d'où elle est partie.

–Il y a bien quelqu'un qui doit le savoir.

–On cherche.

–Cherchez plus vite ! dit Jack.

Il désenclencha la fonction « muet » :

–Elle arrive, Falcon. Donne-nous quelques minutes, c'est tout.

Il ne répondit rien.

Vince glissa à Jack un mot qui disait : FAITES-LE PARLER LE PLUS LONGTEMPS POSSIBLE.

–Falcon ? insista Jack. Tu es là ? Allez mon vieux, parle-moi, parle-moi de cette tribune qu'il te fallait. Tu sais, le lever de rideau.

60

FALCON FAISAIT LES CENT PAS dans la chambre, le portable collé contre l'oreille. De toute évidence, Swyteck essayait de gagner du temps, mais il ne prêtait pas attention à ce que lui racontait l'avocat. La voix de Swyteck, c'était rien que du bruit à l'autre bout de la ligne. Falcon n'arrivait pas à se concentrer sur la conversation. Ses pensées vagabondaient très loin, et le bruit qu'il entendait devenait de plus en plus fort. Ça avait commencé comme un ronronnement, puis c'était devenu un grondement, et enfin le rugissement d'un moteur. Un moteur d'avion.

– Je veux parler à Alicia, putain !

Mais même sa propre voix n'arrivait pas à étouffer le bruit du moteur.

C'était une nuit sans lune, le ciel était d'une obscurité immense, impénétrable – celle de ses souvenirs les plus sombres. Il volait dans un Skyvan modernisé, un appareil à moteurs à hélices au design si carré qu'on le surnommait « la boîte à chaussure volante ». Cet avion était la propriété de la garde côtière argentine. Presque tous les sièges passagers avaient été enlevés pour augmenter le volume de marchandises que l'appareil pouvait transporter, et El Oso était attaché sur un des rares fauteuils restants. L'équipage habituel de l'avion se trouvait dans le cockpit. El Oso faisait partie d'une équipe formée pour l'occasion comptant un sous-officier ainsi qu'un sergent. L'armée recomposait différemment ces équipes-là à chaque vol – utilisant le plus grand nombre d'agents possible – pour qu'aucun de ceux qui travaillaient au centre de détention ne puisse pointer qui que ce soit d'autre du doigt sans se mettre en cause eux-mêmes ou mettre en cause un ami. El Oso avait bien sûr entendu des rumeurs au sujet de ces vols, et il s'était mis à entretenir des soupçons concernant la nature de sa mission dès qu'il avait reçu l'ordre de se rendre sur la piste d'atterrissage de l'Esma, l'un des plus importants centres de détention secrets de l'armée. Mais El Oso ne fut certain du but exact de ce vol que quand il vit la vingtaine de prisonniers nus et inconscients étendus côte à côte sur le sol de la cabine de l'avion.

– Falcon, tu es là ?

C'était la voix de Swyteck au téléphone, parvenant à se faire entendre malgré le bruit assourdissant des moteurs.

– Tais-toi et passe-moi Alicia !

Swyteck continuait de parler, de gagner du temps, mais Falcon n'écoutait même pas. Il avait à peine conscience d'être dans cette chambre de motel, encore moins d'être au téléphone. Il y avait tellement de bruit dans sa tête, ces maudits moteurs qui rugissaient encore, des années après. *Mais pourquoi si fort ?*

Ils avaient laissé le sas ouvert. Le Skyvan avait un sas arrière qui s'ouvrait par le bas, et il n'existait pas de position intermédiaire. Il était soit fermé, soit complètement ouvert. Lors des vols du mercredi soir, ce sas devait évidemment rester ouvert. Ainsi El Oso regardait fixement la nuit : un trou noir à l'arrière d'un avion assourdissant. Entre lui et le sas béant, les corps nus étaient alignés sur le sol. Il espérait qu'ils étaient tous morts, mais il savait bien que ce n'était pas le cas. Seuls ceux qui étaient encore en vie nécessiteraient l'injection d'un calmant. *Le docteur* s'en chargerait. Il faisait ses visites, pour ainsi dire, allant d'un prisonnier à l'autre, administrant une seconde injection qui les maintiendrait inconscients. El Oso ne s'en était pas aperçu au début, mais alors que le docteur avançait entre les corps nus, vidant sa seringue, il eut l'occasion de mieux voir son visage. Et il finit par faire le rapprochement : ce docteur ne lui était pas inconnu. Il s'agissait du médecin de la marine à qui il avait porté le nouveau-né de la prisonnière 309 à peine deux mois plus tôt.

— Encore deux minutes, Falcon, dit Swyteck. Alicia arrive.

Il grogna une sorte de réponse, qui n'était même pas en anglais. Ses souvenirs le faisaient penser en espagnol, sa langue natale.

Mandar para arriba. OK. El Oso attendait cet ordre, ces mots précis que prononça le sous-officier dès que le docteur eut fini d'administrer les dernières injections et qu'il eut disparu à l'intérieur du cockpit, tournant littéralement le dos aux prisonniers – ses patients. La « disparition » du médecin lui-même était une feinte ironique qui lui permettait de servir le régime tout en respectant techniquement son serment d'Hippocrate. Le docteur parti, El Oso pouvait se mettre au travail. Il défit la ceinture de son siège, se leva et s'avança vers la rangée de prisonniers nus et endormis. Il y en avait des jeunes et des moins jeunes ; des hommes et des femmes. Certains portaient des marques de brûlure, suite à leur passage sur le « gril ». D'autres étaient couverts d'ecchymoses après avoir subi plusieurs passages à tabac. Un tortionnaire aguerri pouvait se livrer à un « interrogatoire spécial » sans laisser de telles marques, mais ces précautions n'étaient pas nécessaires dans le cas des prisonniers qu'on allait « lâcher ». El Oso travaillait avec un collègue. Ils commencèrent par le prisonnier le plus proche du sas, un homme d'une vingtaine d'années, peut-être même plus jeune. El Oso le prit par les bras, et son collègue par les chevilles. Ils le soulevèrent. Comme il était inconscient, le corps du prisonnier pendait entre eux – pendait devant le sas ouvert comme un grand sourire sadique.

— Tu es toujours là, Falcon ?

— J'en ai assez ! Arrête de me faire attendre. Où est Alicia ?

C'était une réponse cohérente, et Falcon dut rassembler toutes ses forces psychiques afin d'assembler ces mots ensemble. Malgré tout, il ne lui en restait plus suffisamment pour se libérer du passé. Mais ce moment de lucidité déplaça légèrement sa perspective. C'était soudain comme si El Oso était un homme qui n'avait rien à voir avec Falcon, un homme qu'il ne voulait même pas connaître. Cet inconnu appelé El Oso travaillait avec acharnement et méthode avec son collègue, balançant les corps d'avant en arrière comme on ferait se balancer un hamac. Ils comptaient jusqu'à *tres* et les lâchaient au-dessus du sas. Les corps plongeaient alors vers l'océan noir, glacial, vers ces profondeurs qui accueillaient les disparus. Le jeune homme fut le premier à être jeté, puis une femme, suivie de deux hommes dont on aurait dit qu'ils étaient frères, puis d'une vieille femme, et du reste. Saisir les chevilles, faire se balancer le corps, puis lâcher. El Oso travaillait machinalement, accomplissant son devoir en montrant « soumission et courage, pour servir la Mère Patrie », selon le salut rituel du centre de détention. Il avait perdu le compte des prisonniers qu'il avait de ses propres mains jetés par le sas. Ses mouvements étaient ceux d'un robot pendant qu'il se débarrassait de ces éléments subversifs, l'un après l'autre. Leur visage était dépourvu d'expression : cela faisait plusieurs heures déjà qu'on les avait transformés en zombies, lorsqu'au centre de détention on leur avait administré la première injection de penthonaval. Ils s'envolaient sans un bruit, sans avoir conscience de leur sort, sans un dernier geste de mépris envers leurs assassins – jusqu'à ce que ce soit le tour d'une certaine jeune femme, qui brusquement échappa aux mains d'El Oso et lui saisit le poignet.

Peut-être n'avait-elle pas reçu une dose suffisante. Ou bien sa volonté de survivre était-elle si grande qu'elle lui avait permis de repousser l'effet du calmant et de regagner un état de semi-conscience. Quoi qu'il en soit, elle avait trouvé la force d'agripper El Oso et de lui faire faire la moitié du chemin vers le sas béant. À la dernière seconde, il avait réussi à bloquer son pied droit contre le fuselage, et son collègue lui attrapa le bras. Il regardait le vide et n'était qu'à quelques centimètres de sa propre mort, aux mains de cette jeune femme dont le visage n'était plus du tout dépourvu d'expression. Elle n'était plus seulement un élément subversif. Elle se battait avec la détermination de la jeune mère qu'elle était, et juste avant qu'elle ne disparaisse dans l'obscurité, El Oso la reconnut : c'était elle, la prisonnière 309 de La Cacha.

– Putain, Swyteck ! Passe-moi Alicia Mendoza tout de suite.

– Donne-moi encore une minute. Je te jure qu'elle est sur le point d'arriver.

Falcon repoussa ses souvenirs, les enfouit dans ce trou noir béant à l'arrière du Skyvan, mais le visage de la jeune mère continuait d'illuminer éternellement la nuit de son esprit.

Il s'approcha de Theo et colla son pistolet contre le crâne du prisonnier.

– T'as une minute, Swyteck. *Ton pote* a encore une minute.

61

– Je suis là !

Jack entendit Alicia annoncer son arrivée une fraction de seconde avant que la porte s'ouvre brusquement et qu'elle pénètre dans le poste de commandement mobile, à bout de souffle.

– Où étiez-vous, nom de Dieu ? demanda Jack.

– Chez mes parents.

– Le sergent Paulo fait sonner votre téléphone en continu depuis un quart d'heure. Pourquoi n'avez-vous pas répondu ?

– C'est compliqué.

Jack n'arrivait pas à contenir sa réaction :

– Qu'est-ce que ça veut dire c'est...

– Peu importe, interrompit Vince. Elle est là, ce n'est pas le moment de discuter. Alicia, prends ce combiné.

– OK, dit-elle.

Elle s'approcha du bureau et s'assit dans le siège vide près du téléphone :

– Qu'est-ce que je suis censée lui dire ?

– « Bonjour, c'est Alicia Mendoza. » Puis tu me le repasses.

– Ça ne le satisfera pas, dit Jack. En fait, le taquiner comme ça risque de le rendre encore plus furieux, et de le conduire à s'en prendre à Theo.

– On cherche à négocier, pas à capituler. On lui montre qu'Alicia est prête à lui parler. Ensuite je reprends la ligne et je lui explique qu'il faut qu'il laisse partir un otage s'il veut en dire plus à la fille du maire.

Jack n'était pas du tout rassuré, mais il savait que, si ce n'était pas son meilleur ami qui se trouvait dans cette chambre sous la menace d'un pistolet, il aurait suivi à cent pour cent la stratégie de Paulo. Il fallait qu'il demeure objectif :

– D'accord. Mais Falcon est au bout du rouleau.

– Comme nous tous, dit Paulo.

Il passa le téléphone à Alicia. Elle prit une grande inspiration pour être le plus calme possible, puis parla d'une voix presque trop agréable pour les circonstances :

– Falcon, ici Alicia Mendoza.

Il y eut un silence. Vince reprit le téléphone, mais il ne dit rien.

– Alicia ? C'est vous ? demanda Falcon.

– C'était elle, dit Paulo. Elle est là et elle est prête à vous parler, Falcon. Il suffit que vous libériez un des otages.

– Repassez-moi Alicia.

– D'accord. Mais j'ai besoin qu'en échange vous laissiez partir un des otages. Ce n'est pas trop en demander.

– Il faut que je parle à Alicia.

– J'ai bien compris.

– J'ai seulement deux mots à lui dire.

– Je vous donnerai deux minutes pour lui parler si vous libérez un des otages.

– J'ai pas besoin de deux minutes ! Passez-la moi, putain !

– Je ne peux pas, Falcon.

– Ne me mentez pas ! Vous pouvez faire ce que vous voulez.

– Je suis content de vous entendre dire ça, parce que tout ce que je veux, c'est vous tirer de là en vie, vous et les otages. Alors aidons-nous mutuellement, Falcon. Que chacun aide l'autre à obtenir ce qu'il veut.

– OK, alors voilà comment je vais vous aider. J'ai un flingue planté contre la tête du grand Noir. Vous me laissez parler à Alicia, et je vous le rends en vie. Deux mots, c'est tout.

Paulo réfléchit.

– Deux mots, et vous me donnez Theo Knight.

– C'est tout ce que je veux.

– D'accord, dit Paulo. Je vous la passe.

Il appuya sur le bouton « muet » et tendit le téléphone à Alicia.

– Quand j'appuierai à nouveau sur ce bouton, dis-lui que tu l'écoutes. Mais ne lui dis rien d'autre. Je le couperai après deux mots.

– Je ne crois pas qu'il voulait littéralement dire « deux mots », dit Jack.

– Peu m'importe, dit Paulo. On a conclu un marché : deux mots à Alicia et il doit libérer Theo Knight.

– Oui, mais il a aussi dit qu'il avait son flingue contre la tête de Theo. Si par « deux mots », il voulait dire une phrase ou deux, vous pourriez suffisamment l'énerver pour lui faire presser la détente.

Paulo ne montra aucune réaction. Il posa son doigt sur le bouton « muet ».

– Deux mots, dit-il comme pour clore le débat.

Il compta à haute voix – un, deux, trois – puis appuya sur le bouton.

– Falcon, c'est à nouveau Alicia, dit-elle aussitôt.

Silence à l'autre bout de la ligne.

Alicia attendit puis, voyant que Paulo lui faisait signe de la main, elle réessaya :

– Falcon, y a-t-il quelque chose que vous vouliez me dire ?

Elle entendit un bruit étouffé dans l'appareil. C'était manifestement un bruit humain. Falcon n'avait donc pas raccroché, même si elle ne discernait aucun mot. On aurait dit que quelqu'un pleurait, peut-être un des otages.

– Alicia ? demanda Falcon.

Paulo leva un doigt, indiquant que Falcon venait d'utiliser un de ses deux mots.

– Oui ? répondit-elle.

Le son de la voix d'Alicia provoqua un sanglot à l'autre bout de la ligne : il n'y avait plus de doute sur la personne qui pleurait.

—Je suis désolé, dit Falcon.

Paulo sembla déconcerté par ces mots et par ce ton. Il hésita à reprendre le téléphone à Alicia, n'étant apparemment plus si sûr qu'il faille tenir Falcon à cette limite de deux mots.

—Désolé pour quoi ? demanda-t-elle.

Mais au moment où elle posa la question, un coup de feu retentit comme une explosion à l'autre bout de la ligne.

—Theo ! cria Jack, craignant le pire pour son ami.

62

JACK S'ÉLANÇA HORS DU POSTE de commandement mobile et courut à toute vitesse en direction du Biscayne Motor Lodge. Alicia était juste derrière lui, mais l'adrénaline dans les veines de Jack lui faisait creuser la distance à chaque foulée.

Il n'aurait pas pu dire le nombre de fois où Falcon avait menacé de tuer Theo, à partir du moment où le SDF les avait surpris dans la voiture – quand tout avait commencé –, jusqu'à cette dernière conversation téléphonique qui s'était terminée par un coup de feu. Grâce à la retransmission télévisée en circuit fermé, il avait vu Theo s'avancer sur le seuil de la porte avec la fille dans ses bras. Il avait aperçu Falcon se cachant derrière lui, appuyant un pistolet contre l'arrière de son crâne. Lors de n'importe quelle prise d'otages, la stratégie la plus sûre pour quelqu'un dans la position de Theo consistait à se tenir tranquille et à se faire oublier, mais il n'était pas du genre à se tourner les pouces et à faire tapisserie. Jack savait très bien qu'il aurait été impossible pour Theo de se taire pendant que Falcon maltraitait les autres otages, surtout les filles. Après quatre années passées dans le couloir de la mort pour un crime qu'il n'avait pas commis, Theo ne se serait jamais contenté d'attendre que la police fasse son travail et débarque pour le sauver. C'était le genre d'otage qui rendait les négociateurs nerveux : solide, sans peur, déterminé à sauver sa peau et celle des autres, quitte à risquer de pousser à bout un psychopathe armé.

Jack n'en doutait pas : si Falcon avait tiré sur un otage, ça ne pouvait être que sur Theo.

– Arrêtez-vous ! cria un policier en manquant de plaquer Jack au sol.

Il fallut les bras musclés de deux motards de la police pour empêcher Jack de passer de l'autre côté du ruban jaune tendu devant l'entrée du parking du motel, à environ trente mètres de la porte ouverte de la chambre 102.

– La Swat est entrée ? demanda Jack.

– Ils contrôlent la situation.

– Alors il faut que je passe !

– Non, il faut que vous attendiez ici, dit fermement le flic.

– Il est avec moi, insista Alicia qui venait de les rejoindre. Sa course l'avait complètement essoufflée.

– Désolé, dit le flic. Vous non plus vous ne pouvez pas passer. Personne ne va plus loin tant que la Swat ne m'a pas confirmé que tout est OK.

C'est alors qu'un membre de l'unité tactique apparut dans l'embrasure de la porte. Jack pensait qu'il s'agissait de Chavez, mais il n'était pas sûr. L'homme abaissa le canon de son M-16 et fit un signe de la main, qui ne nécessitait aucune interprétation, même si Alicia en fournit quand même une :

– La voilà, votre confirmation. Venez, Jack.

Ils se glissèrent sous le ruban jaune et coururent vers la chambre 102. Deux équipes d'infirmiers attendaient eux aussi le signal, et même chargés de leur matériel, elles ne se laissèrent pas distancer par Jack. En approchant de l'entrée de la chambre, celui-ci entendit les membres de la Swat à l'intérieur qui tentaient de calmer les otages. Il entendit les pleurs cathartiques des filles et les cris hystériques d'un homme qui n'était assurément pas Theo.

Chavez laissa passer les infirmiers, mais il barra la route à Jack.

– Scène de crime, dit-il. Vous n'allez pas plus loin, Swyteck.

Jack regarda par-dessus l'épaule de Chavez et aperçut les gars de la Swat et les infirmiers au chevet des trois autres otages. Puis il le vit. Étendu au sol. Le visage, le cou et les épaules couverts de sang.

– Theo !

Theo redressa le torse, l'air complètement écœuré :

– Quelqu'un pourrait me débarrasser de toute cette merde gluante ?

Le corps de Falcon gisait à côté de lui, près du pistolet que le preneur d'otages avait utilisé pour transformer le côté droit de sa tête en bouillie rouge et grise.

– Il s'est tué, dit Jack.

– Ah bon ? fit Theo. Ton vrai nom, ça serait pas Jack *Sherlock*, par hasard ?

– Êtes-vous blessé ? lui demanda un infirmier.

– Non.

Dans le dos de Jack, une autre équipe d'infirmiers se pressait pour entrer, et Chavez s'écarta pour les laisser passer. Ils soulevèrent la blessée à l'aide d'un brancard et la transportèrent de toute urgence vers l'ambulance. La première équipe resta sur place pour s'occuper des autres otages.

Jack se retourna vers le sergent Paulo qui les rejoignait.

– On dirait bien que tout le monde va s'en sortir, Vince, dit Alicia.

– Tout le monde excepté Falcon, ajouta Chavez.

– Allez comprendre, dit Jack. Ce type menace de se jeter du haut d'un pont, se fait arrêter, en arrive à tuer un policier et à prendre des otages. Il obtient finalement ce qu'il veut, parle avec la fille du maire, et qu'est-ce qu'il fait ? Il craque, bafouille qu'il est désolé et se tue avant de lui dire ce qu'il voulait tellement lui dire.

– Je crois qu'il a dit tout ce qu'il avait à dire, déclara Vince.

– Qu'est-ce que tu entends par là ? demanda Alicia.

– Si j'en crois la vieille dame qui t'a transmis ces dossiers, Falcon t'a donné ce que des milliers d'autres Argentins n'ont jamais obtenu.

– C'est-à-dire ?

– Il t'a présenté des excuses.

Alicia essaya en vain de ne pas ressentir l'impact des paroles de Paulo. Jack remarqua cette réaction.

– Hé, les gars, interrompit Theo. Vous avez entendu les prévisions météo pour la soirée ?

– La météo ? demanda Jack.

Theo se tourna vers le présentateur :

– Dis-leur, Wally.

Un des types de la Swat s'exclama :

– Hé, vous seriez pas Walt, le Magicien de la Météo ? Ma femme regarde votre bulletin tous les soirs.

Le présentateur grogna, comme s'il se résignait à l'idée que l'heure était venue d'affronter la tempête :

– OK, c'est bon. Walt le Magicien de la Météo s'est retrouvé dans un motel miteux avec deux prostituées adolescentes. Je plaide coupable, d'accord ? Vous êtes tous contents ?

Le type de la Swat reluqua Natalia, puis, comme si le présentateur n'était pas dans la pièce, il se tourna vers son coéquipier en haussant les épaules :

– Eh ben... Moi qui croyais qu'il était homo.

63

THEO NE VOULAIT RIEN avoir à faire avec les médias.

Pendant deux longues journées, les journalistes essayèrent les uns après les autres d'obtenir un entretien exclusif avec celui dont ils espéraient faire un héros. Theo les chassa tous. Dans sa tête, les vrais héros n'étaient jamais motivés par l'instinct de survie. Ils abandonnaient leur propre confort, se mettaient volontairement en danger pour sauver d'autres vies. Les mots qu'il utilisait pour communiquer cette idée, cependant, n'étaient pas évidents à citer : « Y a rien d'héroïque à essayer de sortir son propre cul de black d'une situation de merde. »

D'une certaine manière, décrocher son téléphone et appeler l'agent Mendoza lui demanda davantage de courage.

La famille Mendoza avait elle aussi été harcelée par les médias, et Theo se disait qu'Alicia avait sûrement dû s'enfermer dans un bunker pour éviter cette frénésie. Son père, évidemment, était sur toutes les télés et dans tous les journaux, louant l'efficacité de la police de la ville. Le préfet Renfro ne faisait pas moins d'efforts pour occuper l'espace médiatique. Elle se joignait au maire pour féliciter le sergent Chavez et les « hommes courageux de la Swat ». Ils mentionnaient rarement Jack et le rôle actif qu'il avait tenu dans la négociation. Même le sergent Paulo était relégué dans la catégorie de ceux qu'on « tenait également à remercier ». Ça ne semblait pas déranger Jack et Paulo. Après avoir supporté une tension de tous les instants lors de la prise d'otages, ils voulaient principalement se détendre, dormir. Ils étaient heureux qu'on leur laisse prendre du recul, réfléchir à la suite des événements. Mais arrivait le moment où il fallait arrêter de réfléchir. Theo, lui, était prêt à agir.

Alicia fut assez surprise qu'il la contacte, mais elle accepta tout de même de lui parler. Elle le remercia très poliment de tout ce qu'il avait fait pour empêcher Falcon de s'en prendre violemment aux autres otages. Theo, néanmoins, ne tardait jamais à en venir aux faits :

— Je vous appelle parce que Falcon m'a dit certaines choses lorsque j'étais dans cette chambre avec lui. Des choses que vous devriez entendre, je pense.

Alicia hésita, comme si elle ne savait pas quoi répondre.

— Vous avez entendu ce que j'ai dit ? demanda Theo.

— Oui, désolée. De quel genre de choses s'agit-il ?

— Des choses personnelles. Des histoires de famille.

— Ma famille à moi ?

- Pas celle de Tony Soprano.

- Ce n'est pas nécessaire d'être sarcastique.

— Désolé, mais ce genre d'humour un peu lourdingue me sert de thérapie. C'est à peu près la dernière chose qui me sépare de ces types qui disent à la fille du maire qu'ils sont désolés avant de se faire sauter la cervelle.

— Je ne comprends pas où vous voulez en venir.

— Moi non plus. Mais je vous appelle pour vous dire que Falcon a été très bavard avant de se suicider. Je ne suis encore entré dans les détails avec personne. Ni la police, ni les journaux, ni même Jack.

— Vous avez l'intention d'en parler avec tous ces gens ?

— Pour l'instant, j'ai aucune intention précise. Je crois qu'on devrait d'abord en discuter ensemble, vous et moi.

— Je ne vois pas de quoi vous voudriez qu'on discute...

— Pour commencer, d'un certain Sikes.

– Vous voulez parler du type qui a déposé deux cent mille dollars dans le coffre de Falcon aux Bahamas ? Ce Sikes-là ?

– Si on veut. Ce type utilisait un faux nom, vous comprenez ? Alors je me dis que vous aimeriez peut-être savoir de qui il s'agissait vraiment.

Alicia marqua une nouvelle pause, avant de demander :

– Falcon vous a dit qui était Sikes ?

– Ouais.

– Qui était-ce ?

– Pas si vite, dit Theo qui s'était mis à rire. Ça n'a pas été facile pour moi de tirer les vers du nez de Falcon. Pas facile du tout.

– Je ne comprends pas.

– Je travaille pas juste pour le plaisir.

– Vous me demandez de l'argent ? s'indigna Alicia.

– De l'argent ? Non. Je suis pas comme ça.

– Alors qu'est-ce que vous voulez ?

– Je voudrais pas me la jouer comme notre ami Falcon le dingue, rigola Theo, mais j'aimerais vous rencontrer.

– Pourquoi ?

– Parce que ceci est trop important pour en parler au téléphone.

– Et si je refuse ?

– Alors vous saurez jamais qui est ce Sikes.

– Vous voulez donc vraiment de l'argent.

– Comme je viens de le dire, c'est bien trop important pour qu'on en discute au téléphone.

Un silence s'installa, comme si Alicia réfléchissait.

– D'accord, je crois que j'aimerais effectivement parler avec vous, Theo.

– Parfait. Disons à onze heures ce soir à mon bar. Je suis le propriétaire du Sparky's Tavern sur...

– Je connais Sparky's.

– Impec. Si vous venez, vous connaîtrez Sikes. Ciao.

Theo mit fin à la conversation en appuyant sur le bouton du haut-parleur, qui était activé. Il avait néanmoins parlé dans le combiné pour qu'Alicia ne se doute de rien.

— Je me suis bien débrouillé, boss ? demanda-t-il.

Jack était assis juste en face de lui.

— Tu as été parfait, répondit ce dernier. Absolument parfait.

64

Jack arriva au Sparky's Tavern à onze heures moins le quart. Le mardi n'était pas le soir habituel de Jack : il était de notoriété publique qu'une visite au Sparky's devait préférablement être suivie par un week-end entier de désintoxication. Ce soir-là, néanmoins, Jack s'autorisait une exception.

Theo soufflait dans son saxophone Buescher 400, terminant un petit concert quand Jack entra dans le bar. Quelques habitués applaudirent, mais la plupart des clients continuèrent de boire, de parler et de rire : ils n'avaient pas plus prêté attention à la performance de Theo qu'à un disque d'ambiance. Le Sparky's était très loin d'être une véritable boîte de jazz : en général, ce bar se contentait de s'adapter aux désirs de sa clientèle. Si une bande de motards hispaniques voulaient un petit peu de *meringue* pour accompagner leur *cerveza*, on leur en donnait. Si de jolies filles de la campagne se précipitaient sur le juke-box pour mettre un morceau afin de se livrer à une nouvelle chorégraphie à la mode, Theo n'allait pas les en empêcher. Tout barman digne de son diplôme en psychologie populaire pouvait se rendre compte que le Sparky's souffrait de troubles multiples de la personnalité du dimanche au jeudi – seulement pour que Theo puisse payer le loyer et faire honneur à Charlie Parker le week-end.

Theo descendit de la scène pour retrouver son ami au comptoir. Jack buvait une bière. Theo commanda un verre de

bourbon et Jack sut qu'il ne rejouerait pas ce soir : il ne buvait
jamais quand il s'apprêtait à prendre son saxo, mais se rattrapait
largement une fois le concert fini. Le temps passait vite, comme
à chaque fois que Jack se trouvait dans ce bar. À onze heures
et quart, il était clair qu'Alicia ne viendrait pas.

À onze heures trente, il devint tout aussi clair que le plan
de Jack fonctionnait à merveille.

– Regarde un peu qui vient d'entrer, dit Theo en hochant la
tête vers la porte.

Jack se retourna sur son tabouret afin de faire face au bel
Hispanique qui se dirigeait vers lui. L'homme était bâti comme
un joueur de football américain, avait la coupe de cheveux
d'un marine et la mine glaciale d'un flic raciste qui venait de
voir passer un bus rempli de rappeurs filant à cent trente à
l'heure dans une zone limitée à soixante. Il s'approcha du bar,
ignora Jack et s'adressa directement à Theo :

– C'est vous Theo Knight ?

– Qui le demande ?

– Je m'appelle Felipe, répondit ce dernier sans tendre la
main. Je travaille pour le maire, monsieur Mendoza.

– C'est le maire qui vous envoie ? demanda Jack.

Felipe ne lui prêta aucune attention.

– J'ai besoin de parler à Theo.

– Tu peux aussi parler à mon avocat, dit Theo. Ces jours-ci,
je discute avec personne sans qu'il soit à mes côtés.

Felipe ne daigna même pas regarder Jack ; il semblait déterminé à ne pas mêler l'avocat à la discussion.

– Le maire ne souhaite parler qu'à Theo.

– De quoi ? demanda Jack.

Felipe dirigea enfin son regard vers Jack, mais on lisait
dans ses yeux que seul un poids lourd du nom de Theo l'intéressait aujourd'hui.

– Le maire m'a dit que Theo saurait.

– Très bien, dit ce dernier. Alors parlons. Où est le maire ?

– Sur son bateau.

– Aïe ! Ça va être un peu compliqué pour lui de prendre l'autoroute pour venir jusqu'ici ?

– C'est vous qui allez venir à lui, connard.

Theo lança un regard à Jack :

– C'est à vous qu'il devait parler, maître. Parce que le dernier type qui m'a parlé comme ça a avalé toutes ses dents.

Jack leva les mains à la manière d'un arbitre de boxe :

– Temps mort, les gars. Ça vous embêterait de laisser un peu redescendre le niveau de testostérone dans l'air ?

Theo ne lâchait pas le regard de Felipe. Jack n'aimait pas la tournure que prenait la conversation, mais il respectait l'instinct de Theo. Quand le grand gaillard se méfiait de quelqu'un, il y avait en général une bonne raison.

– Comment se rend-on jusqu'au bateau du maire ? demanda Jack.

– Il n'y a pas de « on », dit Felipe. Seulement Theo.

– Je n'y vais pas sans lui, répliqua l'interressé.

Si cela n'avait tenu qu'à Felipe, Jack se serait attendu à une réponse assez brusque du genre : « Va te faire foutre ! » Mais Felipe était là pour exécuter un ordre qu'on lui avait donné, et retourner voir le maire sans Theo n'était pas une possibilité.

– OK, concilia Felipe. Vous pouvez venir tous les deux.

– Donnez-moi cinq minutes, demanda Theo. Je dois fermer la caisse.

– Je vous attends sur le parking, dit Felipe.

Il leur tourna le dos et se dirigea vers la porte.

Theo sortit la caisse du tiroir et entra dans la pièce derrière le bar, suivi par Jack. Une vieille dame était assise au bureau de Theo. Elle leva des yeux pleins d'espoir, puis se ravisa rapidement en voyant l'expression de Jack. Comme si elle avait trop souvent croisé ce même regard de déception.

– Je vous avais dit qu'elle ne viendrait pas, soupira-t-elle.

– Ça n'a rien à voir avec vous, dit Jack. Elle ne veut pas être mêlée à l'affaire de la banque aux Bahamas, c'est tout. Alicia ne savait même pas que vous seriez ici à l'attendre.

—Alors, si je le lui propose directement, vous croyez qu'elle acceptera de me rencontrer ?

Jack et Theo échangèrent un regard, ne sachant ni l'un ni l'autre comment répondre à cette question.

—Je crois que nous en saurons plus une fois que nous aurons parlé au maire, lui répondit Jack.

65

Minuit était passé quand Jack et Theo arrivèrent à la marina de Coconut Grove. Une légère brise soufflait depuis la baie, et les oreilles de Jack étaient caressées par le tintement régulier des drisses frappant les mâts nus d'un nombre incalculable de bateaux à voile. Des embarcations à moteur et des yachts de toutes les tailles et de tous les styles sommeillaient silencieusement contre le quai, même si certains de ces « dormeurs » émettaient comme un ronflement avec leur pompe de drainage. Au loin, on entendait un moteur diesel se rapprocher en ronronnant, et ce bruit esseulé dans la profondeur de la nuit ne faisait qu'augmenter l'aura inquiétante de la marina éclairée par la lune. Sans prononcer le moindre mot, Felipe escorta Jack et Theo jusqu'au bout d'une longue jetée flottante, d'où ils embarquèrent à bord d'un yacht Hatteras Convertible de plus de quinze mètres.

Mendoza avait beau avoir fait carrière en politique, il ne se privait de rien. Sa maison, bien qu'il ne s'agisse pas d'un manoir, était décorée dans le meilleur style hispanique ; son yacht, même s'il avait déjà plus de vingt ans, restait une incarnation du grand luxe maritime. Techniquement, il s'agissait d'un bateau de pêche, mais le maire avait privilégié le confort dans le salon : fauteuils en cuir style « club », minibar avec évier, ébénisterie en teck, télévision à écran plat... Il convia ses invités à s'asseoir autour d'un vieux gouvernail en bois reconverti en table basse vitrée – preuve « flottante » qu'avec de l'argent on peut tout se payer, sauf du bon goût. Felipe se tint à l'écart, hors du cercle de la conversation, mais il demeura dans le salon.

– Quelque chose à boire, messieurs ? proposa le maire, près du bar.

Jack trouvait le sourire de Mendoza bien crispé. Les poches sous ses yeux avaient doublé de taille depuis que Jack lui avait parlé pour la première fois, alors qu'ils étaient seuls dans la voiture du maire. Sa peau avait pris un ton grisâtre, presque maladif. Jack avait l'impression qu'il n'avait pas dormi depuis au moins trois jours.

– Rien pour moi, merci, répondit Jack.

– Vous auriez un milk-shake ? demanda Theo.

Jack dut faire un effort pour ne pas le foudroyer du regard.

– Euh, non, dit le maire.

Theo regarda autour de lui et déclara :

– Si un jour j'échange ma petite barque de pêche contre un de ces gros bébés, je m'assurerai qu'on peut y mixer des milk-shakes. À la fraise. À la banane. Au mamey.

Jack l'aurait volontiers étranglé.

– À la papaye, à la carambole, au kumquat...

– OK, Theo, on a compris, interrompit Jack. Monsieur le maire n'a pas de milk-shakes.

– Falcon n'en avait pas non plus, dit Theo. C'est drôle les choses dont on a envie quand on est un otage. J'arrêtais pas de penser aux milk-shakes. Mais Falcon ne voulait pas m'entendre. Il me disait que je ne faisais que lui donner faim. Alors vous savez ce qu'on a fait ?

Le maire remplit son propre verre avec des glaçons et du scotch.

– Je n'en ai aucune idée, avoua-t-il.

– Au lieu de parler de bouffe, on a parlé de fric.

Jack remarqua qu'une petite lueur d'inquiétude s'allumait dans les yeux de Mendoza :

– Ah oui ?

– Ouais, dit Theo. Mais j'imagine que vous êtes déjà au courant. Alicia a dû vous raconter notre petite conversation téléphonique.

Le maire se servit de son doigt pour remuer les glaçons dans son scotch.

– Alicia n'a rien raconté à son père, intervint Jack.

– Il a bien fallu qu'elle le lui raconte, rétorqua Theo. Sinon pourquoi est-ce que Felipe aurait débarqué dans mon bar à sa place ?

– Parce que quelqu'un a mis sa ligne sur écoute, dit Jack en lançant un regard vers Felipe.

– Mensonge, protesta ce dernier.

Jack bluffait, mais la rapidité avec laquelle Felipe avait démenti avait pour lui valeur d'aveu. Durant les cinq derniers jours, il en avait suffisamment vu et entendu pour élaborer ses propres théories. La vieille Argentine avec ses dossiers ADN – le fruit du travail de scientifiques d'aujourd'hui cherchant à percer le mystère des crimes de la guerre sale – avait confirmé ses plus sinistres soupçons.

– Alicia ne veut pas connaître la vérité, continua Jack. C'est pour ça qu'elle n'est pas venue ce soir. C'est pour ça qu'elle n'a pas osé raconter à son père la conversation qu'elle a eue avec Theo. Elle ne veut tout simplement pas apprendre que son père est Sikes.

Felipe fit un pas en avant.

– Vous ne savez pas de quoi vous parlez, dit-il d'un ton menaçant.

– C'est bon, Felipe, coupa le maire. Je veux entendre ce qu'il a à dire. Allez-y, monsieur Swyteck. Je trouve ce que vous racontez très intéressant.

– Intéressant, dit Theo avec dédain. Voilà un de ces mots fourre-tout qui veulent rien dire. Le sexe est *intéressant*. L'Holocauste est *intéressant*.

– Le chantage également, ajouta Jack.

– C'est-à-dire ? demanda le maire.

– C'est bien de ça dont il s'agissait, non ? Deux cent mille dollars en liquide laissés dans un coffre aux Bahamas. Vous les déposez sous un faux nom. Falcon promet de ne jamais révéler à quiconque que vous avez pris le bébé d'un des prisonniers qu'il a fait disparaître. C'est une vieille histoire de chantage, qui se termine par un petit coup de théâtre. Falcon ne garde pas cet argent pour lui. Il s'excuse auprès de la fille de la femme qu'il a assassinée, et il donne l'argent à la grand-mère, qui cherche la fille depuis vingt-cinq ans.

– Un peu de justice pour la guerre sale, dit Theo.

– Une justice sale, précisa Jack.

– C'est ce que vous pouvez inventer de mieux, vous les crétins ?, interrompit Felipe dont la colère montait. Vous avez inventé cette histoire complètement bidon pour mener à bien votre propre chantage ?

– Nous ne sommes pas ici pour vous demander de l'argent, dit Jack.

– C'est dommage, regretta le maire.

Il posa un attaché-case sur la table et l'ouvrit.

– Parce que c'est tout ce que j'ai à vous offrir, poursuivit-il.

Jack n'en croyait pas ses yeux. Des liasses de billets neufs de cent dollars s'étalaient devant lui.

– Combien ça fait, tout ça ? demanda Theo.

– Cent mille dollars, répondit Mendoza. De quoi se payer pas mal de milk-shakes.

– On ne veut pas de votre argent, dit Jack.

– À la rigueur le bateau, plaisanta Theo, mais pas d'ar...

Jack lui donna un coup de pied sous la table.

– Écoutez, dit le maire. Vous voulez négocier ? Je suis sûr qu'on va pouvoir s'entendre.

– Il n'y a rien de négociable, déclara Jack. Nous sommes venus ici pour découvrir la vérité, et nous y avons eu droit quand vous avez ouvert cette mallette.

– Alors qu'est-ce que vous comptez faire maintenant ? Foutre ma vie en l'air ?

– C'est à Alicia et à sa grand-mère de décider. Sa grand-mère biologique.

– Vous ne savez pas ce que vous faites. Vous allez détruire une famille heureuse, une famille qui s'aime. Avant que Falcon ne m'appelle pour me demander d'acheter son silence deux cent mille dollars, je n'avais pas la moindre idée qu'Alicia avait été volée à sa mère biologique.

– Encore un mensonge, dit Jack.

– Qu'est-ce que vous en savez ?

– Vous avez adopté un bébé de deux semaines avec un certificat de naissance disant qu'elle avait deux ans. Et vous avez fait ça pour une seule raison : qu'il soit plus difficile à sa famille de la retrouver.

Le maire resta silencieux, mais l'expression sur son visage en disait long. Soudain, sa complicité dans le crime le plus horrible qu'on puisse imaginer sautait tout autant aux yeux que la mallette pleine d'argent sur la table.

– Monsieur le maire, dit Felipe, vous n'avez pas besoin d'écouter ces insultes.

Mendoza avait blêmi.

– Vous auriez vraiment intérêt à accepter cet argent, monsieur Swyteck.

– Nous ne voulons pas de votre argent.

– S'il vous plaît, insista-t-il. Prenez-le.

– On s'en va, dit Jack en se levant.

– Non, intervint Felipe, pointant un pistolet en direction de Jack. Maintenant rasseyez-vous.

– Felipe, protesta le maire d'une voix qui tremblait. Ce n'est pas une solution.

– Ça l'était quand vous m'avez envoyé sur les rives du fleuve pour forcer Falcon à laisser Alicia en paix. Ça l'était aussi quand vous m'avez envoyé à Nassau pour faire comprendre à Riley qu'il devait la fermer quant aux origines des deux cent mille dollars.

– Je ne t'ai jamais demandé de menacer personne. Range ce pistolet.

– Je ne fais que nous protéger tous les deux, monsieur le maire. Ce serait mieux que vous quittiez le bateau.

– Écoutez votre patron, dit Jack. Rangez ce flingue.

– La ferme ! Vous ne faites que nous causer des ennuis, Swyteck. Vous avez commencé par essayer de me faire passer pour un malfrat parce que j'étais allé voir votre client pour lui dire de laisser Alicia en paix. À cause de vous, les flics ont cru que c'était moi qui avais assassiné la sans-abri retrouvée dans le coffre de Falcon.

– Ils ont abandonné cette idée, dit Jack. On sait maintenant que c'est Falcon qui l'a tuée. Alors rangez ce flingue avant de vous retrouver véritablement accusé de meurtre.

– Je vous ai dit de la fermer ! Vous n'êtes qu'un fouille-merde, et c'est à cause de vous que nous en sommes là.

Soudain, Theo n'était plus qu'une tache floue traversant la cabine comme un éclair. Il avait plongé sur Felipe et l'avait heurté en plein milieu du torse. Les deux hommes roulèrent sur le plancher. Quand ils s'immobilisèrent, Felipe était sur Theo. Un coup partit et une vitre se brisa.

– Theo ! cria Jack en plongeant derrière un des fauteuils.

Theo réussit à se libérer et à saisir la main de Felipe qui tenait le pistolet, mais alors qu'ils luttaient un autre coup partit et une balle traversa la cabine.

Le maire s'effondra.

Theo tordit le bras de Felipe si fort qu'il manqua de le lui briser : le pistolet tomba par terre. Jack se précipita près du blessé.

– Tenez bon, Mendoza. On va vous trouver un docteur.

Le maire toussa et cracha du sang, avant de laisser échapper un petit rire amer.

– Le docteur, c'est moi, dit-il d'une voix affaiblie.

Jack frissonna en regardant le maire – le docteur – avaler une toute dernière bouffée d'air.

66

JACK AVAIT DU MAL À COMPRENDRE la grand-mère d'Alicia, et la barrière de la langue n'y était pour rien.

Même dans une ville comme Miami, les rumeurs entourant le décès du maire paraissaient scandaleuses. Il faut dire que les ingrédients explosifs ne manquaient pas : une mallette remplie de billets et une bagarre sur le yacht du maire, un homme politique mort et son garde du corps nerveux de la gâchette, un rescapé du couloir de la mort et le fils d'un ancien gouverneur – tout cela alors que la ville ne s'était pas encore remise d'une spectaculaire prise d'otages. Walt le Magicien de la Météo était l'homme le plus heureux du monde. Les médias, qui hier encore se repaissaient de sa désastreuse aventure avec deux prostituées, l'avaient tout d'un coup oublié.

Officiellement, la cause du décès de Mendoza faisait l'objet d'une enquête. La police ne faisait absolument aucun commentaire, et le détail de ce qui avait été dit cette nuit-là sur le yacht n'avait pas été livré au public. Le maire gardait néanmoins beaucoup d'amis et de supporters, dans la police et en dehors. Tous ces gens ne ménageaient pas leurs efforts pour que sa mort soit mise sur le compte d'un « coup de feu accidentel ». Ils rejetaient toutes les rumeurs concernant le lien du maire avec Falcon et les Disparus : d'après eux, ce n'était que le délire d'un clochard psychopathe. Jack ne fit rien pour éclairer la presse et le public, bien que rester muet ne fût pas une décision qu'il avait prise de son propre chef. Il se fichait également pas mal que les inspecteurs de police lui aient demandé de ne pas faire de commentaire sur cette enquête en cours.

Non, Jack se taisait simplement parce que c'était le souhait de la grand-mère d'Alicia.

Le moins qu'on puisse dire, c'est que l'histoire familiale d'Alicia était compliquée. Jack n'imaginait pas qu'il pouvait comprendre les ressorts profonds de cette tragédie, même si son propre passé lui en donnait une certaine idée. La grand-mère de Jack s'était dépêchée d'expédier sa fille, alors adolescente, à Miami quand Castro avait pris le pouvoir à Cuba. Malheureusement, *Abuela* avait dû attendre quarante ans avant de pouvoir elle-même fuir Cuba, bien après que la mère de Jack soit morte en couches. D'une certaine manière, Jack et sa mère avaient été volés à *Abuela*, et quand sa grand-mère avait débarqué à Miami près de quatre décennies plus tard, elle s'était accrochée à Jack avec l'intention affectueuse mais ferme de ne jamais le lâcher, même si c'était maintenant un homme de plus de trente ans. Jack imaginait que l'*abuela* biologique d'Alicia éprouvait le même besoin de rattraper le temps perdu, maintenant qu'elle avait enfin les preuves – ADN et autres – tant recherchées. Mais il se trompait.

— Votre situation est totalement différente de la mienne, lui déclara la vieille dame.

— Je comprends. Ma mère n'a pas été assassinée.

— Et même si elle a dû fuir son pays natal, même si elle est morte trop jeune, vous avez toujours su qui était votre vraie mère.

— Mais vous avez maintenant toutes les preuves dont vous avez besoin. Pourquoi ne pas aller plus loin ? Vous avez bien le droit.

— Ce n'est pas la question de ce que j'aie le droit ou non de faire. Pour un parent ou pour un grand-parent, ce qui compte, c'est de faire ce qu'il y a de mieux pour l'enfant. Même quand cet enfant est grand.

Cette réponse ne plaisait pas forcément à Jack, mais quiconque connaissait l'histoire du roi Salomon pouvait comprendre le raisonnement de la vieille dame. Une vraie mère ne couperait jamais son bébé en deux – physiquement ou émotionnellement – pour satisfaire ses propres besoins et désirs maternels. Il en allait de même pour une vraie grand-mère. Après des années de recherche, elle avait finalement eu des nouvelles de Falcon, qui lui avait dit exactement où elle trouverait sa petite-fille. À partir de là, elle aurait pu bombarder Alicia d'accusations à l'encontre de monsieur Mendoza, à défaut de preuves. Elle aurait pu contacter les médias. Elle aurait aussi pu saisir les tribunaux, bien qu'à l'époque le système judiciaire argentin n'avait pas l'habitude de prendre le parti des mères des Disparus qui tentaient de renouer avec leurs petits-enfants perdus – même quand l'enfant en question était le portrait craché de sa défunte mère. Quoi qu'il en soit, insister ne lui aurait valu que le mépris d'Alicia. Au lieu de cela, elle préféra une approche douce, qui commença par cette première rencontre quand Alicia était étudiante. Bien qu'il soit toujours difficile de brider ses émotions, la vieille dame se contenta de planter des graines et, de temps à autre, d'aller voir si celles-ci donnaient quelque chose, sachant très bien que sa petite-fille et elle n'auraient un avenir qu'à la seule condition qu'Alicia écoute ce que lui dictait son propre cœur.

Jack était cependant d'avis que même le plus affamé des cœurs avait parfois besoin qu'on le pousse un peu. Et quand son portable sonna et qu'il vit le numéro d'Alicia s'afficher sur l'écran, il ne douta plus que sa stratégie légèrement plus agressive allait se révéler payante.

– Merci de me rappeler, dit Jack.

Il était sur le trottoir, au milieu d'une file d'attente assez bordélique qui menait au comptoir de La Cabana Havana, une échoppe spécialisée dans les expressos. Ces petites baraques qui vendaient des cafés à emporter étaient légion à Miami, et le rituel voulait que tout le monde, de l'avocat à l'éboueur, fasse la queue l'après-midi pour obtenir sa dose de caféine à la cubaine.

– Vous m'avez laissé cinq messages en trois jours, dit froidement Alicia. On est à la limite du harcèlement.

– Je m'excuse. Mais il est très important que nous nous parlions. En premier lieu, je tiens à vous dire que je suis désolé pour votre père.

– Merci. Mais toute discussion qui commence par « en premier lieu » se poursuit par « en second lieu », et c'est invariablement à partir de ce « en second lieu » qu'on en vient au fait.

– Soit, admit Jack.

– Je sais ce dont il s'agit, dit Alicia. Je suis désolée. Je ne veux pas la voir.

Jack s'écarta de la foule qui se pressait devant l'échoppe à expressos et trouva un peu d'ombre et de tranquillité sous un chêne aux racines noueuses qui avaient depuis longtemps débordé du carré de terre qu'on leur avait attribué au milieu du trottoir. Il cherchait le ton qui conviendrait le mieux à sa réponse, loin de toute argumentation trop systématique.

– J'aimerais que vous y réfléchissiez, commença-t-il.

– Je comprends votre point de vue. Mais mettez-vous à ma place.

– C'est justement ce que j'essaie de faire. Mais, excusez-moi de vous le dire, je vous trouve très dure.

– Ce n'est pas simple.

– Il me semble que ça pourrait l'être. J'aimerais en tout cas comprendre. Peut-être pourriez-vous m'expliquer ce qui motive votre décision ?

– Vous voulez que je vous dise la vérité ?

– De préférence, oui. Comme ça les choses seront claires.

Jack entendit un soupir à l'autre bout de la ligne.

– La vérité, c'est que…

Alicia marqua une pause comme pour prendre des forces avant de poursuivre :

—Il y a des choses que je ne tiens pas à connaître sur ma famille.

—Alicia, je ne veux pas me montrer insensible, mais certaines choses vont de toute façon apparaître au grand jour. C'est inévitable. Votre père était une personnalité très en vue. Ses secrets ne mourront pas avec lui, quelle que soit la décision que vous allez prendre.

—Ce n'est pas de cette famille-là dont je parle, dit-elle. Mais de ma famille biologique.

—Je ne comprends pas.

—Ma mère et mon père ont disparu dans un centre de détention secret destiné aux éléments subversifs.

—Oui, je sais, dit Jack.

—J'ai peur d'apprendre qu'ils étaient tous deux des gauchistes – des terroristes à cause de qui des innocents ont été tués ou blessés. À quoi ça me servirait de savoir ça ?

Jack se rappela soudain ce que la grand-mère d'Alicia lui avait dit sur cette nation qui avait choisi de fermer les yeux : des amis et des voisins avaient vu des enseignants, des journalistes, des mères de famille enlevés de chez eux par la force et n'avaient rien fait, si ce n'est hocher la tête quand quelqu'un lors d'un cocktail haussait les épaules et, avec un geste indifférent de la main, déclarait : « Ils n'emmènent pas les gens sans bonne raison. »

—Entre dix-huit mille et trente mille personnes ont disparu pendant la guerre sale, dit Jack. Un grand nombre d'entre eux étaient totalement innocents.

—Exactement. Et, aujourd'hui, je peux me compter parmi les chanceux qui ont cette consolation. Mes parents biologiques sont morts. Ils ont été les victimes innocentes d'une terrible dictature. Il est possible que mon père adoptif ait participé à cet affreux régime, mais il me reste encore la seule mère que j'aie jamais connue. Elle m'aime plus que tout, et elle n'a le sang de personne sur les mains. Pour moi, c'est la seule fin heureuse possible à toute cette histoire.

Un bus de la ville passa en grondant devant Jack, et celui-ci s'éloigna de la chaussée pour éviter le nuage noir puant formé par les vapeurs de diesel.

— Et votre grand-mère ? Comment les choses se terminent pour elle ?

— Je ne suis pas insensible à sa souffrance. Je me rends compte qu'elle a besoin de trouver une forme de conclusion à tout ça.

— Vous êtes la seule à pouvoir la lui offrir.

— Vous pensez que je ne le sais pas ?

— Alors faites quelque chose pour elle, s'il vous plaît.

Alicia marqua une pause. Elle semblait réfléchir.

— Des gens ont fait de grands efforts pour que vous soyez réunies, reprit Jack. Des innocents sont morts.

— Vous ne songez quand même pas à Falcon ?

— Non. C'est lui qui a indiqué à votre grand-mère où vous trouver, mais ce n'est pas à lui que je pensais. Plutôt à la sage-femme qui vous a aidée à naître.

— De quoi parlez-vous ?

— Quand vous êtes née, votre mère était une prisonnière politique qu'on désignait par un numéro et qui portait une cagoule sur la tête. Elle a crié son vrai nom à la fin de l'accouchement. La sage-femme avait des scrupules. Elle a réussi à retrouver votre grand-mère et lui a parlé de vous.

— C'est vrai ce que vous me racontez ?

— Oui. Mais ensuite la sage-femme a été enlevée. Elle est devenue une des Disparus.

— Comment savez-vous ça ?

— Écoutez ce que votre grand-mère a à dire. Elle connaît toute la vérité.

Il y eut un autre long silence. Jack sentait qu'il arrivait enfin à se faire entendre.

— D'accord, admit Alicia.

— Vous êtes prête à la voir ?

— Oui, dit-elle péniblement. Je veux dire... non. Je ne peux pas. Je n'y arriverai pas.

— Mais vous êtes d'accord sur le fait que votre grand-mère a besoin de cette conclusion dont nous parlons ?

— Je ne sais plus quoi penser. Vous ne voyez pas que ma vie ne ressemble plus à rien ? Les Mendoza sont considérés soit comme une bien mauvaise blague, soit comme une terrible tragédie, selon la personne à qui vous parlez. Ma mère a plus que jamais besoin de moi.

— Mais il doit y avoir quelque chose que vous voudriez dire à votre vraie grand-mère, non ?

— Bien sûr. Mais je veux que vous le fassiez pour moi. S'il vous plaît. Dites-lui... que j'aime mes mères. Mes deux mères.

— Après tout ce qu'elle a dû endurer, vous croyez vraiment que ça suffira ?

Silence au bout de la ligne. Après un long, long moment de réflexion, Alicia répondit d'une voix à peine audible :

— C'est le mieux que je puisse faire. Je suis désolée.

Jack entendit le déclic du téléphone qu'elle raccrochait, ce qui lui fit ressentir une vive émotion. C'était comme s'il voyait le cœur de sa propre grand-mère se fendre à l'endroit même où il s'était déjà fendu de nombreuses fois, et exactement pour les mêmes raisons. Mais la douleur de Jack fut rapidement suivie d'une profonde angoisse. Il ne savait pas du tout comment il allait s'y prendre pour faire ce qu'il avait à faire.

Il glissa son portable au fond de sa poche et s'apprêta à aller porter le message final d'Alicia à sa grand-mère.

67

ALICIA RAMENAIT SA MÈRE et Vince du cimetière. C'était un samedi après-midi ensoleillé et, bien que ce soit le premier jour de l'hiver, il faisait beaucoup trop chaud pour porter des vêtements noirs. Elle mit l'air conditionné en marche, mais sa mère l'éteignit aussitôt. Un peu avant, lorsque Alicia avait tenté de démarrer une conversation, elle avait obtenu le même type de réaction. Sa mère semblait refuser toute forme de consolation, comme si seul un état de souffrance permanent convenait au deuil tel que devait le vivre une veuve.

Seuls les proches assistèrent au service funèbre devant la tombe : Alicia, sa mère, Vince, six des meilleurs amis du maire, qui servirent de porteurs, ainsi que le prêtre catholique. La messe, par contre, avait été on ne peut plus publique. L'église de l'Épiphanie était à la Floride ce que la cathédrale de Crystal était à la Californie, un bijou architectural avec des plafonds et des vitraux semblant atteindre le ciel et laissant entrer tellement de lumière qu'on y sentait forcément la présence de Dieu. Même si elle se trouvait à l'extérieur de la ville, cette église était la seule qui soit suffisamment grande pour l'occasion, et elle fut remplie au maximum de sa capacité. Alicia se trouvait entre Vince et sa mère au premier rang. Derrière eux, il y avait tout ce que Miami comptait de politiciens, amis et adversaires assis épaule contre épaule. Leurs rangs s'étendaient jusqu'au vestibule, comme autant de vagues successives du pouvoir. Parmi eux se trouvaient un ancien gouverneur et sénateur, le gouverneur adjoint, une députée, des membres de la Chambre des représentants de l'État, des maires venus de toute la Floride ainsi que des juges, tous les membres du conseil municipal, du conseil général du comté, et les lobbyistes qui contrôlaient tout ce petit monde. Le milieu des affaires n'était pas moins représenté : en effet, rien de tel que la mort d'un leader hispanique pour prouver – en les rassemblant sous un même toit – que Miami, véritable terre d'*opportunidad*, avait plus de self-made-men millionnaires latinos qu'aucune autre ville au monde. Pour l'instant, ni le passé secret du maire ni ses derniers mots à Jack Swyteck – « le docteur, c'est moi » – n'avaient encore été divulgués au public, de sorte qu'Alicia fut seule à noter l'ironie cachée dans le troisième couplet d'un des hymnes funéraires les plus anciens de l'Église :

Souvent ils furent blessés en relevant de terribles défis.
Soigne-les, bon docteur, avec ton baume de vie.

Les éloges funèbres furent prononcés en anglais et en espagnol, des histoires sincères et parfois drôles sur un homme généreux, un mari dévoué et un père aimant. Pour le moment, Mendoza avait officiellement rejoint les rangs de ces pauvres âmes qui avaient échappé à la colère et au jugement des simples mortels en trouvant une mort précoce.

Après le service, certains furent conviés à la demeure des Mendoza pour profiter de rafraîchissements et d'un buffet. Les voitures étaient garées sur toute la longueur de la rue, des deux côtés de la chaussée. Les journalistes n'étaient pas autorisés à entrer dans la propriété, mais ils étaient partout dans le quartier. Il semblait que la presse locale avait décidé d'attendre que le maire soit enterré pour poser les questions difficiles, et désormais ils étaient décidés à faire la lumière sur toute cette affaire. Des éditoriaux exigeaient qu'une enquête officielle soit conduite. Dans certains talk-shows à la radio, on entendait toutes sortes de théories, certaines complètement cinglées, d'autres pas. Une chaîne télé régionale diffusa un documentaire sur les Disparus et la guerre sale en Argentine. La *Tribune* envoya à Buenos Aires son reporter qui avait gagné le Pulitzer. Ce n'était qu'une question de temps avant qu'on lève le voile sur le sombre passé du maire.

Devant le portail de l'allée des Mendoza, des policiers dirigeaient les voitures. Il y avait plus de visiteurs que prévu, et nombre d'entre eux se précipitaient vers la veuve du maire et sa fille dès leur arrivée. Alicia accepta ces condoléances sincères mais se retira rapidement.

– Comment tu te sens ? lui demanda Vince quand ils se retrouvèrent devant la porte en bois sculpté de la bibliothèque.

– Ça va. Merci.

Elle se rendait compte qu'il voulait lui parler seul à seul, loin de sa mère. Vince l'avait soutenue tout au long de la semaine, mais il était clair que quelque chose le tracassait. Quoi que cela pût être, elle n'était pas prête à l'entendre.

– J'ai besoin d'être seule, c'est tout.

– Je te laisse tranquille, dit-il. Je vais manger un morceau.

Elle le remercia en lui donnant un petit baiser, puis se réfugia à l'intérieur de la bibliothèque, fermant la porte derrière elle.

Autant qu'elle s'en souvînt, il avait toujours été établi comme règle tacite dans cette maison que la bibliothèque était le domaine réservé de monsieur Mendoza. Les règles, cependant, étaient destinées à être brisées. Alicia ne s'était jamais fait prier : une pièce remplie de livres avait quelque chose de particulièrement rassurant, et elle s'était toujours sentie attirée par cet endroit. Le célèbre auteur argentin Jorge Luis Borges avait un jour déclaré qu'il ne pouvait pas s'endormir s'il n'était pas entouré de livres, un sentiment exprimé depuis le pays natal d'Alicia et qui trouvait un écho chez elle. Quand elle jetait un coup d'œil aux rayons, des pans entiers de sa jeunesse lui revenaient en mémoire : l'époque où elle avait lu *Alice au pays des merveilles*, celle où elle avait lu *Don Quichotte*, ou encore celle où elle s'était plongée dans *Gatsby le Magnifique*. Sa collection si précieuse de bandes dessinées *Mafalda* avait par contre disparu il y a des années. Apparemment, monsieur Mendoza n'appréciait pas les penchants politiques de l'artiste qui avait créé cette petite fille intelligente qui n'avait pas sa langue dans sa poche. Et pourtant, au fil des ans, cette bibliothèque avait si souvent permis à Alicia de s'échapper. Elle sentait encore la magie contenue entre ces quatre murs : c'était le seul endroit sur terre qui avait le pouvoir d'exorciser les catastrophes de la semaine passée. Si Alicia s'était laissé envahir par la magie, la force ou tout simplement l'énergie qui habitait cette pièce remplie de souvenirs, elle aurait pu se sentir mieux, atteindre une sorte d'équilibre émotionnel qui lui aurait permis, malgré ce qu'elle avait récemment appris sur son père, d'éprouver de la tristesse à la vue de cette chaise vide derrière le bureau. Elle se serait souvenue des moments où, petite fille, elle grimpait sur les genoux de son père et lui promettait d'aller se coucher dès qu'il lui aurait lu une dernière histoire. Elle aurait même pu sourire en voyant la cave à cigares sur la crédence, en se rappelant la seule fois de sa vie où il lui avait offert un cigare, le soir où elle avait reçu son diplôme de l'académie de police. Elle n'oublierait jamais l'expression sur le visage de son père quand elle avait accepté. Ils rirent et burent du scotch vieux de vingt ans jusqu'à ce que leurs Montecristo ne soient plus que de petits bouts de braise.

C'était étrange comme ces souvenirs ne semblaient désormais plus lui appartenir. Elle les voyait comme les rêveries d'une autre personne, centrées sur un homme très différent de celui que son père s'était révélé être.

La porte s'ouvrit, et Alicia fut tirée de ses pensées. C'était sa mère qui entrait, arborant toujours son chapeau et son voile noirs.

–Il y a des gens ici que tu devrais aller voir, dit Graciela.

– Je peux te parler une minute ?

Madame Mendoza fit un pas en arrière. Toute la semaine durant, elle avait tâché d'éviter cette conversation. D'après Alicia, c'était sans doute pour cette raison que sa mère avait accepté d'inviter Vince aux moments réservés à la famille.

– Mais nous avons des invités.

– Ils peuvent attendre quelques minutes, répondit Alicia.

Sa mère sembla hésiter. Une maison pleine d'invités, c'était l'excuse parfaite pour couper court à une conversation ; mais elle se rendit compte qu'elle avait déjà suffisamment repoussé cet instant.

– De quoi veux-tu que nous parlions ?

À l'initiative d'Alicia, elles s'assirent dans les deux fauteuils en cuir qui se trouvaient au centre de la pièce, séparés par un vieux guéridon en marbre qui appartenait à la famille depuis des générations et qui servait maintenant de table pour l'apéritif. Un jour, quand elle était petite, Alicia se fit crier dessus parce qu'elle s'était enroulée dans un drap de lit et avait couvert son corps de talc avant de monter sur le guéridon, les bras croisés derrière le dos pour ressembler à la Vénus de Milo. Cette pièce était saturée d'émotions contradictoires.

Elle regarda sa mère droit dans les yeux :

– Tu crois que je devrais pardonner à *papi* ?

– Lui pardonner quoi ?

– Tu me poses cette question sérieusement ?

– Ton père t'aimait plus que la plupart des hommes aiment leur enfant biologique.

– Sa vie entière a été un mensonge, avec moi au centre.

– L'amour qu'il te portait n'avait rien d'un mensonge.

– Ce n'est pas ça l'important.

– Ah bon ? Qu'est-ce qui compte plus que ça ?

– La vérité, dit Alicia. La vérité compte.

– La vérité, c'est que ton père a été détruit par des terroristes qui ont fait sauter une bombe près d'un café bondé et assassiné sa femme et sa fille. Il lui a fallu beaucoup de temps pour trouver une raison de continuer à vivre, et c'est toi et moi qui la lui avons donnée.

Une nouvelle dose d'émotions contradictoires... Alicia fit légèrement marche arrière, prit un ton plus doux :

— Pourquoi avez-vous cherché à adopter ?

— Nous voulions désespérément un enfant. Nous avons essayé, mais je n'arrivais pas à tomber enceinte.

— Vous étiez au courant de ce qui était arrivé à mes parents ?

— Bien sûr que non. Je croyais que tu avais suivi un parcours normal d'adoption.

— Mais *papi* savait la vérité.

La mère d'Alicia avait tout d'un coup du mal à parler, comme s'il valait mieux taire la réponse :

— Je te le répète, ces gens-là ont détruit sa vie. Cela a dû lui servir de justification.

— Attends une seconde. Tu veux dire que mes parents biologiques ont posé la bombe qui a tué sa famille ?

— Non, non. Je ne sais rien ni sur eux ni sur ce qu'ils ont fait. Mais ils faisaient partie de la rébellion.

— Ils étaient coupables par association, c'est ça ?

Sa mère ne répondit pas, mais Alicia attendait, refusant d'en rester là.

— Tu dois comprendre l'époque que c'était, dit finalement madame Mendoza. Je suis sûre que ton père pensait seulement qu'il allait offrir un foyer plein d'amour et un bel avenir à l'enfant innocent de parents pas si innocents.

Alicia hocha la tête, pas parce qu'elle était d'accord avec sa mère, mais parce qu'elle comprenait son point de vue.

— Pour le moment, dit-elle, laissons de côté la question de savoir si cette rationalisation tient ou non la route. J'ai encore un vrai problème avec ce que tu me racontes.

Le bruit de l'autre côté de la porte fermée prit soudain une autre ampleur. De nouveaux invités arrivaient et, apparemment, personne ne partait.

— Il faut vraiment qu'on y retourne.

– J'ai presque terminé.

– On pourra en parler plus tard, dit Graciela en se levant.

– Non, je veux qu'on en parle *maintenant*.

La dureté du ton surprit sa mère – et la surprit elle-même. Jusqu'à aujourd'hui, elle avait cru, et raconté aux autres, qu'il y avait certaines choses qu'elle ne voulait tout simplement pas connaître. Mais son point de vue avait évolué. Sa vraie grand-mère n'était plus une abstraction pour elle. Elle avait aussi été profondément affectée par ce que Jack lui avait révélé sur la femme innocente qui s'était sacrifiée pour exposer la vérité. Alicia pensait sans cesse à la sage-femme qui avait entendu une prisonnière crier son vrai nom, et qui avait ensuite fait ce que sa conscience lui dictait : elle avait retrouvé la grand-mère du bébé et l'avait payé de sa vie. Alicia en avait assez de se cacher derrière des mensonges.

Sa mère se rassit dans son fauteuil.

– Tu te rappelles les cassettes vidéo de ces dessins animés argentins que *papi* et moi regardions ensemble ? demanda Alicia. Ceux sur la sorcière ?

– *La Bruja de la Cachavacha.* Bien sûr que je m'en souviens.

– Mes parents biologiques étaient retenus prisonniers dans un centre de détention appelé La Cacha. Il tirait son nom du dessin animé, parce que la sorcière pouvait faire disparaître les gens.

– C'est une coïncidence assez macabre, dit Graciela en baissant le regard.

– À moins que ce ne soit pas une coïncidence.

– Enfin, Alicia. Comment ton père aurait-il pu connaître le nom du centre de détention ?

– Ça ne me paraît pas impossible.

– Et comment aurait-il pu... Comment quiconque pourrait s'asseoir avec une petite fille pour regarder ces dessins animés en sachant que ses parents avaient disparu à La Cacha ? Ce serait complètement inhumain.

– Je ne te le fais pas dire.

−Il aurait fallu que ton père soit un sociopathe.

−Oui, dit tranquillement Alicia. C'est ce que j'en aurais conclu.

Sa mère comprit finalement ce qu'elle sous-entendait et faillit bondir de sa chaise :

−Cette conversation a suffisamment duré. Après tout ce qu'on a raconté cette semaine, et après tous les événements que tu as vécus, je peux comprendre que tu te poses des questions. Mais je ne tolérerai pas que tu déshonores la mémoire de ton père le jour de son enterrement.

−Je me pose aussi des questions sur la femme qu'il a épousée.

−Et maintenant c'est moi que tu cherches à insulter ?

−Le certificat de naissance. Il dit que j'avais deux ans alors que je n'avais que deux semaines.

−Je n'ai pas à entendre ça, refusa sa mère en se couvrant les oreilles avec les mains.

−Ça veut dire que *papi* savait qu'il était faux…

−Je m'en vais, dit Graciela en se dirigeant vers la porte.

−… et toi aussi.

L'accusation finale d'Alicia l'arrêta net. Graciela resta debout pendant près d'une minute, sans bouger, sans dire un mot, sans se tourner vers elle.

−Toutes ces années pendant lesquelles j'allais en classe, reprit Alicia, je me suis demandé pourquoi j'étais la plus vieille, pourquoi on m'avait fait entrer à l'école si tard. En fait, j'étais la plus jeune.

Sa mère refusait toujours de lui faire face.

−Tu n'as aucune réponse à me donner, n'est-ce pas ? demanda Alicia.

Graciela commença à se retourner, mais elle s'arrêta. Elle ne pouvait pas affronter son regard. Elle ne voulait peut-être tout simplement pas que sa fille voie les larmes de honte qui coulaient de ses yeux.

−C'est bien ce que je pensais, dit Alicia.

Elle se leva et marcha vers la porte, ignorant sa mère.

– Alicia ! supplia Graciela.

Mais elle ouvrit la porte et sortit sans se retourner.

La maison était remplie d'invités, des dizaines de personnes conversaient en petits groupes. Ils tenaient un verre ou une assiette d'une main et, conformément à la vieille tradition hispanique, ils s'aidaient de l'autre main pour parler. Plusieurs invités essayèrent d'attirer l'attention d'Alicia pour engager la conversation alors qu'elle se frayait un chemin à travers la foule, mais elle les ignora. Elle sortit par la porte-fenêtre qui donnait sur le patio et trouva un peu de solitude dans le jardin, dans l'ombre de la grande haie de ficus.

Elle composa le numéro de Jack Swyteck sur son portable.

– Bonjour, c'est moi, Alicia Mendoza.

– Eh bien, je ne m'attendais pas à ce que vous me rappeliez, répondit Jack.

– J'ai un service à vous demander.

– OK, allez-y.

Alicia lança un regard vers la maison. À travers la porte-fenêtre, elle aperçut sa mère dans le séjour, qui s'occupait de tout ce petit monde comme une vraie politicienne expérimentée. Elle avait réussi à complètement se ressaisir, comme si rien ne s'était passé. Comme elle avait fait ces vingt-sept dernières années.

Peut-être que Graciela et le maire se ressemblaient plus qu'Alicia ne s'en était jamais rendu compte.

– Dites à ma grand-mère...

Une vague de confusion et d'émotions contradictoires serra sa gorge.

– Que je lui dise quoi ? demanda Jack.

Elle prit une grande inspiration :

– Dites-lui que sa petite-fille souhaiterait la rencontrer.

68

JACK N'AVAIT JAMAIS CRU que le sergent Paulo viendrait vraiment.

En plein milieu de la prise d'otages, Paulo avait demandé à Jack comment il arrivait à défendre des coupables et se regarder dans la glace le matin. Jack lui avait suggéré qu'ils en discutent un jour devant des bières. Ce n'était pas une proposition en l'air. La vie était trop courte, et Jack préférait téléphoner à son ancien coloc de la fac à Chicago et trinquer avec lui à distance plutôt que de perdre du temps à boire avec des gens qu'il n'appréciait pas. Paulo était un type bien, à n'en pas douter, et Jack lui avait dit qu'il allait au Sparky's presque tous les vendredis soirs, si Vince était tenté par une bière.

Cela prit quelques mois, mais Paulo finit par venir faire un tour au Sparky's. La surprise fut d'autant plus grande qu'il amenait Alicia avec lui. Apparemment, suffisamment de temps s'était écoulé et elle pouvait enfin sortir dans des lieux publics sans que les journalistes la harcèlent avec leurs questions sur son père. C'était ce qu'il y avait de bien à Miami : un plus grand scandale finissait toujours par éclater et voler la vedette au précédent.

Theo les conduisit à « la meilleure table de la maison », ce qui pour quiconque le connaissait voulait simplement dire celle qui se trouvait être disponible à ce moment-là. Ils bavardèrent tout en buvant des verres. Par chance, Theo eut la relative délicatesse d'attendre qu'Alicia s'éclipse aux toilettes pour porter deux toasts : le premier en l'honneur du sergent Chavez qui, selon les journaux, avait été suspendu de son poste de chef de la Swat en attendant le résultat d'une enquête interne examinant si sa détermination à éliminer Falcon était seulement motivée par son désir de faire plaisir au maire. Le second à Felipe, qui (après que Jack et Theo eurent coopéré avec le jury d'accusation) était sur le point d'être inculpé pour les actes qu'il avait commis en outrepassant largement ce que la fonction de garde du corps du maire exigeait de lui.

Quand Alicia revint s'asseoir, Theo se leva et annonça « un concert spécial pour des invités très spéciaux », ce qui voulait bien sûr dire qu'il allait jouer ce qu'il avait de toute façon prévu de jouer. Vince et Alicia se rapprochèrent l'un de l'autre pendant le petit concert de Theo, et voir Alicia dans cet environnement permit à Jack de mieux apprécier à quel point c'était une femme captivante. Il ne voulait pas vraiment écouter leur conversation – mais après tout c'était humain, et il était prouvé scientifiquement que c'était toujours la cinquième roue du carrosse qui avait la meilleure ouïe.

— Tu te souviens de ce rêve que je t'ai raconté ? demanda Paulo à Alicia.

Il parlait assez fort pour pouvoir être entendu malgré la musique, mais Jack se doutait que ce qu'il disait n'était destiné qu'à Alicia.

— Lequel ? demanda-t-elle.

— Celui avec la petite fille qui s'assied sur mes genoux.

Ah, ces coquins de flics, se dit Jack. Mais il se rendit vite compte que ce n'était pas ce qu'il croyait.

— Oui, je m'en souviens, dit Alicia. Toi et moi on est mariés, on est au parc, et une petite fille vient s'asseoir sur tes genoux. Mais elle ne dit rien, alors tu ne sais pas si c'est notre fille ou bien l'enfant de quelqu'un d'autre.

— Voilà. Et je n'ose pas le lui demander, parce que je ne veux pas que notre propre fille sache que je n'arrive pas à la reconnaître. Alors je reste assis et j'attends qu'elle dise quelque chose, pour pouvoir identifier sa voix. Tu te souviens de ce que tu m'as dit au sujet de ce rêve ?

— Oui. Que cette petite fille ne te parlerait qu'une fois que tu aurais décidé ce que tu voulais faire de nous.

— Eh bien, dit Vince. Devine quoi. La nuit dernière, cette petite fille m'a parlé.

Jack n'entendit pas la suite. Mais avant même que Theo ait terminé son concert, Alicia et Vince s'étaient levés pour lui dire au revoir. Paulo sortit son portefeuille ; Jack lui ordonna de le ranger.

— C'est pour moi, dit-il. Mais promettez-moi de revenir nous voir.

— On repassera, sans faute, promit Alicia. Peut-être à mon retour d'Argentine.

Jack aurait donné cher pour savoir ce qu'avait donné la conversation entre elle et sa grand-mère. Désormais, il n'avait plus besoin de poser la question. Il sourit légèrement. Il savait que ce serait un périple riche d'émotions pour Alicia.

— Bon voyage, alors.

— Merci, répondit-elle.

— À la prochaine, Jack, dit Paulo.

Lorsqu'il descendit de scène, Theo trouva Jack seul à table. Il avisa les chaises vides et lança un regard incrédule à son ami :

— Je te laisse pour aller jouer quelques malheureux petits morceaux et tu réussis à faire fuir mes nouveaux clients ?

— Ils étaient pressés de partir.

— Où ça ?

Jack ne répondit pas. Il n'avait même pas entendu la question, en fait.

— Theo, crois-tu que ce soit un péché d'être jaloux d'un aveugle ? demanda-t-il d'un ton philosophique.

— La jalousie est toujours un péché. C'est même un des sept péchés capitaux. Pire que ça, c'est une terrible perte de temps et d'énergie.

—Ouais, je sais. Mais regarde-moi. Je suis tombé amoureux de deux femmes depuis mon divorce. L'une s'est teint les cheveux, a changé de nom et quitté le pays. L'autre préférerait vivre dans une hutte en Afrique occidentale plutôt qu'avec moi, sauf les rares fois où elle prend mon lit d'assaut et essaie de concentrer l'équivalent de six mois de sexe en un week-end.

—OK, maintenant c'est moi que t'as réussi à rendre jaloux. T'es content ?

—Non, je ne suis pas content. C'est ce que j'essaie de te dire. En ce qui concerne la gent féminine, j'ai vraiment l'impression d'avoir tout faux.

—Ah non, mon vieux, me dis pas que ça va encore être un de ces soirs où je vais devoir t'attacher à ta chaise pour t'empêcher de sauter sur scène et de te mettre à chanter ta version pathétique de *Some Guys Have All the Luck* de Rod Stewart !

—Je n'ai *jamais* fait une chose pareille.

Theo lui fit un sourire que le diable aurait envié.

—Tu t'en souviens pas, c'est tout.

Il sortit un petit verre de chacune de ses deux poches, et les posa bruyamment sur la table.

—Hors de question, fit Jack. Pas de tequila. Pas ce soir.

Theo écarta les petits verres.

—Des martinis, alors ?

—Depuis quand tu t'es mis au martini ?

—Au cas où tu t'en serais pas aperçu, ce bar n'est pas vraiment plein à craquer. J'essaie de me creuser la tête et de trouver des idées pour attirer un peu plus de monde.

Le juke-box joua enfin la chanson que Jack avait choisie, *The Boys of Summer* de Don Henley. C'était une de ses chansons favorites, mais cette fois-ci elle lui donna à réfléchir :

—Si sur ton juke-box il y avait quelques tubes d'artistes dont la carrière n'était pas tout à fait morte, ça pourrait aider.

—C'est pas un problème de musique, répliqua Theo. C'est un problème d'image.

Jack promena son regard autour de lui. Le bâtiment était une ancienne station-service reconvertie – une reconversion toute relative, un peu comme quand un gymnase de lycée est transformé en Margaritaville à l'occasion d'un bal rétro années soixante-dix. La fosse avait été comblée, et Theo venait tout juste de fermer les ouvertures laissées par les anciennes portes du garage. Il y avait un long comptoir en bois, une télé branchée en permanence sur la chaîne des sports, et un billard au bord duquel les pièces de vingt-cinq cents ne manquaient jamais de s'entasser.

– C'est vrai, dit Jack, ce bar manque peut-être un peu de style.

– Du style, mon cul. Ce qu'il faut au Sparky's, c'est une boisson officielle. Voilà pourquoi je pense au martini.

– OK, je vois. Mais il me semble que les « martini bars », c'est plutôt passé de mode, non ?

– Je te parle de quelque chose qu'on ne trouverait qu'au Sparky's : le milk-shake au martini.

– Faut vraiment que tu arrêtes avec tes histoires de milk-shakes. Ç'a déjà failli nous coûter la vie sur le bateau du maire...

– Ce serait bien plus qu'un milk-shake. Un milk-shake au martini. Un milk-martini.

– Milk-martini ? Ça fait boisson pour alcoolos.

– Quoi ?

– Laisse tomber. Ça marchera jamais.

– Comment tu peux dire ça ?

– Parce que... qui serait assez dingue pour mélanger du vermouth avec du lait ?

– Tu préfères vermoulait, comme nom ?

– Cherche-toi un nouveau concept, mon vieux.

– D'accord, d'accord, dit Theo.

Il fit signe au barman et lui cria :

– Deux martinis bétonnés, Leon.

– Deux quoi ? fit Jack.

—Des martinis bétonnés, répondit Theo avec un grand sourire. Agités *et* remués. Voilà une boisson à la fois classique et unique. Ça, ça devrait te plaire, t'es pas d'accord, mon pote ?

Jack secoua la tête :

—Tu sais quoi ? Contentons-nous de la tequila.

—Ah, voilà une sage décision.

Il tendit un des petits verres à Jack. Le barman arriva avec une bouteille et les remplit à ras bord.

Jack leva le sien en prenant soin de ne pas en renverser plus. Mais avant de boire il demanda :

—Je suis vraiment monté sur scène pour chanter *Some Guys Have All the Luck* ?

—Eh oui.

—Quand ça ?

—Dans deux heures environ.

Jack but son verre d'un trait, puis secoua la tête pour se débarrasser de l'expression que lui avait donnée la tequila :

—Je me suis pas ridiculisé, au moins ?

Remerciements

Il est très agréable de gagner sa vie en racontant des histoires, surtout quand on a la chance de pouvoir compter sur l'aide de gens bourrés de talent. Carolyn Marino est mon éditrice depuis le milieu des années quatre-vingt-dix, et ce dernier roman reflète tout ce qu'elle m'a appris en dix ans. Son assistante, Jennifer Civiletto, est super, elle aussi. Je ne suis pas moins reconnaissant envers Richard Pine, qui est mon agent depuis les débuts de ma carrière littéraire et qui est tout simplement le meilleur.

Merci aussi à mes lecteurs attitrés, Eleanor Rayner et le docteur Gloria Grippando. Une fois de plus, j'ai pu compter sur les connaissances de Gordon Van Alstyne en matière d'armes à feu. Évidemment, s'il y a des erreurs, j'en suis l'unique responsable.

Les gens de la Fédération américaine pour les aveugles n'imagineraient pas à quel point leur aide m'a été précieuse pour comprendre l'univers des malvoyants, mais personne ne m'a mieux aidé que mon propre père, James V. Grippando. Il mène sa vie en accord avec sa devise : « Ce n'est qu'une question d'attitude, idiot. » Si nous pouvions tous montrer autant de courage et d'optimisme.

Ma connaissance de l'Argentine était limitée avant que je ne me mette à faire des recherches pour ce roman. Heureusement, il existe au sud de la Floride une communauté argentine fière et dynamique, et je souhaite remercier les nombreuses familles qui m'ont raconté leurs histoires. Elles étaient toutes captivantes, et je suis particulièrement reconnaissant envers ceux qui se sont replongés dans de douloureux souvenirs.

Ce roman marque aussi la fin d'un chapitre dans ma vie. Mon « compagnon de bureau » ces neuf dernières années était un golden retriever du nom de Sam. Nous avons écrit onze romans ensemble, et celui-ci fut le dernier. Sam me manque terriblement, alors ne soyez pas surpris si, à l'avenir, Jack Swyteck se trouve un acolyte encore plus loyal que Theo Knight. (Amis des animaux, prière de vous rendre sur www.james-grippando.com et de lire l'histoire que j'ai écrite au sujet de Sam.)

Comme d'habitude, rien de tout cela ne serait possible sans l'amour et le soutien de ma femme, Tiffany. Les gens me demandent souvent où je trouve mes idées, et je n'en sais absolument rien. Par contre, je sais quelle est la source de mon inspiration.

Pour finir... j'ai souvent du mal à choisir les noms de mes personnages, alors je tiens à remercier David Boies de m'avoir un peu facilité la tâche cette fois-ci. Pour remercier David de sa contribution généreuse lors d'une vente aux enchères destinée à récolter des fonds pour le Boys & Girls Club de Marti Huizenga (le plus important Boys & Girls Club du pays), le Richard Boies que Vince Paulo appelle « Oncle Ricky » au chapitre 4 a été baptisé ainsi en l'honneur de Richard James Boies, le petit frère de David. Ses amis l'appelaient « Rick » et sa famille « Ricky » : c'était un être chaleureux à l'esprit malicieux, aimé de tous ceux qui le connaissaient. Un bel hommage à un homme bon, pour soutenir une noble cause.

Linda Fairstein
Mausolée

Traduit de l'anglais (États-Unis) par Marie Dolan

« *Cru, authentique, intelligent.* » Patricia Cornwell
« *Un sens de l'intrigue époustouflant.* » Harlan Coben
« *Un écrivain majeur.* » Michael Connelly

Sur la piste d'un tueur fasciné par la vie et l'œuvre d'Edgar Poe

Après avoir terrorisé les quartiers chic de Manhattan, celui que la presse a surnommé « le violeur au bas de soie » a disparu sans laisser de traces. Quatre ans plus tard, il semble de retour, sévissant cette fois avec une violence inaccoutumée. S'agit-il du même homme ou bien d'un imitateur ? Et quel rapport exact entretient-il avec le corps d'une jeune femme emmurée vivante, retrouvée dans l'ancienne demeure d'Edgar Poe ?

C'est le début d'une enquête aussi passionnante que macabre qui conduira Alexandra Cooper, adjointe au procureur de Manhattan en charge des crimes sexuels, dans les bas-fonds d'un New York peu connu, sur les traces d'un tueur qui, comme elle, semble fasciné par la vie et l'œuvre de Poe.

Linda Fairstein a dirigé pendant trente ans la brigade des crimes sexuels auprès du procureur de New York. Elle est considérée comme l'une des plus éminentes spécialistes des États-Unis en matière de crimes et de violences envers les femmes. Sa connaissance du terrain et des méthodes d'investigation donne à ses livres, vendus à plus de dix millions d'exemplaires outre-Atlantique, un aspect brut et quasi documentaire qui en renforce encore le caractère terrifiant.

« Chaque page de ce livre est d'une authenticité telle qu'elle ne peut être que l'œuvre de quelqu'un qui a vraiment vécu ces choses, qui les a vues, qui y a pris part. Un ouvrage captivant. » Michael Connelly

Jeff Abbott
Faux-Semblants

Traduit de l'anglais (États-Unis) par Simon Baril

« *Faux-Semblants* est un roman débordant d'adrénaline, d'intrigues et de rebondissements, qui ménagent un suspens incroyable. Je l'ai lu d'une seule traite. Jeff Abbott est un des meilleurs auteurs du genre. » Harlan Coben

Entrez dans le jeu pervers d'un tueur machiavélique

Lorsque le fils d'un sénateur, devenu star du porno, revient dans sa ville natale du Texas, cela n'augure rien de bon. Mais lorsqu'il est retrouvé mort sur son yacht, alors qu'il enquêtait discrètement sur la mystérieuse disparition de son frère des années auparavant, c'est un véritable cauchemar qui commence pour les deux enquêteurs, Whit Mosley et Claudia Salazar.

De secrets de famille bien enfouis en inquiétantes zones d'ombre, de faux-semblants en mensonges et autres manipulations, c'est au péril de leur vie qu'ils devront affronter un tueur aussi pervers que machiavélique.

Après *Panique* et *Trauma*, Jeff Abbott nous livre un nouveau bijou de suspense et d'intrigue, ou l'on retrouve, plus aiguisé que jamais, son sens du rythme et des rebondissements multiples, jusqu'à un dénouement complètement imprévisible.

Jeff Abbott est né à Dallas. Licencié en histoire et en lettres, il consacre tout son temps à l'écriture. Après Panique *et* Trauma, Faux-Semblants *est son troisième roman publié en France. Il vit à Austin avec sa femme et ses deux enfants.*

« Un roman d'enfer ! » Michael Connelly

« Une maîtrise rare. Meurtres en cascade et révélations toutes les quatre pages. Si vous aimez les séries télé style ''24 heures'', ce livre est pour vous. » Gérard Collard, librairie La Griffe noire.

« *Panique* est l'un de ces thrillers qui vous font rater la station, la gare ou le premier sommeil, selon le lieu et le moment où vous vous y plongez. Niveau efficacité, Jeff Abbott se révèle un digne cousin d'Harlan Coben. Haletant. » Philippe Lemaire, *Le Parisien*

Mise en pages par DV Arts Graphiques à La Rochelle
Imprimé en France par Bussière
Dépôt légal : avril 2008
N° d'édition : 1061 – N° d'impression : 081136/1
ISBN 978-2-74910-1061-5

PE-A
JUIN '08

rom. pol.

GRi